EIXAMPLE
Págs. 70-83
Guia de Ruas 3, 4
Eixample
0 metros 750
CATALUNHA
Págs. 108-129
FORA DO CENTRO
Págs. 92-99
CATALUNHA
BARCELONA
0 quilômetros 50

GUIA VISUAL - FOLHA DE S.PAULO

BARCELONA E CATALUNHA

GUIA VISUAL - FOLHA DE S.PAULO

BARCELONA E CATALUNHA

Colaborador principal: ROGER WILLIAMS

DORLING KINDERSLEY
LONDRES • NOVA YORK • STUTTGART
www.dk.com

UM LIVRO DORLING KINDERSLEY

www.dk.com

"Eyewitness Travel Guide – Barcelona" foi publicado originalmente no Reino Unido em 1999 pela Dorling Kindersley Limited, 80 Strand, Londres, WC2R 0RL, Inglaterra

3ª edição brasileira: 2008

ISBN 978-85-7402-281-9

PUBLIFOLHA
Divisão de Publicações do Grupo Folha
Al. Barão de Limeira, 401, 6º andar, CEP 01202-900, São Paulo, SP
Tel.: (11) 3224-2186/2187/2197
www.publifolha.com.br

COORDENAÇÃO DO PROJETO
PUBLIFOLHA
ASSISTÊNCIA EDITORIAL: Lizandra Magon de Almeida, Fabricio Waltrick
COORDENAÇÃO DE PRODUÇÃO GRÁFICA: Marcio Soares
PRODUÇÃO GRÁFICA: Soraia Pauli Scarpa

PRODUÇÃO EDITORIAL
EDITORA PÁGINA VIVA
EDIÇÃO: Carlos Tranjan
ASSISTÊNCIA DE EDIÇÃO: Ricardo Marques
TRADUÇÃO: Luis Reyes Gil
CONSULTORIA: Cristina Adams (Vida Selvagem), Federico Mengozzi (Cultura e História) e Josimar Melo (Culinária)
REVISÃO DE TEXTO: Márcio Guimarães de Araújo e Olga Cafalcchio de Oliveira
ASSISTÊNCIA DE REDAÇÃO: Camila Fudissaku

PRODUÇÃO GRÁFICA
EDITORA PÁGINA VIVA
DIREÇÃO DE ARTE E COORDENAÇÃO: Sandra Tranjan

Atualização da 3ª edição: Página Viva

DORLING KINDERSLEY
DIREÇÃO EDITORIAL: Catherine Day
DIREÇÃO DE ARTE: Carolyn Hewitson, Marisa Renzullo
EDIÇÃO: Elizabeth Atherton, Felicity Crowe
DESIGN: Suzanne Metcalfe-Megginson
COORDENAÇÃO DE MAPAS: David Pugh
GERÊNCIA EDITORIAL: Fay Franklin, Louise Bostock Lang
GERÊNCIA DE EDIÇÃO DE ARTE: Annette Jacobs
DIREÇÃO EDITORIAL: Vivien Crump
DIREÇÃO DE ARTE: Gillian Allan
EDIÇÃO: Douglas Amrine
PRODUÇÃO: Jo Blackmore, Marie Ingledew
PESQUISA ICONOGRÁFICA: Monica Allende
DESIGN DE DTP: Lee Redmond, Pamela Shiels
COLABORADOR PRINCIPAL: Roger Williams
MAPAS: Jane Hanson, Phil Rose, Jennifer Skelley (Lovell Jones Ltd), Gary Bowes, Richard Toomey (ERA-Maptec Ltd)
FOTOGRAFIAS: Max Alexander, Mike Dunning, Heidi Grassley, Alan Keohane
ILUSTRAÇÕES: Stephen Conlin, Claire Littlejohn, Maltings Partnership, John Woodcock

Impresso na South China Printing Company, China.

Foi feito o possível para garantir que as informações deste livro fossem as mais atualizadas disponíveis até o momento da impressão. No entanto, alguns dados como telefones, preços, horários de funcionamento e informações de viagem estão sujeitos a mudanças. Os editores não podem se responsabilizar por qualquer consequência do uso deste guia, nem garantir a validade das informações contidas nos sites indicados.

Os leitores interessados em fazer sugestões ou comunicar eventuais correções podem escrever para a Publifolha, Al. Barão de Limeira, 401, 6º andar, CEP 01202-900, São Paulo, SP, enviar um fax para: (11) 3224-2163 ou um e-mail para: atendimento@publifolha.com.br

SUMÁRIO

INTRODUÇÃO A BARCELONA E À CATALUNHA

Jaime I, o Conquistador, soberano da Catalunha (1213-76)

Um dos muitos cafés do Port Vell (Porto Velho) em Barcelona

BARCELONA ÁREA POR ÁREA

◁ Páginas anteriores: bancos no Parc Güell, Barcelona; Miravet, no rio Ebro, sul da Catalunha

O característico casario branco da pequena Cadaqués, na Costa Brava

O espetacular vitral no teto do Palau de la Música Catalana

CATALUNHA

INDICAÇÕES AO TURISTA

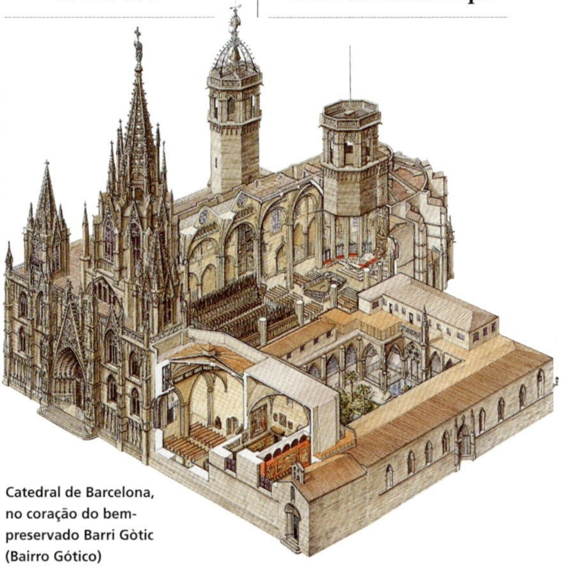

Catedral de Barcelona, no coração do bem-preservado Barri Gòtic (Bairro Gótico)

MANUAL DE SOBREVIVÊNCIA

Pa amb tomàquet –pão com tomate, alho e azeite de oliva

COMO USAR ESTE GUIA

Este guia vai ajudá-lo a aproveitar ao máximo sua viagem a Barcelona e à Catalunha. *Introdução a Barcelona e à Catalunha* descreve a geografia, a cultura e a história locais. *Barcelona Área por Área* apresenta as principais atrações, com fotos, mapas e ilustrações: *Cidade Velha, Eixample* e *Montjuïc* exploram em detalhe os bairros centrais da cidade; *Fora do Centro* sugere passeios em pontos mais afastados. A seção sobre a *Catalunha* apresenta as quatro províncias da região. Hotéis e restaurantes são relacionados em *Indicações ao Turista*. O *Manual de Sobrevivência* ensina dicas práticas sobre, por exemplo, trens e metrô, viagens aéreas, vistos e segurança.

BARCELONA ÁREA POR ÁREA

Barcelona foi dividida em quatro áreas de atrações –nos bairros centrais e também nos arredores da cidade–, e um quinto capítulo destaca os passeios pela Catalunha. Cada capítulo oferece uma lista das atrações, facilmente localizadas nos mapas por seus números, aos quais correspondem textos com descrições detalhadas.

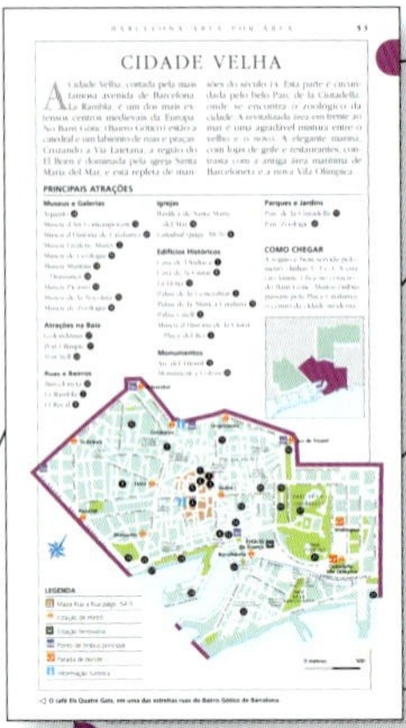

Um código de cores facilita a localização de cada área de Barcelona no guia.

Localize-se mostra onde você está em relação a outras áreas de Barcelona ou da Espanha.

1 Mapa da Área
Numerados e localizados no mapa, os pontos mais importantes também estão assinalados no Guia de Ruas (págs. 188-97).

Principais Atrações traz as atrações-chave da área (edifícios, galerias de arte, museus e igrejas), por categoria.

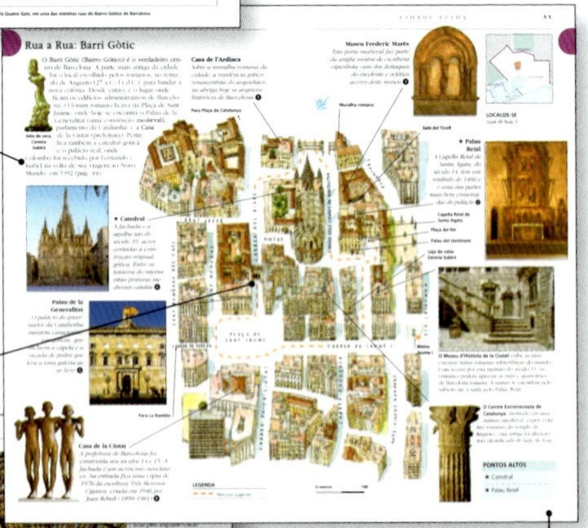

2 Mapa Rua a Rua
A área sombreada em rosa no mapa é mostrada aqui em detalhe, com um desenho preciso de todos os edifícios.

As sugestões de passeios a pé apontam as ruas mais interessantes da área.

Pontos Altos indica quais são as atrações de maior destaque.

3 Informação Detalhada
As principais atrações listadas no início de cada seção são descritas uma por uma e seguem a numeração do Mapa da Área. *A legenda dos símbolos sobre informações úteis é mostrada no verso da contracapa.*

CATALUNHA

4 Catalunha

O capítulo sobre a Catalunha tem sua própria introdução, que dá uma visão geral da história e das características da região. A área abrangida é destacada no mapa que aparece nas págs. 92-3. O capítulo explora a história e a cultura da Catalunha e suas riquezas naturais, dos monastérios de Montserrat e Poblet ao festival de castellers *de Tarragona, das praias da Costa Daurada aos picos nevados dos Pirineus.*

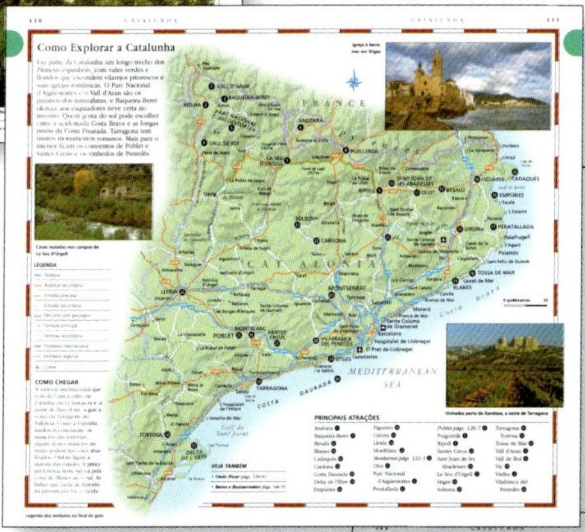
Como Explorar a Catalunha

5 Mapa Ilustrado

Este mapa dá uma visão geral ilustrada da região. Inclui a rede de rodovias principais e todas as atrações descritas no capítulo, numeradas. Há também dicas úteis para se deslocar pela região de ônibus ou de trem.

Baqueira-Beret

Vall d'Aran

Vielha

Vall de Boí

Parc Nacional d'Aigüestortes

6 Informação Detalhada

Cidades importantes, centros menores e outros locais de visita são descritos individualmente, organizados de acordo com a numeração do Mapa Ilustrado*. Para cada cidade há informação detalhada sobre edifícios e outras atrações especiais.*

Estrelas indicam aspectos de destaque nas obras de arte.

Monestir de Poblet

Prepare-se contém as informações necessárias para planejar a visita a todas as principais atrações.

7 Principais Atrações

Duas ou mais páginas são dedicadas às principais atrações. Edifícios históricos, por exemplo, têm seus interiores explorados. Em locais históricos maiores, todos os edifícios importantes são classificados para ajudá-lo na escolha da visita.

INTRODUÇÃO A BARCELONA E À CATALUNHA

QUATRO DIAS EM BARCELONA

Os dias são longos em Barcelona: a manhã vai até depois do meio-dia (é comum almoçar após as 14h) e as atividades se estendem até a noite. Com tanto tempo à disposição e algum planejamento, é possível aproveitar bem a visita.

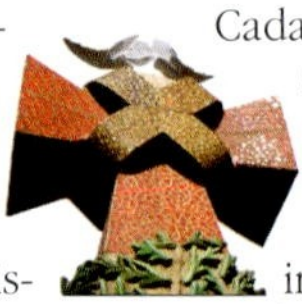

Sagrada Família

Cada um dos programas a seguir segue um tema e sugere atrações servidas por transporte público. Os preços incluem deslocamento, alimentação e ingressos e, no caso das famílias, consideram dois adultos e duas crianças.

La Rambla, um passeio agradável a qualquer hora

TESOUROS DA HISTÓRIA

- **Passeio pelo Barri Gotic e seus museus**
- **Palau de la Musica Catalana**
- **Agitação e movimento na rua mais famosa da cidade**

DOIS ADULTOS mínimo de 40 euros

Manhã

O bem-preservado centro medieval de Barcelona é o **Barri Gotic** *(págs. 54-5)*, um conjunto de ruas nas quais é fácil se perder. Sem andar muito, é possível passar uma manhã agradável nesse "labirinto", que tem como maior destaque a **Catedral** *(págs. 58-9)*. Perto daqui fica o **Palau Reial** (Palácio Real) e, dentro dele, o **Museu d'Historia** *(págs. 56-7)*, que oferece um fascinante passeio subterrâneo pelas ruínas. O palácio também abriga um dos museus mais interessantes da cidade, o eclético **Museu Frederic Marès** *(pág. 56)*. Na região não faltam opções para um almoço a preços razoáveis –vale tentar um restaurante na Carrer de Call.

Tarde

Faça uma visita guiada ao **Palau de la Musica Catalana** *(págs. 62-3)* e aprecie o belo interior em estilo modernista (é preciso reservar antes). Em seguida, desvende as graciosas lojas do simpático **bairro Born** *(págs.102-3)*. Visite o **Museu Picasso** *(págs. 64-5)* e passeie sem pressa por **Las Ramblas**, alameda movimentada e sempre rica em atividades.

Exuberante decoração interna do Palau de la Musica Catalana

A ARTE DE GAUDÍ

- **Formas da Casa Batlló**
- **Sagrada Família, magnífica catedral criada por Gaudí**
- **Tarde de compras no refinado Passeig de Gràcia**

DOIS ADULTOS mínimo de 40 euros

Manhã

Para muitos, a capital catalã é sinônimo da peculiar arquitetura de Antoni Gaudí, autor de várias construções únicas. Todas merecem uma visita, mas duas constituem um bom ponto de partida. Comece o dia com uma visita à obra mais colorida e excêntrica, a **Casa Batlló** *(págs. 76-7)*. Vale a pena explorar as belas formas e pagar a tarifa extra para visitar o teto, com sua notável chaminé. Perto daqui fica a igualmente famosa **Casa Milà** *(pág. 79)*, que também pode ser visitada. Se estiver com pouco tempo, porém, admire a magnífica fachada. Para almoçar, tente em um dos muitos restaurantes com preços convidativos dos arredores do Passeig de Gràcia.

Tarde/Noite

Visite a mais conhecida obra do arquiteto catalão, a igreja da **Sagrada Família** *(págs. 80-3)*, que não foi terminada. Reserve bastante tempo para apreciar a riqueza de detalhes das duas fachadas da construção (uma dedicada à Paixão e outra à Natividade) dessa igreja extraordinária. Percorra as estonteantes torres (o acesso pode ser pelas escadas ou de elevador). Depois de

◁ ***El Paralelo 1930*****, um retrato de uma das principais avenidas de Barcelona em 1930, por Emili Bosch Roger (1894-1980)**

Casa Batlló, projetada em um universo arquitetônico peculiar

voltar para o mundo real, dirija-se ao **Passeig de Gràcia** para apreciar as elegantes lojas daqui. Preste atenção na **Vinçon** *(pág. 155)*, que ocupa uma construção erguida em estilo modernista.

Museu d'Art Contemporani

ARTE PELA ARTE

- Maravilhas da colina de Montjuïc
- Arte contemporânea
- Acervo dos velhos mestres

DOIS ADULTOS mínimo de 50 euros

Manhã

O número de ótimas galerias que podem ser visitadas depende do apetite e da disposição do turista, mas quatro delas oferecem um bom aperitivo. Comece às 10 horas, abertura do **Museu National d'Art de Catalunya** *(pág. 88)*, situado na colina de Montjuïc, e aproveite para apreciar a paisagem. O local abriga um dos melhores acervos de arte românica. Perto situa-se a **CaixaForum** *(pág. 98)*, mais recente área de arte contemporânea da cidade, que ocupa uma fábrica em estilo modernista. Almoce no café da galeria.

Tarde

Para mudar de ritmo, dirija-se ao **Monestir de Pedralbes** *(pág. 95)*, lindo mosteiro do século 14, com muitos objetos religiosos e obras de arte em exibição. De volta ao centro da cidade, visite o **Museu d'Art Contemporani** *(págs. 62-3)*, onde não faltam surpresas.

DIVERSÃO EM FAMÍLIA

- Parque de diversões
- Cruzeiro pelo porto
- Tubarões no aquário
- Cine IMAX

FAMÍLIA DE 4 mínimo de100 euros

Manhã

O parque de diversões de **Tibidabo** *(págs. 98-9)*, situado na colina mais alta de Barcelona, garante um dia de diversão para a família. O transporte, de bonde e funicular, faz parte do passeio. Se não quiser ir tão longe, desça Las Ramblas e suba no **Monument a Colom** *(págs. 68-9)* para apreciar a vista desta parte da cidade. Do cais situado perto saem as **Golondrinas** *(págs. 68-9)*, que fazem um cruzeiro pelo porto. Cruze a ponte para pedestres que dá acesso ao shopping center Maremagnum, melhor lugar para uma refeição rápida.

Tarde/Noite

Quem viaja com crianças e quer estender o dia pode fazer passeios no final da tarde. O **Aquarium** *(págs. 68-9)* oferece atividades para os pequenos, além de tanques de tubarões e outras criaturas. Perto funciona o incrivelmente realista (e algo assustador) **Cine IMAX** *(pág.164)*. Basta andar um pouco para chegar ao aprazível **Museu d'Historia de Catalunya** *(págs. 68-9)*, que exibe um registro da vida da região.

Aquário de Barcelona, uma experiência fantástica para as crianças

Barcelona e Catalunha Dentro do Mapa

Localizada no nordeste da península Ibérica, a Catalunha ocupa cerca de 6% do território espanhol. A capital dessa região, Barcelona, fica quase exatamente na metade de sua costa litorânea, que por sua vez se estende por um quarto da faixa marítima mediterrânea da Espanha. Barcelona é o principal ponto de partida para as Ilhas Baleares, onde se fala o catalão.

Imagem de satélite da Catalunha

As Ilhas Canárias

Este grupo de sete ilhas no Atlântico fica 1.150km a sudoeste de Cádiz e a 150km do Marrocos..

Fronteiras da Catalunha

A fronteira norte da Catalunha, com a França, corre ao longo da crista dos Pirineus e abriga Andorra, de fala catalã. Suas fronteiras oeste e sul limitam-se com as regiões espanholas de Aragão e Valência, respectivamente..

Centro de Barcelona

Situada entre a montanha e o mar, que ainda têm um papel vital para a cidade, Barcelona é uma original junção de bairros diferenciados, que contam a história de seu crescimento a partir de um núcleo medieval até a expansão no século 19 e as ultramodernas atrações de hoje. Os três principais mirantes da cidade ilustrados neste guia mostram essa diversidade. Montjuïc, à beira-mar, é a ponta sudoeste de um arco de colinas baixas que cerca a cidade –um bairro cheio de monumentos e espaços abertos.
A Cidade Velha *(Ciutat Vella)* tem um magnífico centro gótico com ruas estreitas serpenteando entre casas antigas. O populoso Eixample, ao contrário, é um bairro de ruas longas e retas, com uma soberba arquitetura modernista.

Montjuïc
A vista do alto desta montanha é muito bonita. Nela ficam alguns dos melhores museus de Barcelona, como o Arqueològic (pág. 88), *que exibe este mosaico romano encontrado numa escavação na cidade.*

0 quilômetros 1

LEGENDA

- Atração principal
- Estação de metrô
- Estação de trem
- Ponto de ônibus
- Bondinho
- Funicular
- Delegacia
- Estacionamento
- Informação turística
- Igreja

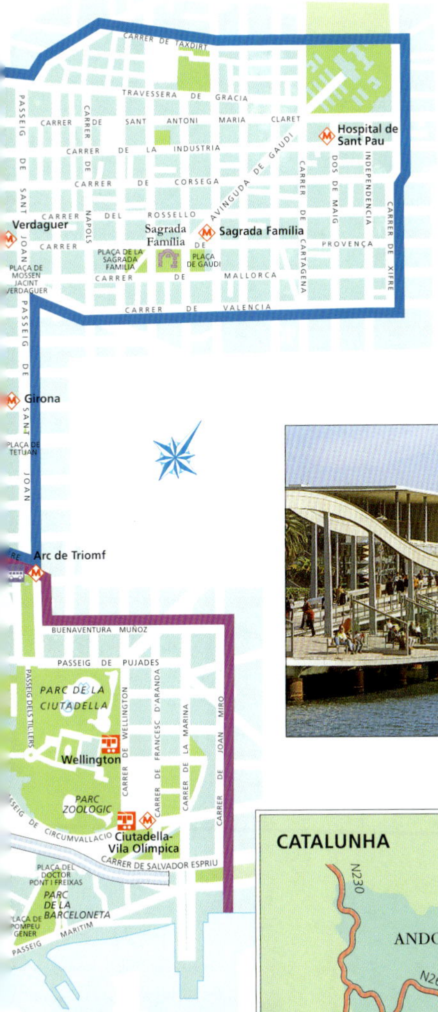

Eixample

Esta área é a parte mais interessante da ampliação feita na cidade no século 19. Um passeio por suas ruas revelará inúmeros detalhes do estilo modernista, como este portal decorado da Casa Comalat (pág. 27), *na Avinguda Diagonal.*

Cidade Velha

Esta área inclui os bairros antigos e o porto – a "vila" pesqueira de Barceloneta, do século 13 –, além das novas construções à beira-mar. Esta ponte giratória fica no Porto Velho (Port Vell, pág. 66).

Catalunha

A Catalunha é montanhosa, e Barcelona ocupa uma estreita planície costeira. Sant Pere de Galligants (pág. 23) *é uma das muitas igrejas românicas.*

RETRATO DA CATALUNHA

Barcelona é uma das grandes cidades do Mediterrâneo. Poucas são tão impregnadas de história e poucas também são tão acentuadamente modernas. Animada, inspirada, brilha tanto à noite como de dia. É famosa por sua avenida principal, La Rambla, por seus bares e museus, e por seu entusiasmo pela vida.

Barcelona é a capital da região autônoma da Catalunha, no extremo nordeste da Espanha, na fronteira com a França. A região abrange quatro províncias, que têm os nomes de suas capitais: Barcelona, Girona, Lleida e Tarragona.

Barcelona fica entre dois rios, o Llobregat e o Besòs, e tem atrás de si a serra de Collserola, que atinge sua altitude máxima de 512m no parque de diversões do Tibidabo. A cidade cresceu como o pólo industrial da Espanha, embora os desvios ferroviários e os armazéns à beira-mar tenham sumido. Cerca de 4 milhões de pessoas vivem em Barcelona e seus subúrbios –quase metade da população da Catalunha. É a segunda cidade da Espanha, atrás de sua velha rival, Madri.

La dama del paraigua

POLÍTICA E SOCIEDADE

A Catalunha é governada pela Generalitat, alojada no Palau de la Generalitat, no coração da Cidade Velha, no local do fórum romano. O parlamento da região, no Parc de la Ciutadella, compartilha um edifício com o Museu d'Art Modern. A cidade de Barcelona tem uma administração separada, e sua prefeitura, a Casa de la Ciutat, fica defronte à Generalitat, na Plaça de Sant Jaume. A Catalunha criou sua própria força policial, que vem substituindo a polícia nacional espanhola na maior parte da região.

Os catalães são conservadores e, como em muitos outros países, isso é mais acentuado no campo do que na cidade. Nos 23 anos desde a morte de

Gente passeando e comprando em La Rambla, ao sol generoso do inverno de Barcelona

◁ Impressionantes pilares com mosaicos florais, no Palau de la Música Catalana, em Barcelona

Dia de são Jorge, em abril –dia de dar livros

Franco, a Generalitat foi comandada pela conservadora Convergència i Unió, sob a presidência de Jordi Pujol, enquanto o conselho da cidade foi dirigido pelo partido socialista. Mas em 2003 os catalães elegeram um socialista da Generalitat, para governar sob Pascual Maragall, que foi substituído por José Montilla, também socialista, em 2006.

Os catalães não gostam de corridas de touros e sua serena dança nacional, a *sardana*, tem poucos arroubos de paixão. São um povo sério e trabalhador. Alguns preferem conviver com nórdicos do que com outros espanhóis, que eles consideram indolentes. Parte de sua queixa contra Madri está no fato de que, embora a Catalunha seja uma das regiões mais ricas da Espanha, ela dá muito mais aos cofres públicos do que recebe.

Dizem que duas emoções guiam os catalães: *seny*, um forte senso comum, e *rauxa*, um caos criativo. O elemento burguês, conservador, da sociedade de Barcelona pode ser visto em concertos e confeitarias, mas um certo ar surreal fica evidente, por exemplo, em La Rambla, onde às vezes vale tudo. Os dois elementos se combinam nas pessoas, e até as mais sóbrias podem ter um eventual *cop de rauxa*, momento de êxtase caótico. Os catalães não apreciam a indecisão. O vigor com que vêm reconstruindo partes de sua capital desde o início dos anos 1980 demonstra discernimento e pulso firme. Locais de grande valor sentimental, como os velhos restaurantes da praia da Barceloneta, foram demolidos. Modernos edifícios como o do Museu d'Art Contemporani foram erguidos na Cidade Velha, e prédios antigos como o Café Zurich, um famoso ponto de encontro de escritores, artistas e intelectuais no final de La Rambla, foram restaurados sem hesitação.

Artista de rua em Las Ramblas

LÍNGUA E CULTURA

Língua românica similar à velha língua d'oc ou provençal, outrora falada na França, o catalão é o idioma oficial da Catalunha, falado por 8 milhões de pessoas. Sempre foi uma língua viva e continuou a ser falada em casa quando foi proibida por Franco. Os catalães não acham deselegante falar entre si em catalão diante de

Cartaz de um filme de Pedro Almodóvar

Praia em Tossa de Mar, na Costa Brava

alguém que só fale espanhol. Todas as placas e documentos oficiais na Catalunha são escritos em catalão e espanhol.

Se a *rauxa* estimula o espírito criativo, como se diz, então a Catalunha o tem em quantidade. O modernismo, com Antoni Gaudí à frente, é a contribuição da região para a arquitetura mundial. Os pintores Joan Miró, Salvador Dalí e Antoni Tàpies nasceram ali, e Pablo Picasso passou seus anos de formação em Barcelona. Designs de Javier Mariscal, criador do logo da Olimpíada de 1992 e do Cobi, seu mascote, móveis de Oscar Tusquets e moda de Toni Miró fazem de Barcelona uma cidade de estilo. Bigas Luna, barcelonês e diretor de *Jamón Jamón*, e Pedro Almodóvar, que rodou *Tudo sobre a Minha Mãe* em Barcelona, aumentam o prestígio da cidade na área do cinema.

Montserrat Caballé

Nos últimos 150 anos, vários músicos de destaque surgiram na Catalunha. Compositores como Isaac Albéniz (1860-1909), Enric Granados (1867-1916) e Frederic Mompou (1893-1987) introduziram um sotaque ibérico no repertório clássico. Pau Casals (1876-1973) foi considerado um dos maiores violoncelistas de todos os tempos, e Montserrat Caballé e Josep Carreras lotam teatros de ópera pelo mundo.

Os catalães lêem mais que os demais espanhóis. Novas obras em catalão surgiram a partir de 1970 e há vários prêmios literários, mas poucos autores de qualquer era foram traduzidos para outros idiomas.

TRABALHO E LAZER

Os catalães são fiéis às suas tradições e às suas famílias. O almoço de domingo é a hora de se reunir, mas mesmo durante a semana as pessoas que podem fazê-lo vão comer em casa. Isso cria quatro horas de rush por dia, com uma sesta no início da tarde. As lojas fecham às 20 horas, e entre 18 e 20 horas as ruas ficam cheias de gente. O jantar ou a diversão começam às 22 horas, mas há uma pressão crescente para adequar o expediente comercial ao do resto da Europa.

Torcer para o time local de futebol, o Barcelona (ou Barça), é questão de honra. Jantar fora, ir ao cinema ou a concertos são atividades populares. A semana começa calma mas, conforme vai terminando, as ruas ficam lotadas e quem sai de La Rambla à meia-noite para ir dormir tem a sensação de estar indo embora no melhor da festa.

Manifestação pela independência da Catalunha

Flores do Matorral

Abelha-amarela

O matorral é uma vegetação arbustiva rica em flores silvestres característica das paisagens da costa mediterrânea do Leste espanhol. É o resultado de séculos de desmatamento, quando o carvalho-sempre-verde foi cortado para obter madeira e preparar a terra para pastagens e cultivos. Muitas plantas multicoloridas se adaptaram aos extremos do clima da região. A floração ocorre na primavera, quando as encostas ficam salpicadas de estevas rosadas e brancas e de retamas, e o ar é perfumado por ervas aromáticas como alecrim e lavanda. Os insetos vivem do néctar e do pólen abundantes.

A retama-espanhola *é um arbusto de flores amarelas e galhos esguios. As vagens pretas se abrem quando secas, espalhando sementes no chão.*

A sálvia-de-jerusalém *é um arbusto comum em jardins. Possui caules altos, circundados por cachos de flores amarelas. Suas folhas são branco-acinzentadas e pilosas.*

A inflorescência da planta centenário alcança 10m.

Pinheiro

Alecrim

O alho-rosa *possui cachos de flores roxas e rosadas na ponta de um único caule. Sobrevive ao verão como o bulbo conhecido dos cozinheiros.*

O tomilho *comum é uma erva aromática de porte baixo, cultivada para uso culinário.*

A orquídea-espelho, *planta pequena que cresce nos campos, é facilmente identificada pela mancha azul-metálico brilhante, orlada por pêlos marrons.*

INVASORES EXÓTICOS

Pêra espinhenta

Muitas plantas provenientes do Novo Mundo colonizaram o solo exposto do matorral. O figo-da-índia, possivelmente trazido por Cristóvão Colombo, produz uma fruta deliciosa que só pode ser colhida com luvas grossas. A planta centenário, de crescimento rápido e nativa do México, possui folhas duras e espinhentas e produz uma inflorescência alta e florida quando atinge a idade de 10 a 15 anos, para depois morrer.

Inflorescência da planta centenário

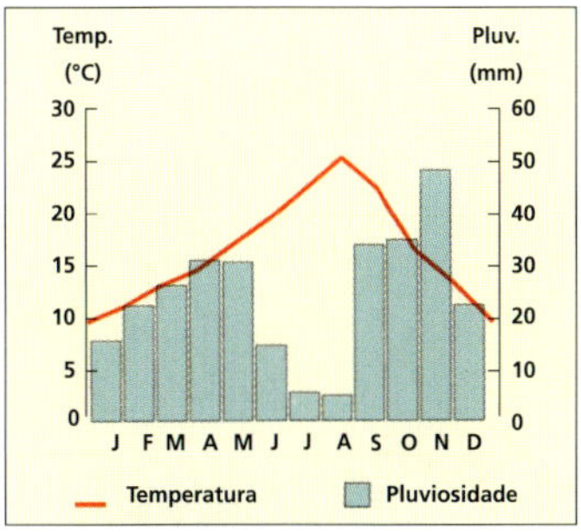

Quadro de Clima
A maioria das plantas do matorral floresce durante a primavera quente e úmida. Elas se protegem da perda de água durante o verão quente e seco com suas folhas grossas e secreções cerosas ou armazenando umidade nos bulbos e tubérculos.

Os carvalhos-sempre-verdes *são comuns no Leste da Espanha. Folhas duras evitam perda de água.*

A árvore-do-morango *é um arbusto sempreverde com folhas serrilhadas. Seu fruto, parecido com o morango, é comestível.*

A esteva-de-folha-cinzenta *cresce em lugares de sol. Tem pétala dobrada e antera amarela.*

A esteva-de-folha-estreita *solta goma aromática usada em perfumes.*

O trevo-estrela *é uma planta baixa. Seu fruto se desenvolve em um reservatório de sementes em forma de estrela.*

VIDA SELVAGEM DO MATORRAL

Os animais que vivem no matorral são vistos com maior frequência cedo, pela manhã, antes que a temperatura fique muito alta. Vários insetos voam de flor em flor servindo de alimento para os pássaros. Pequenos mamíferos, como camundongos, são mais ativos à noite, quando é fresco e há menos predadores.

A cobra-de-escada *se alimenta de pequenos mamíferos, pássaros e insetos. A jovem possui uma coloração que faz lembrar os degraus de uma escada, mas a adulta tem apenas duas listas.*

Os escorpiões *se escondem sob pedras ou madeira, de dia. Ao serem perturbados, o rabo se enrola no corpo em atitude ameaçadora. O ferrão, letal para pequenos animais, pode causar irritação no homem.*

O pássaro-canoro-de-dartford *é sorrateiro, com penas escuras e rabo empinado. Canta melodiosamente no acasalamento. Machos são mais coloridos que fêmeas.*

A borboleta-tigresa *é das mais ilustres entre os muitos insetos do matorral. Abelhas, formigas e gafanhotos são muito comuns.*

Arte e Arquitetura Românicas

A Catalunha tem uma excepcional coleção de edifícios medievais, construídos entre os séculos 11 e 13 num estilo românico local típico. São mais de dois milhares, a maioria igrejas. As construções situadas nos Pirineus, que escaparam tanto de ataques como da modernização, sobreviveram muito bem. As igrejas têm torres altivas, naves com abóbada cilíndrica, arcos arredondados, esculturas que revelam muita imaginação e belas pinturas murais. Alguns afrescos e móveis estão no Museu Nacional d'Art de Catalunya *(pág. 88)*, em Barcelona, que tem a maior coleção de arte românica do mundo.

Sant Jaume de Frontanyà (pág. 114) *é uma antiga artilharia agostiniana com traços típicos do século 11, como as faixas lombardas sob os telhados das três absides. Mas a grande lanterna octogonal central é incomum.*

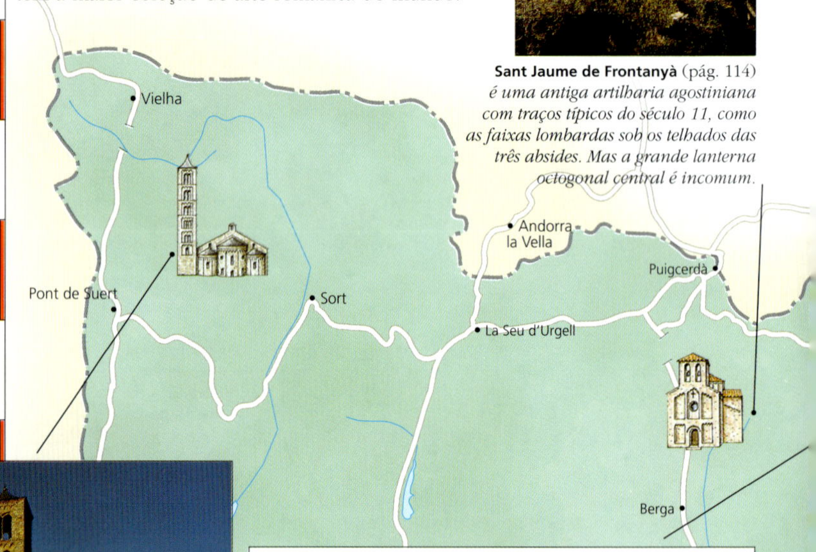

Sant Climent de Taüll, *uma igreja exemplar de Vall de Boí* (pág. 113), *foi finalizada em 1123. Seus afrescos, inclusive um* Cristo em Majestade (pág. 88), *são réplicas, mas os originais, em Barcelona, estão entre os melhores da Catalunha.*

0 quilômetros 30

MONESTIR DE SANTA MARIA DE RIPOLL

O portal da igreja do antigo mosteiro beneditino de Ripoll é conhecido como "A Bíblia de Ripoll", por seus entalhes alegóricos. Embora a igreja tenha sido fundada em 879 e reconstruída sob Abbot Oliva em 1032, o portal só foi acrescentado no final do século 12. Nesta bela peça de decoração românica, Cristo está sentado sobre o portal em meio a animais que representam os apóstolos; as ocupações agrícolas mensais estão representadas nos pilares da porta. Há sete frisos bíblicos ao longo da parede. O mais alto *(pág. 96)* sobre o tímpano representa os homens velhos do Apocalipse; os outros são descritos nas legendas acima.

Sant Pere de Camprodon (pág. 115), *de 1169, é a igreja de um mosteiro em estilo românico maduro, com quatro absides quadradas. A abóbada proeminente sobre a nave prenuncia o gótico.*

PRINCIPAL ÁREA DE INTERESSE ROMÂNICO

Sant Cristòfol de Beget (pág. 115) *é uma bela igreja num pitoresco povoado escondido num vale. Seu interior muito bem preservado inclui uma pia batismal românica e este famoso crucifixo do século 12* –o Majestat.

Sant Pere de Rodes, *situada 600m acima do nível do mar, era um mosteiro beneditino. Na nave de sua igreja estão os pilares de um templo romano. A restauração está em andamento.*

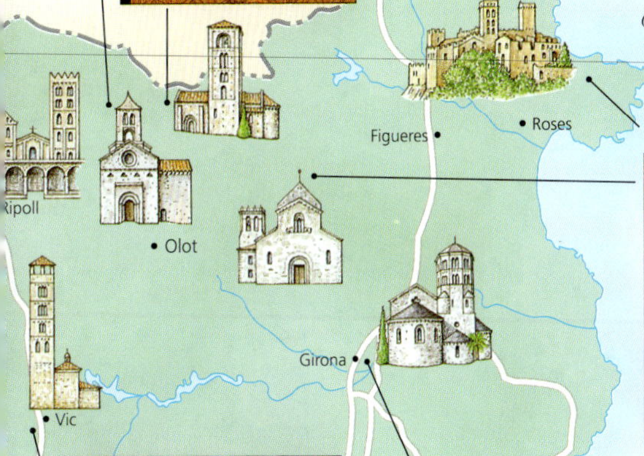

Sant Pere de Besalú (pág. 115) *é a igreja do século 12 de um antigo mosteiro beneditino. Leões de pedra guardam a janela sobre o portal. Dentro, o deambulatório tem belos capitéis entalhados.*

O Museu Episcopal de Vic (pág. 127), *adjacente à catedral, tem uma rara coleção de arte românica. Ela inclui este retrato móvel e ricamente colorido da Anunciação, que antes decorava o altar do mosteiro de Lluçà.*

Sant Pere de Galligants (pág. 116), *ex-abadia beneditina, capta a essência do estilo românico. Tem um portal do século 11 com uma rosácea, três naves e uma torre de sino octogonal. Os capitéis do claustro são entalhados com cenas bíblicas. O local abriga atualmente o museu de arqueologia de Girona.*

Gaudí e o Modernismo

Chaminé, Casa Vicens

Quase no fim do século 19 surgiu em Barcelona um novo estilo de arte e arquitetura, chamado *Modernisme*, uma variação da Art Nouveau. Foi a maneira pela qual o nacionalismo catalão se expressou. Seus maiores expoentes foram Josep Puig i Cadafalch, Lluís Domènech i Montaner e, sobretudo, Antoni Gaudí i Cornet *(pág. 78)*. O bairro de Eixample *(págs. 70-83)* está repleto de edifícios originais criados por eles para seus ricos clientes.

Toda a decoração *de uma construção modernista, incluindo seu interior, era pensada pelo arquiteto. Esta porta e os azulejos em volta são da Casa Batlló* (pág. 78), *obra de Gaudí de 1906.*

Uma cúpula *extraordinária cobre o salão central, que equivale a três andares. Está perfurada por pequenos orifícios redondos que, inspirados na arquitetura islâmica, dão a ilusão de ser estrelas.*

As galerias superiores são ricamente decoradas com trabalhos em madeira.

A rampa em espiral *são os primeiros sinais da predileção de Gaudí por linhas curvas. Mais tarde, ele exploraria ainda mais esses recursos na fachada ondulada da Casa Milà* (pág. 79).

A EVOLUÇÃO DO MODERNISMO

1859 O engenheiro civil Ildefons Cerdà i Sunyer apresenta propostas para a expansão de Barcelona

1878 Gaudí se forma em arquitetura

1900 Josep Puig i Cadafalch constrói a Casa Amatller *(pág. 78)*

1903 Lluís Domènech i Montaner faz o Hospital de la Santa Creu i de Sant Pau *(pág. 79)*

Hospital

1850 | 1865 | 1880 | 1895 | 1910 | 1925

Detalhe da Sagrada Família

1883 Gaudí retoma o projeto neogótico da Sagrada Família *(págs. 80-1)*

1888 A Exposição Universal de Barcelona estimula o modernismo

1905 Domènech i Montaner constrói a Casa Lleó Morera *(pág. 78)*. Puig i Cadafalch constrói a Casa Terrades *(pág. 79)*

1910 A Casa Milà é concluída

1926 Gaudí morre

Chaminés superdecoradas *se transformaram em marca registrada dos últimos trabalhos de Gaudí. Esta característica chega ao extremo no telhado da Casa Batlló.*

Luminárias de ferro trabalhado iluminam o grande salão.

Azulejos de cerâmica decoram chaminés.

Arcos parabólicos, *muito usados por Gaudí, aparecem pela primeira vez no Palau Güell. Mostram o interesse pela arquitetura gótica. Estes formam um corredor do Col.legi de les Teresianes, um convento-escola no oeste de Barcelona.*

O escudo alude ao brasão catalão.

MATERIAIS USADOS POR GAUDÍ

Gaudí foi autor ou colaborador de trabalhos sobre quase todos os suportes conhecidos. Ele combinava materiais básicos –madeira, pedra, entulho e tijolo– com artesanato meticuloso em ferro e vitrais. Mosaicos de azulejos de cerâmica eram usados para revestir suas formas fluidas e desiguais.

Vitral da Sagrada Família

Mosaico de azulejos do Parque Güell (pág. 98)

Portão de ferro da Casa Vicens (pág. 26-7)

Azulejos de cerâmica de El Capricho

PALAU GÜELL

O primeiro edifício de destaque de Gaudí no centro da cidade, em La Rambla *(pág. 60)*, estabeleceu sua reputação internacional. Construído para seu patrono vitalício, o industrial Eusebi Güell, o prédio se encontra em uma área pequena, de rua estreita, tornando difícil observar a fachada. Do lado de dentro, Gaudí criou a sensação de espaço usando biombos e galerias.

Formas orgânicas *inspiraram o trabalho em ferro em volta dos portões do palácio. Mais tarde, Gaudí se dedicaria à vida selvagem, como mostra este dragão coberto por azulejos que monta guarda nos degraus do Parque Güell.*

La Ruta del Modernisme

Os exemplos de arquitetura modernista em Barcelona, mapeadas aqui, ficam em um trajeto desenhado pelo escritório de turismo da cidade. A revista *Guidebook*, encontrada na agência de turismo da Catalunha *(pág. 175)* e nos Pavilhões Güell da Avinguda Pedralbes *(pág 79)*, dá até 50 por cento de desconto nas entradas e permite que cada um planeje seu próprio itinerário. A Casa Lléo Morera, o Palau Güell e o Palau de la Música Catalana têm visitas guiadas e a entrada é metade do preço nos museus selecionados. Muitos dos outros locais, no entanto, são lojas, cafés e hotéis particulares.

Casa Vicens
Este belo edifício torreado de Antoni Gaudí, com mosaicos cerâmicos e tijolos formando padrões, mostra influência moura. O portão e as grades de ferro são característicos de seu trabalho ㊽

Palau Baró de Quadras
De 1906, esta bela casa é de Josep Puig i Cadafalch. A rica frisa esculpida sobre as janelas do primeiro andar tem influência do estilo plateresco da Renascença espanhola ㊶

Casa Lleó Morera
A sala de jantar no primeiro andar desta casa é um dos mais incríveis interiores de Barcelona. Os vitrais são de Lluís Rigalt e os oito painéis em mosaico de cerâmica, com cenas bucólicas, são de Gaspar Homar ⑲

Antiga Casa Figueras
A decoração com vitral, mosaico e ferro batido desta que é a mais famosa loja modernista da cidade foi feita em 1902 por Antoni Ros i Güell. Atualmente abriga a elegante Pastisseria Escribà ⑦

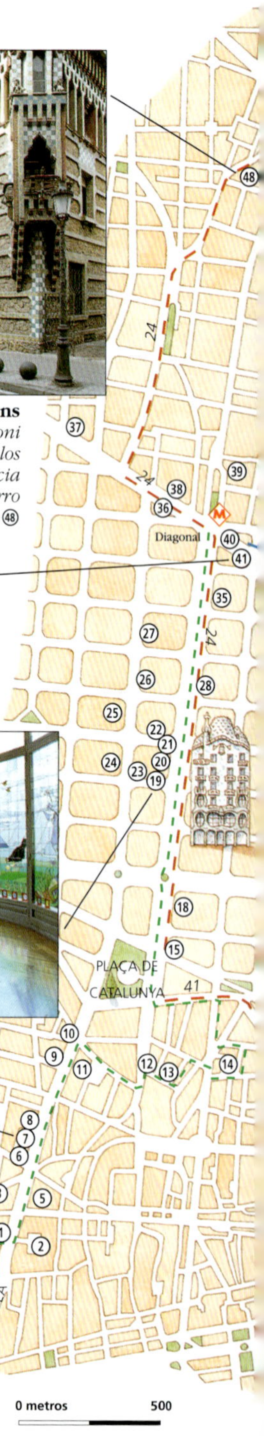

DICAS PARA IR A PÉ

Início: *Palau Güell, mas planeje sua própria ordem, de acordo com o tempo disponível. Procure os sinais da rota ⊠ na calçada.*
Extensão: *Cerca de 4km para o percurso a pé ① até ㊶, sem contar os desvios para as vistas ao longo do caminho.*
Tempo: *Como pode levar vários dias para explorar tudo, os Multi-tickets são válidos por 30 dias.*

Palau Macaya
Concluída em 1901, esta elegante mansão com um grande pátio foi projetada por Josep Puig i Cadafalch. Vários artistas participaram de sua decoração. Hoje é local de exposições ㊸

ONDE ENCONTRAR AS ATRAÇÕES

① Palau Güell *págs. 24-5*
② Luminárias, Plaça Reial *pág. 61*
③ Hotel España *pág. 134*
④ Hotel Peninsular *pág. 134*
⑤ Cafè de l'Òpera
⑥ Casa Doctor Genové
⑦ Antiga Casa Figueras
⑧ Mercat de la Boqueria *pág. 155*
⑨ Reial Acadèmia de Ciències i Arts
⑩ Farmàcia Nadal
⑪ Palau Sabassona (Ateneu Barcelonès)
⑫ Catalana de Gas
⑬ Casa Martí, Els Quatre Gats, *pág. 52*
⑭ Palau de la Música Catalana, *pág. 62*
⑮ Casa Pascual i Pons
⑯ Casa Calvet
⑰ Forns Sarret i de la Concepció
⑱ Cases Rocamora
⑲ Casa Lleó Morera *pág. 78*
⑳ Casa Amatller *pág. 78*
㉑ Casa Batlló *pág. 76-7*
㉒ Editorial Montaner i Simón (Fundació Antoni Tàpies) *pág. 78*
㉓ Casa Dolors Calm
㉔ Casa Fargas
㉕ Farmàcia Bolós
㉖ Casa Juncosa
㉗ Casa Josep i Ramon Queraltó
㉘ Luminárias de rua de Pere Falqués
㉙ Casa Josefa Villaneuva
㉚ Casa Jaume Forn
㉛ Conservatori Municipal de Música
㉜ Casa Llopis Bofill
㉝ Casa Thomas *pág. 73*
㉞ Palau Montaner *pág. 73*
㉟ Casa Milà *pág. 79*
㊱ Can Serra
㊲ Casa Sayrach/Casa Pérez Samanillo
㊳ Casa Bonaventura Ferrer
㊴ Casa Fuster
㊵ Casa Comalat
㊶ Palau Baró de Quadras *pág. 73*
㊷ Casa Terrades *pág. 79*
㊸ Palau Macaya
㊹ Casa Planells
㊺ Sagrada Família *págs. 80-81*
㊻ Hospital de la Santa Creu i de Sant Pau *pág. 79*
㊼ Parc Güell/Museu Gaudí *pág. 98*
㊽ Casa Vicens *pág. 78*
㊾ Museu de Zoologia *pág. 65*
㊿ Parlament de Catalunya

Pintura Catalã

A Catalunha tem uma rica, embora desigual, tradição de pintura. Ela começa com a pintura medieval espanhola, nos Pirineus, onde as igrejas românicas foram iluminadas por afrescos cheios de imaginação *(págs. 22-3)*. O período gótico posterior, que mostrou a Catalunha no auge de seu poder, foi seguido por um longo intervalo de realizações artísticas menores, até que o século 19 reavivou o espírito criativo. Isso estimulou alguns dos grandes pintores europeus do século 20, que, como catalães, tinham afinidade com a bela arte românica da região.

***São Jorge e a Princesa* (fim do século 15), de Jaume Huguet**

GÓTICO

Um dos primeiros artistas conhecidos da Catalunha foi Ferrer Bassa (1285-1348), pintor da corte de Jaime II. Sua decoração da capela do monastério de Pedralbes *(pág. 95)* é o primeiro exemplo conhecido de mural pintado a óleo, estilo influenciado, sem dúvida, pela pintura italiana da época.

Na escultura, o gótico catalão começa com Mestre Bartomeu (1250-1300), cujo extraordinário *Calvário* em estilo oriental está na bela coleção do Museu d'Art de Girona *(pág. 117)*.

Existem também coleções góticas em Vic e Solsona *(pág. 124)*, mas a mais impressionante delas é a de Barcelona, no Museu Nacional d'Art de Catalunya *(pág. 88)*. Entre os trabalhos importantes estão os de Lluís Borrassà (1365-1425), que pintou o altar da catedral de Tarragona, e Lluís Dalmau (morto em 1463), que visitou Bruges e estudou com Jan van Eyck. Um traço típico do gótico catalão é o *esgrafiat*, um processo de dourar halos, vestes e fundos, muito usado por um dos maiores artistas góticos catalães, Jaume Huguet (1415-92). Seu *São Jorge e a Princesa* capta toda a majestade de uma nação culta e rica.

RENASCENÇA E NEOCLASSICISMO

Artisticamente, a Catalunha definhou do século 16 ao 18, período dominado por grandes mestres de outras regiões da Espanha: El Greco em Toledo, Murillo e Zurbarán em Sevilha, Ribera em Valência e Velásquez, e mais tarde Goya, em Madri. Há algumas obras no Museu Nacional d'Art de Catalunya, junto com as dos únicos dois artistas catalães destacados do período –Francesc Pla e Antoni Viladomat.

***Procissão em Santa Maria del Mar* (c. 1898), de Ramón Casas**

O SÉCULO 19

A Escola de Arte de Barcelona, aberta sobre La Llotja *(pág. 62)* em 1849, e novos patronos das artes aportaram fundos gerados pela Revolução Industrial. A indústria, porém, já começava a treinar seus próprios artistas. Em 1783 fundou-se uma escola em Olot *(pág. 115)* para formar desenhistas para as empresas têxteis locais. Surgiu também em Olot uma escola de artistas cujos principais nomes foram Josep Berga i Boix (1837-1914) e Joaquim Vayreda i Vila (1843-94), que fundaram as oficinas da Art Cristià, até hoje produzindo estatuária para igrejas.

Os verdes e ocres dos paisagistas de Olot faziam

***Os Jardins de Aranjuez* (1907), de Santiago Rusiñol**

Esperando a Sopa **(1899), de Isidre Nonell**

contraste com os pálidos azuis e rosa dos Luministas de Sitges –Arcadi Mas i Fontdevila (1852-1943) e Joan Roig i Soler (1852-1909). Eles foram influenciados por Marià Fortuny, que nasceu em Reus em 1838 e viveu em Roma e Paris. Ele recebeu encomenda do conselho da cidade de Barcelona para pintar uma grande tela da vitória espanhola em Tetuán, no Marrocos espanhol, da qual 500 voluntários catalães tomaram parte. A obra está no Museu d'Art Modern.

A Catedral dos Pobres **(1897), de Joaquim Mir**

Em 1892, 18 anos depois da primeira exposição impressionista em Paris, Mas i Fontdevila juntou numa exposição em Sitges a Escola Olot e os Luministas. Foi o primeiro evento modernista e apresentou dois artistas: Santiago Rusiñol (1861-1931) e Ramón Casas (1866-1932), grandes nomes da pintura modernista. Filho de um magnata, Rusiñol comprou uma casa em Sitges, Cau Ferrat *(pág. 128)*, que virou núcleo modernista. Casas, o primeiro a possuir um carro em Barcelona, conduziu todas as pessoas famosas da época e pintou grandes telas, como *A Carga e Garrote Vil*. Rusiñol e Casas fundaram o café Els Quatre Gats, inspirado no Le Chat Noir de Paris.

O SÉCULO 20

Embora Pablo Ruiz Picasso (1881-1973) tenha vivido em Barcelona só oito anos *(pág. 63)*, isso foi decisivo para sua formação. Sua obra inicial tem influência da cidade, como pode ser visto no Museu Picasso *(pág. 63)*, bem como de artistas catalães –o paisagista Isidre Nonell (1873-1911), Joaquim Mir (1873-1940), Rusiñol e Casas. Seguindo a opinião deles de que Paris era essencial à vida artística, foi atrás de seus colegas. Apesar do exílio auto-imposto durante a era franquista, ficou em contato com a Catalunha por toda a sua vida. Joan Miró (1893-1983) também estudou na Escola de Arte. Expulso por ter um desenho pobre, prosseguiu e virou um dos talentos mais originais do século 20, por seus divertidos óleos abstratos.

Um sentido lúdico marcou também Salvador Dalí *(pág. 117)*, que Miró estimulou, como ele mesmo o fora por Picasso. Dalí se juntou a eles em Paris, onde Miró o apresentou aos surrealistas. Ao contrário de seus mentores, Dalí ficou na Catalunha após a Guerra Civil e sua casa em Port Lligat *(pág. 120)* é em vários sentidos sua melhor criação.

Outro que ficou foi Josep-Maria Sert (1876-1945). Era um pintor tradicional, mais lembrado por seus grandes murais na Casa de la Ciutat de Barcelona *(pág. 57)*, no Rockefeller Center e na sala de jantar do Waldorf Astoria de Nova York. Seu incrível trabalho na catedral de Vic *(pág. 124)* foi destruído durante a Guerra Civil, mas ele o refez antes de morrer.

Hoje o pintor catalão vivo mais famoso é Antoni Tàpies. Modesto, intransigente, sempre foi, como muitos antes dele, ligado à sua cultura. Embora seja pintor abstrato, usa muito as cores da bandeira catalã e as influências da arte românica. Como Picasso e Miró, tem seu próprio museu *(pág. 78)*. Em Barcelona, obras de outros artistas catalães vivos podem ser vistas no Museu d'Art Contemporani *(pág. 60)*.

Litografia **(1948), nas cores da bandeira catalã, de Antoni Tàpies**

A Cozinha da Catalunha

A comida faz parte da alma catalã e não por acaso um dos personagens literários mais famosos de Barcelona, o detetive Pepe Carvalho, também é um gourmet. Reflexo da condição de capital do Mediterrâneo atribuída à cidade, a culinária local é uma das mais prestigiadas da Europa, com nomes como o criativo chef Ferran Adrià, do famoso restaurante El Bullí *(pág. 151)*, parte de uma geração que transformou as sólidas tradições gastronômicas catalãs em inovações notáveis. Porém, o velho estilo de cozinhar ainda pode ser apreciado nos pequenos restaurantes familiares, nos bares de *tapas* e nos magníficos mercados.

Ceps

Os cafés de Barcelona oferecem doces e sobremesas típicos

Em Barcelona, vale visitar os magníficos mercados de alimentos para apreciar a incrível variedade de produtos frescos disponíveis na Catalunha. As barracas exibem de peixes e pescados do Mediterrâneo a carnes de caça de excelente qualidade, além de uma estonteante variedade de verduras e frutas cultivadas na região.

A culinária catalã, até em seu aspecto mais experimental, é essencialmente simples e está associada à qualidade e variedade dos ingredientes locais. Bastante sazonal, aqui as estações oferecem especialidades próprias, como os *calçots* (um tipo de cebola) típicos da primavera, a imensa oferta de frutas do verão e a notável variedade de cogumelos disponíveis quando chega o outono.

CARNES

As carnes defumadas catalãs merecem a fama que têm em todo o país, em especial a saborosa lingüiça *fuet*. A carne suína está presente em quase todos os cardápios, com destaque para o *peus de porc* (pés de porco). A carne de javali *(porc sanglar)* é muito consumida no outono, assim como outras carnes de caça, como

Alguns dos *embutits* típicos da Catalunha

PRATOS TÍPICOS

Pa amb tomaquet

Entre os elementos que caracterizam a culinária catalã destacam-se quatro molhos, quase onipresentes nos pratos locais. O principal é o *sofregit* (citado em um livro sobre a cozinha local escrito em 1324), preparado com cebola, alho, tomates e pimentões. O *samfaina* tem preparo similar mas inclui berinjelas, abobrinhas e pimenta. Mais acentuado é o *picada*, que inclui ingredientes como pão torrado, alho, amêndoas, açafrão e pinholes. Já o molho *all i oli* leva alho e se assemelha a uma maionese (sem ovos), em geral servido com verduras ou carnes grelhadas. Mas o verdadeiro clássico da culinária catalã é o *pa amb tomàquet* –pão com tomate e alho, regado com azeite de oliva–, uma combinação simples mas incrivelmente deliciosa.

A escalivada *é uma salada com cebolas marinadas, pimentões e berinjelas, grelhados ou assados.*

Frutas e verduras à venda no mercado de La Boquería

FRUTAS E VERDURAS

A chegada da primavera é marcada pela presença dos *calçots*, espécie de cebola, das favas e dos delicados aspargos. No verão, as barracas dos mercados e feiras se colorem com cerejas, morangos, figos, ameixas e melões, além de berinjelas, abobrinhas, tomates e alcachofras. No outono, os catalães rumam para a montanha em busca de cogumelos *(bolets)* e no inverno predominam os pratos à base de grãos.

a perdiz *(perdiu)*. Coelhos *(conill)* e escargots *(cargols)* não faltam nos pratos de inverno. A combinação de pescados e carnes em uma mesma receita recebe o nome de *mar i muntanya* (mar e montanha).

PEIXES

Os frutos do mar são um dos destaques da culinária catalã. Nos bares de tapas é comum encontrar sardinhas e camarões grelhados ou ao alho. Restaurantes e mercados têm uma notável variedade de peixes frescos. Entre eles, linguado, lula, polvo e uma imensa gama de mariscos. Não raro, os peixes são preparados *a la brasa* (na grelha) ou servidos apenas com um molho. Também podem ficar bons no *fideuà*, ou em cozidos como o *suquet de peix*. Mas o grande astro ainda é o bacalhau *(bacallà)*, memorável quando preparado com tomates, alho e vinho *(a la llauna)*.

Sardinhas grelhadas na chapa aquecida por carvão

ONDE COMPRAR

La Boquería *(pág.155)*.

Xocoa Carrer d'en Bot (93 318 8991) Magnífico chocolate em embalagens de design.

Casa del Bacalao Carrer Comtal 8 (93 301 6539) Tradicional templo do *bacallà*.

La Pineda Carrer del Pi (93 302 43 93) Estabelecimento antigo, com bons presuntos.

Tot Formatge, Passeig del Born 13, (93 319 5375). Excelentes queijos, locais, nacionais e estrangeiros.

Botifarrería de Santa María, Carrer Santa María 4 (93 319 9123). Embutidos variados.

Origens 99.9% Carrer Vidreria 6–8 (93 310 7581) Produtos catalães, orgânicos quando possível: queijos, presuntos, azeites e conservas.

Conill amb cargols *é um vigoroso cozido de coelho e escargots com tomate, temperos e vinho.*

Suquet de peix, *rico cozido com peixe de carne firme, que leva tomates, alho e amêndoas.*

Crema Catalana, *versão local do creme brûlée, é um creme de ovos com uma camada de açucar.*

Região do Cava

Rótulo do célebre *cava* Codorníu

O cava é um dos produtos de exportação da Catalunha mais apreciados. Relativamente barato, é um vinho espumante feito como o champanhe francês, sofrendo uma segunda fermentação já na garrafa. Sua produção comercial começou na metade do século 19 e, em 1872, a produção em larga escala foi iniciada por Josep Raventós, dono da Codorníu. Essa famosa vinícola é tocada por seus descendentes em Sant Sadurní d'Anoia, capital do *cava* na região vinícola de Penedès. O *cava* ainda é feito hoje com uvas locais –Macabeo, Xarel·lo e Parellada– e se produz também um agradável *cava* rosé. O sentido literal de *cava* é simplesmente "adega".

Codorníu, *vinho feito pelo* méthode champenoise, *deu ao* cava *fama internacional como um dos grandes vinhos espumantes.*

Freixenet, *criada pela família Sala em 1914, é hoje uma das principais marcas de* cava. *Suas instalações ficam em Sant Sadurní d'Anoia, região do* cava, *e a característica garrafa preta do Freixenet é famosa em todo o mundo.*

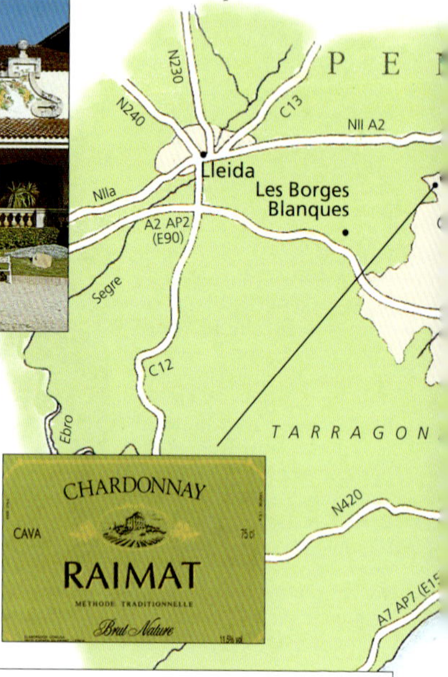

O **Raïmat**, *criado pela famíia Raventós com uvas Chardonnay, é considerado por muitos como o melhor* cava. *A 14km de Lleida, a fazenda da Raïmat, fruto da recuperação de terra árida, tem 3.000ha, uma estação ferroviária e uma vila de trabalhadores, considerada "propriedade agrícola modelo" pelo governo espanhol.*

OS OUTROS VINHOS DA CATALUNHA

O vinho *(vi)* na Catalunha é *negre* (tinto), *rosat* (rosê) ou *blanc* (branco). *Garnatxa* é um vinho de sobremesa; *ranci* é um vinho branco maturado. Uma tradição, restrita a *festes* locais ou bares no estilo antigo, é verter o vinho na boca a partir de um *porró* (cantil para vinho, de couro). Existem sete regiões oficiais DO *(Denominació de Origen)*:

Empordà-Costa Brava: vinhos leves do Nordeste. Incluem o *vi de l'any*, consumido no ano da produção. O *cava* é feito em Peralada.
Alella: pequena região ao norte de Barcelona, com bons vinhos leves.
Penedès: grandes tintos e alguns brancos, com nomes como Torres e Codorníu. Visite o museu do vinho em Vilafranca del Penedès *(pág. 125)*.
Conca de Barberà: pequena quantidade de tintos e brancos.
Costers del Segre: inclui os deliciosos tintos de Raïmat.
Priorat: tintos característicos e bons brancos (Falset) de uma linda região de pequenas aldeias a oeste de Tarragona.
Tarragona e Terra Alta: tradicionalmente encorpados, hoje mais leves.

Um *porró* para tomar vinho

A vinícola no estilo *Art Nouveau, em Sant Sadurní d'Anoia, é uma atração modernista da Codorníu, projetada por Josep Puig i Cadafalch em 1906. São 26km de adegas, em cinco andares (as pessoas fazem a visita num pequeno trem).*

A Codorníu ganhou medalhas de ouro por seu *cava* já em 1888. Em 1897, ele era servido em cerimônias oficiais, em lugar do champanhe.

LEGENDA

☐ Principais regiões do *cava*

0 quilômetros 20

MELHORES PRODUTORES

Codorníu
Sant Sadurní d'Anoia ①
Freixenet
Sant Sadurní d'Anoia ②
Gramona
Sant Sadurní d'Anoia ③
Mascaró
Vilafranca del Penedès ④
Raïmat
Costers del Segre ⑤
Raventós Rosell
Masquefa ⑥

DICAS SOBRE O CAVA

O que comprar

Assim como o champanhe, quanto mais seco o *cava*, mais alto o preço. Os mais secos são o *brut de brut* e o *brut nature*. O *brut* e o *sec* são menos secos. *Semiseco* e *dulce* vão bem na sobremesa. Embora mais barato que o champanhe, o preço do cava varia. Os mais caros são os dos produtores especializados.

Visita a uma vinícola

As grandes vinícolas de *cava* ficam abertas ao público no horário comercial (muitas fecham em agosto). Sant Sadurní d'Anoia está a 45 minutos de trem de Barcelona e é lá que ficam as adegas da Freixenet e da Codorníu. O posto de turismo de Vilafranca del Penedès *(pág. 125)* orienta as visitas às vinícolas de *cava*.

Vale a pena visitar *as adegas da Freixenet. A empresa vende mais garrafas de* cava *por ano do que os franceses vendem de champanhe.*

CATALUNHA MÊS A MÊS

Cada *barri* (bairro) de Barcelona e toda cidade e vilarejo da Catalunha têm o dia do seu santo para ser celebrado na *Festa major* anual. Dançam-se *sardanas (pág. 129)* e na Costa Brava cantam-se *havaneres* (habaneras). A comida é central nesses eventos, e festas ao ar livre, doces e bolos especiais são obrigatórios. Muitas cidades, incluindo Barcelona, fazem desfiles de gigantes *(gegants)*, cabeções *(capgrosses)* e anões *(nans)* –caricaturas em papel machê de pessoas ligadas às corporações locais. Demônios e dragões criam suspense. Os catalães amam a pirotecnia, e os fogos na *Revetlla de Sant Joan* são um grande espetáculo. Muitas comemorações começam na véspera do dia da festa.

Moças ganham rosas no dia de Sant Jordi

Bancas de livros em Barcelona no dia de Sant Jordi, *el dia del llibre*

PRIMAVERA

A floração da amêndoa dá lugar à cereja e à maçã, conforme a terra se aquece e a neve que derrete flui pelos rios. A estação de pesca para a truta e outros peixes de água fresca começa no fim de março. Na Páscoa, as famílias se reúnem, saem da cidade para visitar parentes, fazer piqueniques ou procurar cogumelos. Maio é o melhor mês para ver flores silvestres, espetaculares nos Pirineus.

MARÇO

Sant Medir *(3 mar)*. Em Barcelona há distribuição de doces no bairro de Gràcia e no de Sants, na semana seguinte.

Sant Josep *(19 mar)*. Muitos catalães se chamam Josep (que gerou o apelido Pepe), e este dia é feriado na Espanha, mas não na Catalunha. As pessoas comemoram o "dia de seu santo" –o dia do santo que lhes deu o nome– mais do que o aniversário.

Terrassa Jazz Festival *(mar)*. Concertos de músicos do mundo inteiro.

Setmana Santa (Semana Santa), que antecede a Páscoa e é cheia de eventos.

ABRIL

Diumenge de Rams (Domingo de Ramos). Ramos são abençoados na igreja, em especial na Sagrada Família, em Barcelona. Procissões de soldados romanos em Girona e *via crucis* (cenas da paixão) são montadas em vários locais, como em Sant Hilari Sacalm, em Girona.

Dijous Sant (Quinta-feira Santa), Verges, em Girona. Homens vestidos de caveira fazem a *dansa de la mort*, que remonta à época da peste no século 14.

Pasqua (Páscoa). Na Sexta-feira Santa *(Divendres Sant)*, crucifixos são carregados pelas ruas, seguindo as paradas da Cruz. Na Segunda de Páscoa *(Dilluns de Pasqua)*, os padrinhos dão aos seus afilhados uma *mona* (bolo), e os padeiros competem para fazer os doces mais elaborados.

Sant Jordi *(23 abr)*. Festa do padroeiro da Catalunha e dia dedicado a Cervantes *(pág. 43)*, que morreu nesse dia em 1616. Homens e rapazes dão uma rosa vermelha às suas mães, esposas e namoradas, que retribuem com livros. A festa é chamada também de *dia del llibre* (Dia do Livro).

MAIO

Fira de Sant Ponç *(11 mai)*. Antiga celebração pelo Carrer de l'Hospital em Barcelona, que outrora abrigou o hospital da cidade. Vendem-se mel e ervas aromáticas e medicinais.

Corpus Christi *(mai/jun)*. Depositam-se flores nas ruas de Sitges, e em Berga, província de Barcelona, um dragão *(la Patum)* dança pelas ruas da cidade.

Festa de Corpus Christi, com leitos de flores cobrindo as ruas

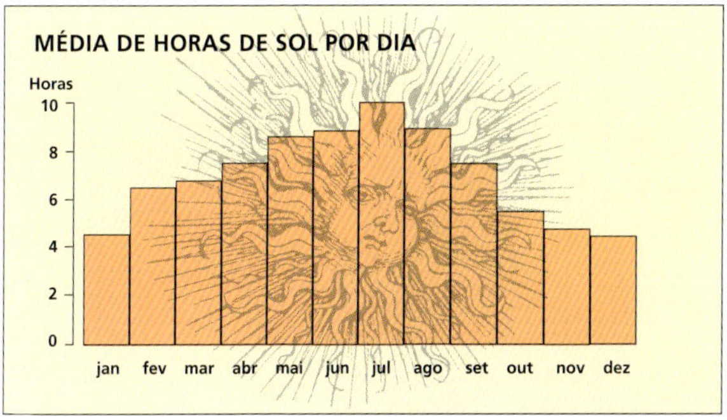

Sol e Calor
Barcelona é uma cidade ensolarada, com céu azul durante a maior parte do ano e uma média de até dez horas de sol por dia no verão. No inverno, mesmo que seja frio na sombra, o sol esquenta o suficiente para tornar agradável sentar-se ao ar livre num terraço ou pátio abrigado e ensolarado.

VERÃO

A maioria dos habitantes de Barcelona mora em apartamento, por isso as pessoas adoram sair da cidade nos fins de semana, para ir à praia ou às montanhas. Assim, é melhor evitar as estradas nas tardes de sexta e noites de domingo. As longas férias escolares começam no final de junho, quando o mar já está quente o bastante para nadar. Gente se acotovela nas marinas, o aroma de peixe frito enche o ar e há muitas opções de diversões de verão. Muitas lojas de Barcelona fecham no mês de agosto.

Turistas na Platja d'Aro, um popular balneário na Costa Brava

JUNHO

Festival del Grec (jun-jul). Neste festival de artes de verão há atrações nacionais e internacionais por toda Barcelona, em especial no Teatre Grec, Mercat de les Flors e no Poble Espanyol.
Revetlla de Sant Joan (24 jun). A véspera de São João é celebrada com fogos, em especial no Montjuïc, em Barcelona. Há fogueiras por toda a Catalunha e tochas acesas são trazidas do topo do Mont Canigó, na fronteira com a França. O *cava* –um vinho branco espumante (*págs. 32-3*)– é tomado junto com uma *coca* (bolo) especial, salpicada de pinhõezinhos e frutas cristalizadas (*pág. 31*).
Castellers (24 jun). Em Valls, Tarragona, província famosa pelos festivais de *castellers*, equipes de homens que montam nos ombros uns dos outros para ver quem forma a maior pirâmide (*pág. 125*).

Concertos (jun-jul). Música clássica em vários parques de Barcelona, numa promoção do Institut Municipal de Parcs i Jardins.

JULHO

Cantada d'havaneres *(primeiro dom jul)*. Bebendo *cremat* (café e rum), músicos e cantores cantam *havaneres* pelas cidades da costa, como em Calella de Palafrugell, na Costa Brava.

Equipe de *castellers* em ação

Virgen del Carmen *(16 jul)*. Festa marítima em volta do porto de Barcelona. Além de procissões, há bandas tocando *havaneres*.
Santa Cristina *(24 jul)*. A maior festa de Lloret de Mar, Costa Brava: a estátua da Virgem é trazida para a praia por navios enfeitados.

AGOSTO

Festa major de Gràcia *(uma sem, a partir 15 ago)*. Cada bairro de Barcelona tem sua própria *festa*, e nela cada rua compete para ver quem faz a decoração mais original. A maior e mais espetacular delas é a celebrada no bairro de Gràcia, com concertos, bailes, música, concursos e jogos de rua.
Festa major de Sants *(por volta 24 ago)*. A grande *festa* anual no bairro de Sants, em Barcelona.
Festa major de Vilafranca del Penedès *(meados ago)*. A festa anual dessa cidade é uma das melhores ocasiões para ver concursos de *castellers* (pirâmides humanas) *(pág. 125)*.

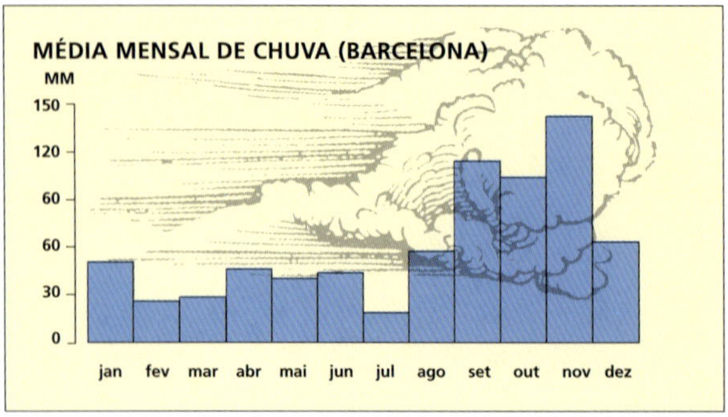

O Ritmo da Chuva
Barcelona tem um índice de chuvas modesto ao longo do ano –o suficiente para manter as áreas verdes da cidade. Mas as chuvas tendem a cair em precipitações repentinas, torrenciais e curtas, e no verão as fortes trovoadas são características. Dias seguidos de tempo fechado são raros.

OUTONO

A colheita da uva *(verema)* é um destaque do outono, um pouco antes de as vinhas ficarem vermelhas e douradas. É a época de sair atrás de cogumelos, que abarrotam as bancas de mercado. A partir de outubro, começa a caça a aves, como perdizes e patos migrantes, e javalis. Os mais corajosos nadam no mar até novembro.

Gado desce as encostas dos Pirineus por volta do final do verão

SETEMBRO

Diada de Catalunya *(11 set)*. O Dia Nacional da Catalunha é o da queda de Barcelona nas mãos de Filipe V em 1714 *(pág. 44)*, quando a região perde sua autonomia. O sentimento separatista nas manifestações políticas é forte. Vêem-se *sardanas (pág. 129)* e gente cantando *Els Segadors (pág. 44)*, e muitas bandeiras catalãs.
La Mercè *(24 set)*. Festa anual em Barcelona em homenagem a *Nostra Senyora de la Mercè* (Nossa Senhora das Mercês), numa semana de concertos, missas e danças. Procure o *correfoc* –incrível desfile de dragões, gigantes e monstros– e o *piro musical* –fogos de artifício com música.
Sant Miquel *(29 set)*. As festas para o padroeiro da Barceloneta lembram a ocupação da Espanha por Napoleão *(pág. 45)*. Bum-Bum, um general napoleônico, desfila pelas ruas com salvas de tiros. Dança-se na praia.

Colheita da uva em outono, com a expectativa de uma boa safra

OUTUBRO

Festes de Sarrià i de Les Corts *(primeiro dom out)*. Festas para os padroeiros desses tradicionais bairros de Barcelona.
Dia de la Hispanitat *(12 out)*. Feriado nacional que marca a descoberta da América em 1492 *(pág. 44)*.

NOVEMBRO

Tots Sants (Todos os Santos) *(1° nov)*. Comem-se castanhas assadas e batata-doce e, no dia seguinte –*Dia dels difunts* (Finados)–, as pessoas visitam os túmulos dos parentes.

FERIADOS

Any Nou *(Dia de Ano-Novo)* 1° jan
Reis Mags *(Reis)* 6 jan
Divendres Sant *(Sexta-feira Santa)* mar/abr
Dilluns de Pasqua *(Seg de Páscoa)* mar/abr
Festa del Treball *(Dia do Trabalho)* 1° mai
Sant Joan *(Dia de São João)* 24 jun
Assumpció *(Dia de Assunção)* 15 ago
Diada de Catalunya *(Dia Nacional)* 11 set
La Mercè 24 set
Dia de la Hispanitat *(Dia da Hispanidade)* 12 out
Tots Sants *(Todos os Santos)* 1° nov
Dia de la Constitució *(Dia da Constituição)* 6 dez
Immaculada Concepció *(Imaculada Conceição)* 8 dez
Nadal *(Natal)* 25-26 dez
Sant Esteve 26 dez

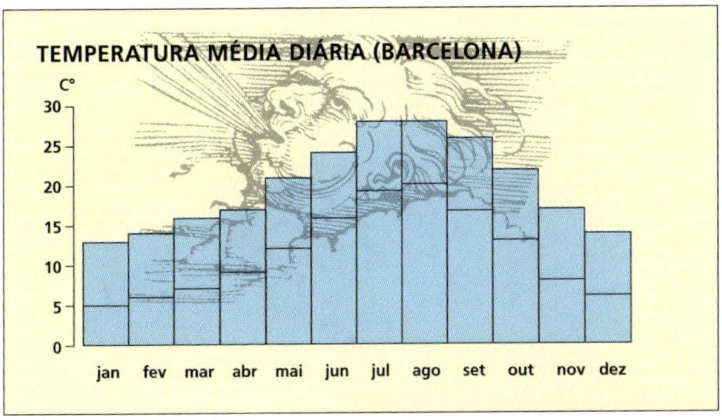

Variações de Temperatura
Este gráfico mostra as temperaturas médias, mínimas e máximas registradas em Barcelona. O sol de inverno pode decepcionar, e a temperatura durante o dia pode cair muito. Dias de verão são sempre quentes. Chapéu e protetor solar de alto fator são essenciais.

INVERNO

Estações de esqui nos Pirineus são um bom programa de fim-de-semana. Os dias são ensolarados e pode-se almoçar ao ar livre, mas o tempo é imprevisível e as noites, às vezes, gélidas. A época do Natal é muito boa para estar em Barcelona, pois a cidade vibra com o espírito de festa e de fraternidade. Artesanato e enfeites estão à venda na Feria de Santa Llúcia, em frente à catedral.

Estação de esqui nos Pirineus, um programa popular no fim-de-semana

DEZEMBRO

Nadal e **Sant Esteve** *(25 e 26 dez).* O Natal é uma data para as pessoas se reunirem. O tradicional almoço de Natal consiste numa *escudella* (ensopado de carne), seguida por peru recheado com maçã, damasco, pinhõezinhos, ameixas e uvas-passas.
Revellón *(31 dez).* Por toda a Espanha, na véspera de Ano-Novo, as pessoas costumam comer uvas, uma a cada badalada da meia-noite, acreditando que isso traz sorte.

JANEIRO

Reis Mags *(6 jan).* Na véspera do Dia de Reis, os três reis surgem em várias formas por toda a Catalunha, levando doces às crianças. A principal cavalgada é em Barcelona, pelo porto.
Santa Eulàlia *(12 jan).* A festa da antiga padroeira de Barcelona é celebrada na Cidade Velha. Comemora-se com danças, e muitos se vestem como gigantes.
Els Tres Tombs *(17 jan).* Cavaleiros de fraque e cartola cortam três vezes a cidade em homenagem a santo Antônio, padroeiro dos animais.
Pelegrí de Tossa *(20-21 jan),* Tossa de Mar. Uma romaria de 40km que celebra o fim da peste. É o maior evento anual desta cidade.

FEVEREIRO

Carnestoltes (Carnaval) *(fev-mar).* O rei do Carnaval preside a festa que antecede a Quaresma; as crianças se fantasiam e cada *barri* (bairro) de Barcelona faz uma festa. Omelete de linguiça é o prato da terça de Carnaval *(Dimars gras),* e na quarta de cinzas *(Dimecres de cendra)* enterra-se ritualmente uma sardinha *(Enterrament de la sardina).* Há uma grande festa na Platja d'Aro, na Costa Brava, e em Vilanova, na Costa Daurada. Sitges é o melhor lugar para curtir o espírito da festa.
Rally Internacional de Cotxes d'Època *(por volta do primeiro dom da Quaresma).* Rally de carros antigos, que correm de Barcelona até Sitges.

O festival de inverno de Els Tres Tombs, em Vilanova i la Geltrú

Procissão de *gegants* (gigantes), durante o festival de setembro de La Mercé, em Barcelona ▷

El que no
Barcelona

A HISTÓRIA DA CATALUNHA

Os catalães sempre foram grandes marinheiros, mercadores e industriais. Desde que se reuniram sob a Casa de Barcelona, sua nacionalidade foi ameaçada por casamentos, alianças e conflitos com Madri, e o caminho para o seu status atual –de região semi-autônoma dentro da Espanha– foi marcado por períodos de poder e riqueza e fases de fraqueza e desespero.

Barcelona não era um local adequado para um núcleo humano. Seu porto era pequeno e sua parte alta, Montjuïc, não tinha água. Os mais antigos vestígios do homem na Catalunha vêm de outros pontos, como os dólmens do Alt Empordà e os túmulos do Baix Empordà e Alt Urgell.

Piso em mosaico romano, achado em Barcelona, com as Três Graças

No primeiro milênio a.C., o povo agrário dos laietanos ocupava as terras em volta de Barcelona, enquanto os iberos colonizavam outras partes da Catalunha. Estes, grandes construtores em pedra, deixaram assentamentos cujos restos são ainda visíveis em Ullastret, na Costa Brava. Comerciantes gregos chegaram à costa por volta de 550 a.C., fundando seu primeiro entreposto em Empúries (Emporion, *pág. 120*), perto de Ullastret. Foram os cartagineses de Nova Cartago, no sul da Espanha, que puseram Barcelona no mapa, ao darem à cidade o nome de Hamil Barca, pai de Aníbal, aquele que levou seu exército de elefantes da Catalunha pelos Pirineus e pelos Alpes para atacar Roma. Em represália, os romanos chegaram até Empúries e aos poucos subjugaram toda a península Ibérica. Depois de expulsar cartagineses e laietanos, os romanos fundaram Tarraco (Tarragona, *pág. 128*), ao sul da Catalunha, como capital imperial de Tarraconensis, uma das três regiões administrativas da península.

A Barcelona romana pode ser vista no portão da cidade ao lado da catedral, enquanto os muros do século 3º que antes cercavam a cidade ficam ao lado do medieval Palácio Real *(pág. 56)*. Fundações da cidade romana foram encontradas no subsolo do Museu d'Història de la Ciutat *(pág. 56-7)*, e pilares do templo de Augusto podem ser vistos dentro do Centre Excursionista de Catalunya *(pág. 55)*, atrás da catedral.

Com a queda do Império Romano, os visigodos sediados em Toulouse se deslocaram para preencher o vazio. Tinham sido vassalos de Roma, praticavam as leis romanas, falavam uma língua semelhante e, em 587, seu rei ariano, Recáredo, converteu-se ao cristianismo de Roma.

CRONOLOGIA

1000-500 a.C. Indo-europeus invadem os vales do Ter e do Llobregat; iberos em Montjuïc

500-200 a.C Fortificações ibéricas em Ullastret. Grandes muralhas de Tarragona

550 a.C. Os gregos fundam entrepostos comerciais em Empúries

Cruz visigoda

2500 a.C. | **1500 a.C.** | **500 a.C.** | **500 d.C.**

2000-1500 a.C. Construção de monumentos megalíticos na Catalunha

Aníbal

230 a.C. Barcelona é fundada por Hamil Barca, pai de Aníbal

218 a.C. Romanos em Empúries subjugam a Espanha

258 d.C. Barcelona é cercada por muros após invasão dos francos

531 Visigodos em Barcelona após a queda de Roma

◁ **Tropas confraternizam-se com milícias locais na Baixada de la Llibreteria, Barcelona, na Guerra Carlista de 1833-39**

Página de um manuscrito do século 15 do Llibre del Consolat de Mar

OS MOUROS E CARLOS MAGNO

Os visigodos estabeleceram sua capital em Toledo, ao sul da atual Madri. Conta-se que quando o rei Vitiza morreu, em 710, seu filho Áquila recrutou os sarracenos do Norte da África para ajudá-lo a conquistar o trono. Em 711, com surpreendente rapidez, tribos muçulmanas e berberes começaram a invadir a península Ibérica, alcançando Barcelona, em 717, e depois Poitiers, na França, em 732, onde foram finalmente detidas pelo líder franco Carlos Martel.

Os muçulmanos fundaram sua capital em Córdoba, no sul da Espanha, enquanto nobres visigodos montavam esconderijos nos Pirineus, a partir dos quais investiam contra os invasores. Nisso foram ajudados por Carlos Magno, neto de Carlos Martel. Em 801, Barcelona foi retomada pelos francos, para ser de novo perdida e recuperada. A brevidade da ocupação muçulmana deixou a Catalunha, diferentemente do resto da Espanha, imune à influência da cultura do Islã.

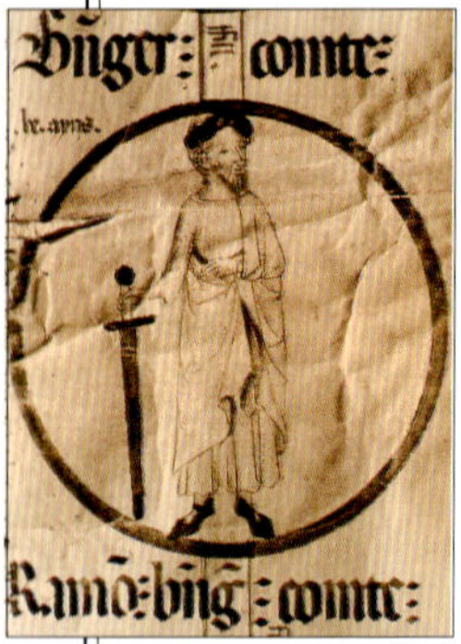

Ramón Berenguer I de Barcelona (1035-76)

OS CONDES DE BARCELONA

Carlos Magno criou o Marco Hispânico, um Estado-tampão ao longo dos Pirineus, que ele confiou a senhores locais. A mais poderosa figura a oeste foi Guifré el Pelós (Wilfredo, o Cabeludo), que consolidou os condados de Barcelona, Cerdanya, Conflent, Osona Urgell e Girona, e fundou o mosteiro de Ripoll *(pág. 114) – el bressol de Catalunya* (o berço da Catalunha). Morreu lutando contra os mouros em 897, mas iniciara uma dinastia de condes-reis de Barcelona que duraria 500 anos.

Antes do final do século 11, sob Ramón Berenguer I, a Catalunha havia formado o primeiro governo constitucional da Europa com uma carta de direitos, os *Usatges*. No início do século 12, sob Ramón Berenguer III, as fronteiras catalãs se estendiam ao sul para além de Tarragona. A influência catalã também se espalhou para o norte, quando ele se casou com Dolça da Provença, unindo as duas regiões, e de modo mais duradouro para o oeste, quando o principado de Barcelona se juntou à vizinha Aragão em 1137, com a união de Ramón Berenguer IV e Petronila de Aragão. Em 1196, o grande mosteiro de Poblet *(págs. 126-7)*, na província de Tarragona, substituiu Ripoll como panteão da realeza catalã.

CRONOLOGIA

700 d.C.

711 Mouros do Norte da África invadem a Espanha

717 A Catalunha é ocupada pelos muçulmanos

Sabre mouro

800

778 Carlos Magno, líder dos francos, inicia campanha para expulsar os mouros da Espanha

801 Mouros são expulsos. Carlos Magno cria um Estado-tampão

900

Carlos Magno (742-814)

878 Guifré el Pelós (Wilfredo, o Cabeludo), conde de Cerdanya-Urgell, consolida o leste dos Pirineus e conquista autonomia. Ele inicia os 500 anos da dinastia dos condes-reis de Barcelona

1000

1008-46 O abade Oliva ergue igreja em Ripoll e orienta as construções dos beneditinos, como em Vic e Montserrat

1060 A Constituição, Usatges, é formulada; na mesma época registra-se pela primeira vez o uso do termo "catalão"

EXPANSÃO MARÍTIMA

Sob Jaime I, o Conquistador (1213-76), a Catalunha viveu um período de prosperidade e expansão. Ao final do século 13, as Ilhas Baleares e a Sicília haviam sido conquistadas; muitos dos navios usados nessa empresa saíram dos amplos estaleiros de Drassanes, em Barcelona *(pág. 67)*. A Catalunha *dominava os mares e o Llibre del Consolat de Mar* era um código de práticas comerciais vigente em todo o Mediterrâneo. Havia almirantes ousados, como Roger de Llúria, que derrotou a esquadra francesa na baía de Rosas em 1285, e Roger de Flor, líder de um punhado de bravos mercenários catalães e aragoneses, os Almogàvers, que venceram batalhas para o rei da Sicília e para o imperador bizantino, antes de Roger de Flor ser assassinado, em 1305.

No longo reinado de Jaime I, foram criadas as *Corts* (parlamento), os muros da cidade, reconstruídos, passaram a abranger uma área dez vezes maior que a incluída pelo velho muro romano, e belas mansões apareceram no novo Carrer Montcada *(págs. 64)*. La Llotja (a Bolsa) foi erguida junto ao porto principal de então, e a igreja de Santa Maria del Mar *(pág. 63)* foi erigida por comerciantes, como agradecimento. Sob Pedro IV (1336-87) ergueram-se dois grandes salões: o Saló del Tinell, do Palácio Real, e o Saló de Cent, da Casa de la Ciutat *(págs. 56-7)*.

Ex-voto na forma de navio do século 15

A prosperidade fez florescer a literatura. Jaime I escreveu seu próprio *Llibre dels Feits (Livro dos Feitos)*, e a conquista da Sicília por Pere el Gran em 1282 foi descrita em termos inflamados por Bernat Desclot, em 1285, numa crônica da história catalã. O grande poeta catalão Ramón Lull (1232-1315), nascido em Maiorca, foi o primeiro a usar uma língua vernácula em escritos religiosos. Desde 1395, os Jocs Florals, competição anual de poesia em Barcelona, reuniam os trovadores da região. Em 1450, Joanot Martorell começou a escrever seu épico de cavalaria, o *Tirant lo Blanc*, embora morresse em 1468, 22 anos antes de sua publicação. Para Miguel de Cervantes, autor do *Dom Quixote*, era simplesmente "o melhor livro do mundo".

Mural mostrando Jaime I durante a campanha para conquista de Maiorca

1137 Barcelona se une à vizinha Aragão por casamento real

1258-72 O *Consolat de Mar*, um código de práticas comerciais, vigora por todo o Mediterrâneo

1282 Pere el Gran toma a Sicília. Seus feitos são descritos nas *Crônicas* de Desclot

1347-8 A Peste Negra mata um quarto da população

1359 É fundada a Generalitat

1423 Conquista de Nápoles

1100 | **1200** | **1300** | **1400**

1148 Fronteira com os mouros recua para o rio Ebro

1213-35 Jaime I, o Conquistador, toma Maiorca, Ibiza e Formentera

Jaime I (1213-76)

1324 A Sardenha é conquistada

1302-5 Mercenários catalães liderados pelo almirante Roger de Flor

1287 Conquista de Maiorca sob Afonso III

FERNANDO E ISABEL DE CASTELA

A Espanha Católica nasceu em 1479 quando Fernando II de Catalunha-Aragão desposou Isabel de Castela, de uma região que então absorvera o resto do Norte da Espanha. Em 1492, eles expulsaram os últimos mouros da península e, em meio à febre de retidão, expulsaram também os judeus, que tinham núcleos comercialmente importantes em Barcelona *(pág. 56)* e Girona. Foi nesse mesmo ano que Colombo pisou na América, voltando triunfalmente para Barcelona com seis indígenas do Caribe *(pág. 58)*. Mas a cidade fracassou quando o monopólio do comércio com o Novo Mundo foi entregue a Sevilha e Cádiz. Embora ainda tivesse grandes momentos, como na vitória sobre os turcos em Lepanto, em 1571 *(pág. 67)*, Barcelona entrou num período de declínio.

Batismo de judeus durante a era dos Reis Católicos

REVOLTAS E SÍTIOS

Durante a Guerra dos Trinta Anos com a França (1618-59), Filipe IV obrigou as *Corts* de Barcelona a formar um exército para enfrentar os franceses, de quem os catalães não tinham ressentimento. Um vice-rei foi imposto à cidade e tropas espanholas desorganizadas ocuparam a região. Em junho de 1640, a população se insurgiu e os ceifeiros *(segadors)* mataram o vice-rei. A *Canção dos Ceifeiros* ainda é cantada em eventos catalães *(pág. 36)*. Barcelona então se aliou à França, mas foi sitiada e derrotada por Filipe. A paz de 1659 fez a Catalunha ceder o norte dos Pireneus à França.

Azulejo para uma corporação de ofícios catalã

Uma segunda confrontação com Madri ocorreu durante a Guerra da Sucessão Espanhola, quando as duas casas reais européias mais poderosas, os Habsburgo e os Bourbon, reclamavam o trono. Barcelona, com a Inglaterra como aliada, perdeu e teve de suportar os Habsburgo. Foi fortemente

O grande cerco de Barcelona, em 1714, durante a Guerra da Sucessão Espanhola

CRONOLOGIA

1492 Colombo descobre a América. Barcelona é impedida de comerciar com o Novo Mundo. Os judeus são expulsos

1494 O Conselho Supremo de Aragão põe a Catalunha sob o controle de Castela

A Inquisição espanhola, ativa desde 1478

1619 Madri torna-se a capital da Espanha

1659 O Tratado dos Pireneus, ao fim da Guerra dos Trinta Anos, refaz a fronteira com a França, que fica com o Roussillon

1450 d.C. | 1500 | 1550 | 1600 | 1650

1479 Fernando II de Catalunha-Aragão casa-se com Isabel de Castela e une as casas reais

1490 *Tirant lo Blanc*, épico de cavalaria de Martorell *(pág. 39)*, é publicado em catalão

1571 Grande frota parte de Barcelona para derrotar os otomanos em Lepanto

1640 Revolta dos ceifeiros *(segadors)* contra a exploração pelos espanhóis dos recursos catalães, durante a Guerra dos Trinta Anos com a França

Mulheres ajudam a defender Girona contra os franceses de Napoleão, em 1809

sitiada por tropas do novo rei Bourbon, Filipe V. A cidade caiu em 11 de setembro de 1714, hoje celebrado como Dia Nacional *(pág. 36)*. Filipe anulou os privilégios da Catalunha. Proibiu a língua, fechou as universidades e usou a catedral gótica de Lleida como quartel. Destruiu o bairro de Ribera em Barcelona e, no que hoje é o parque da Ciutadella *(pág. 64-5)*, construiu uma praça-forte para vigiar a população.

Encerradas as restrições comerciais com as Américas, a Catalunha iniciou sua recuperação econômica. Mas ela foi interrompida pela guerra de 1793-95 com a França e depois pela Guerra Peninsular de 1808-14 (chamada na Espanha de Guerra da Independência), quando Napoleão pôs seu irmão José no trono espanhol. Barcelona caiu no início de 1808, mas Girona resistiu a um cerco de sete meses. Mosteiros, como o de Montserrat *(págs. 122-3)*, foram saqueados e pilhados. Eles sofreram novos ataques em 1835, sob um governo republicano, que os considerava ricos e poderosos demais e, por isso, os dissolveu. Foi um período politicamente agitado, em que uma minoria de reacionários rurais se voltou contra o espírito liberal do século nas Guerras Carlistas.

A RENAIXENÇA CATALÃ

Barcelona foi a primeira cidade espanhola a se industrializar, principalmente em torno da manufatura de algodão, a partir de matéria-prima que chegava das Américas. Isso trouxe trabalhadores imigrantes e crescimento populacional; em 1854, a cidade ultrapassou as muralhas medievais *(pág. 71)*. No interior cresciam cidades industriais, como Terrassa e Sabadell, e *colònies industrials* ao longo dos rios, com moinhos movidos a água.

Assim como a riqueza do século 14 inspirou o primeiro florescimento catalão, a da indústria inspirou a *Renaixença* da cultura. Seus marcos literários foram Bonaventura Aribau, com sua *Oda a la Patria*, e os poemas de um jovem monge, Jacint Verdaguer, que venceu vários prêmios de poesia nos reabilitados Jocs Florals *(pág. 43)*.

Prósperos *barcelonins* escolhendo entre a grande variedade de tecidos, no início do século 19

Felipe V (1700 -24)

1808-14 Guerra Peninsular (Guerra da Independência): Girona é sitiada, Barcelona é ocupada e o mosteiro de Montserrat, saqueado

1823-6 Franceses ocupam a Catalunha

1835 Mosteiros são dissolvidos

1833-9 1ª Guerra Carlista

1859 Os Jocs Florals, concursos de poesia, estimulam o renascimento da cultura catalã

1700 | **1750** | **1800** | **1850**

1714 Barcelona é saqueada por Filipe V, primeiro rei Bourbon. As universidades são fechadas. A língua catalã é proibida

1778 A permissão de comerciar com a América dá novo impulso à Catalunha

1849 Primeira ferrovia da Espanha, ligando Barcelona a Mataró

1833 Publicação da *Oda a la Patria* (Aribau)

O poeta Bonaventura Carles Aribau i Farriols

Sala de produtos espanhóis na Exposição Universal de 1888

CATALANISMO E MODERNISMO

A *Renaixença* produziu um novo orgulho na Catalunha, e o "catalanismo" alimentou o acelerado movimento da região rumo a sua autonomia, o que repercutiu na Galícia e no País Basco. As interrupções pelas Guerras Carlistas tiveram fim em 1876 e levaram à restauração da monarquia Bourbon.

O primeiro partido autônomo, a Lliga de Catalunya, surgiu em 1887, e as brigas com o governo central continuaram. Este foi culpado pela perda das colônias americanas e do lucrativo comércio transatlântico, e por envolver a Espanha num desnecessário conflito com o *Marrocos. La setmana tràgica* (semana trágica) de 1909 teve os protestos mais violentos, com 116 mortos e 300 feridos.

Paralelamente, em nível mais artístico e cultural, e para ostentar sua crescente riqueza, Barcelona sediou em 1888 a Exposição Universal no Parc de la Ciutadella, onde a praça-forte de Filipe V tinha sido recentemente demolida. A expansão urbana *(eixample)* foi cuidadosamente organizada segundo um plano de Ildefons Cerdà *(pág. 71)*, e os barões da indústria contrataram arquitetos de muita imaginação para ostentar sua riqueza; os mais bem-sucedidos foram Eusebi Güell e Antoni Gaudí *(págs. 24-5)*. A destruição dos mosteiros abriu espaço para edifícios suntuosos, como o Palau de la Música Catalana *(pág. 62)*, o teatro de ópera Liceu e o mercado La Boqueria *(pág. 155)*.

Antoni Gaudí, o mais criativo arquiteto do modernismo

A não entrada da Espanha na Primeira Guerra Mundial permitiu preservar a arquitetura modernista da Catalunha. O lugar de Barcelona como cidade-vitrine confirmou-se na Feira Internacional de 1929 em Montjuïc. Muitos daqueles edifícios ainda existem.

Pôster da Exposição de 1929

GUERRA CIVIL

A Mancomunitat, conselho local fundado em 1914, desapareceu com a chegada em 1923 do ditador Primo de Rivera, governador militar de Barcelona. Em 1931, Francesc Macià declarou-se presidente da República Catalã, que durou três dias. Em 1934, Lluís Companys foi preso e sentenciado a 30 anos ao tentar fazer o mesmo.

CRONOLOGIA

1872-6 Terceira e última Guerra Carlista

1888 Exposição Universal no Parc de la Ciutadella mostra o novo estilo modernista

Primo de Rivera (1870-1930)

1909 *Setmana tràgica*: violento protesto contra a guerra do Marrocos

1875 | 1900 | 1925

Soldados carlistas

1893 Bombas de anarquistas na Ópera Liceu matam 14

1901 *Lliga Regionalista*, novo partido catalão, vence as eleições

1929 Feira Internacional em Montjuïc

1931 Francesc Macià declara a independência da Catalunha

Marcha de refugiados em 1939, rumo aos Pirineus, para procurar asilo na França

Em 16 de julho de 1936, o general Francisco Franco liderou uma revolta do exército contra o governo republicano e os novos estados autônomos. O governo trocou Madri por Valência, e depois por Barcelona. A cidade e a costa foram bombardeadas pela aviação alemã e cercadas por navios de guerra italianos. Quando Barcelona caiu, três anos mais tarde, milhares de pessoas fugiram para a França, e outros milhares, incluindo empresas inteiras, foram executados por Franco, em represália. A Catalunha perdeu tudo o que havia ganho e sua língua foi de novo proibida.

A *noche negra*, que se seguiu à vitória de Franco, deixou Barcelona sem recursos e negligenciada por Madri. A década de 1960, porém, trouxe novas oportunidades econômicas e, entre 1960 e 1975, 2 milhões de espanhóis foram trabalhar na cidade. A chegada dos turistas para as costas Brava e Daurada mudou para sempre a cara do país.

A VIDA DEPOIS DE FRANCO

O champanhe correu solto nas ruas de Barcelona com a notícia da morte de Franco em 1975. A democracia e a monarquia, sob o Bourbon Juan Carlos, foram restauradas e Jordi Pujol, do conservador partido Convergència i Unió, elegeu-se líder da Generalitat, o governo regional da Catalunha. Desde então, a Catalunha ganhou amplo grau de autonomia, incluindo o poder de aumentar os impostos.

Pasqual Maragall, prefeito de Barcelona até 1997 e presidente da Catalunha de 2003 a 2006, comandou a radical reformulação da cidade para a Olimpíada de 1992. Em menos de dez anos, Barcelona mudou sensivelmente, com uma orla litorânea renovada, espaços urbanos inspirados, novas vias de acesso e museus e galerias de altíssimo padrão.

Cerimônia de abertura da Olimpíada de Barcelona, 1992

1939 50 mil pessoas se exilam na França. O presidente catalão Companys é executado

1947 A Espanha é declarada uma monarquia, tendo Franco como regente

1975 Franco morre. O rei Juan Carlos restaura a dinastia Bourbon

1979 Garante-se autonomia parcial à Catalunha

1992 Os Jogos Olímpicos são realizados em Barcelona

2004 O Fórum Universal de Culturas acontece em Barcelona

1950 | **1975** | **2000**

1953 Bases dos EUA no país

936-9 Guerra Civil. O governo epublicano foge de Madri para alência e daí para Barcelona

Déc. 1960 A Costa Brava lidera o *boom* de pacotes turísticos

1985 As Ilhas Medes são a primeira reserva marinha natural da Espanha

1986 A Espanha ingressa na Comunidade Européia

Cobi, o mascote olímpico

BARCELONA ÁREA POR ÁREA

Barcelona em Destaque

Barcelona é mais do que a capital da Catalunha. Na cultura, no comércio e nos esportes, a cidade não só rivaliza com Madri como também se considera à altura dos grandes centros europeus. O sucesso dos Jogos Olímpicos realizados no parque Montjuïc em 1992 confirmou sua posição perante o mundo. Embora a Cidade Velha *(Ciutat Vella)* tenha muitos monumentos históricos, Barcelona é mais conhecida pelos edifícios do Eixample, testemunhos da explosão artística do modernismo *(págs. 24-5)* no começo do século 20. Aberta às influências externas devido à sua localização costeira –seu porto é um dos mais movimentados do Mediterrâneo– e próxima da fronteira com a França, Barcelona continua cheia de criatividade: seus bares e parques têm mais de design contemporâneo do que de tradição.

Casa Milà (pág. 79) *é o trabalho mais ousado de Antoni Gaudí* (pág. 78) *em Barcelona, que tem mais edifícios Art Nouveau do que qualquer outra cidade no mundo.*

O Palau Nacional (pág. 88), *na colina de Montjuïc, domina o conjunto de edifícios e a avenida cheia de fontes, construídos para a Exposição Internacional de 1929. Hoje abriga o Museu Nacional d'Art da Catalunya, com uma coleção excepcional de arte medieval, com afrescos românicos.*

Cristóvão Colombo *observa a avenida costeira do alto de uma coluna de 60m* (pág. 67), *no coração do Port Vell (Porto Velho). Do mirante no topo da coluna, os visitantes podem ver as avenidas e os cais que revitalizaram a área.*

O Castelo de Montjuïc (pág. 89) *é uma fortificação do século 17. Situado no alto da colina de Montjuïc, oferece vista panorâmica da cidade e do porto, e forma um contraste visível com as unidades esportivas ultramodernas construídas para os Jogos Olímpicos de 1992.*

◁ **La Rambla del Mar passa sobre a água no Port Vell, em direção ao Maremàgnum**

A Sagrada Família (págs. 80-1), *obra-prima inacabada de Gaudí, foi iniciada em 1882 e se destaca nas ruas do Eixample. Os mosaicos em cerâmica policromada e as formas inspiradas na natureza são típicos de sua obra.*

A catedral de Barcelona (págs. 58-9) *é um belíssimo edifício do século 14 no coração do Barri Gòtic (Bairro Gótico). Tem 28 capelas laterais que circundam a nave e possui alguns esplêndidos retábulos. Os gansos brancos nos jardins do claustro fazem parte de uma tradição centenária.*

Parc de la Ciutadella (pág. 64-5), *entre a Cidade Velha e a Vila Olímpica, agrada vários gostos. Os jardins repletos de estátuas oferecem descanso, o lago com embarcações e o zoológico são divertidos, e os seus dois museus abrangem arte, geologia e zoologia.*

La Rambla (págs. 60-1) *é a rua mais famosa na Espanha, cheia de vida a toda hora do dia e da noite. Um passeio descendo até a avenida costeira e observando os edifícios, lojas, cafés e vendedores de rua é a melhor apresentação de Barcelona.*

BAR

CIDADE VELHA

A Cidade Velha, cortada pela mais famosa avenida de Barcelona, La Rambla, é um dos mais extensos centros medievais da Europa. No Barri Gòtic (Bairro Gótico) estão a catedral e um labirinto de ruas e praças. Cruzando a Via Laietana, a região do El Born é dominada pela igreja Santa Maria del Mar, e está repleta de mansões do século 14. Esta parte é circundada pelo belo Parc de la Ciutadella, onde se encontra o zoológico da cidade. A revitalizada área em frente ao mar é uma agradável mistura entre o velho e o novo. A elegante marina, com lojas de grife e restaurantes, contrasta com a antiga área marítima de Barceloneta e a nova Vila Olímpica.

PRINCIPAIS ATRAÇÕES

Museus e Galerias

Aquário 24
Museu d'Art Contemporani 10
Museu d'Història de Catalunya 25
Museu Frederic Marès 2
Museu de Geologia 19
Museu Marítim 13
Drassanes 28
Museu Picasso 13
Museu de la Xocolata 15
Museu de Zoologia 18

Atrações na Baía

Golondrinas 27
Port Olímpic 21
Port Vell 23

Ruas e Bairros

Barceloneta 22
La Rambla 7
El Raval 9

Igrejas

Basílica de Santa Maria del Mar 14
Catedral (págs. 58-9) 6

Edifícios Históricos

Casa de l'Ardiaca 1
Casa de la Ciutat 4
La Llotja 12
Palau de la Generalitat 5
Palau de la Música Catalana 11
Palau Güell 8
Museu d'Història de la Ciutat – Plaça del Rei 3

Monumentos

Arc del Triomf 16
Monument a Colom 26

Parques e Jardins

Parc de la Ciutadella 17
Parc Zoològic 20

COMO CHEGAR

A região é bem servida pelo metrô –linhas 1, 3 e 4. A estação Jaume I fica no coração do Barri Gòtic. Muitos ônibus passam pela Plaça Catalunya, o centro da cidade moderna.

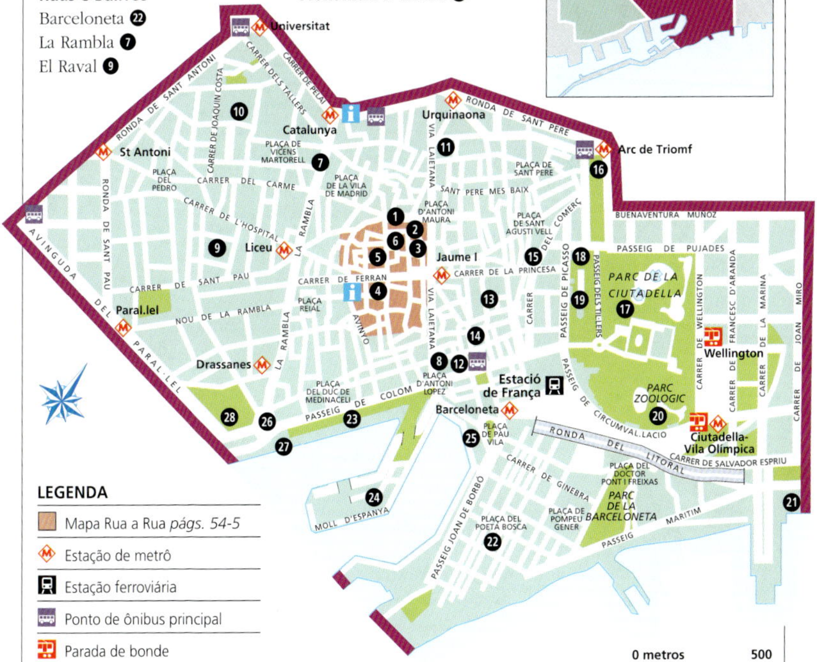

LEGENDA

Mapa Rua a Rua *págs. 54-5*
Estação de metrô
Estação ferroviária
Ponto de ônibus principal
Parada de bonde
Informação turística

◁ **O café Els Quatre Gats, em uma das estreitas ruas do Bairro Gótico de Barcelona**

Rua a Rua: Barri Gòtic

Vela de cera, Cereria Subirà

O Barri Gòtic (Bairro Gótico) é o verdadeiro centro de Barcelona. A parte mais antiga da cidade foi o local escolhido pelos romanos, no reinado de Augusto (27 a.C.-14 d.C.), para fundar a nova colônia. Desde então, é o lugar onde ficam os edifícios administrativos de Barcelona. O fórum romano ficava na Plaça de Sant Jaume, onde hoje se encontra o Palau de la Generalitat (uma construção medieval), parlamento da Catalunha, e a Casa de la Ciutat (prefeitura). Perto fica também a catedral gótica e o palácio real, onde Colombo foi recebido por Fernando e Isabel na volta de sua viagem ao Novo Mundo, em 1492 *(pág. 44)*.

Casa de l'Ardiaca
Sobre a muralha romana da cidade, a residência gótico-renascentista do arquidiácono abriga hoje os arquivos históricos de Barcelona ❶

Para Plaça de Catalunya

★ Catedral
A fachada e a agulha são do século 19, acrescentadas à construção original, gótica. Entre os tesouros do interior estão pinturas medievais catalãs ❻

Palau de la Generalitat
O palácio do governador da Catalunha mantém características góticas, que incluem a capela e a escada de pedra que leva a uma galeria ao ar livre ❺

Para La Rambla

Casa de la Ciutat
A prefeitura de Barcelona foi construída nos séculos 14 e 15. A fachada é um acréscimo neoclássico. Na entrada fica uma cópia de 1976 da escultura Três Meninos Ciganos, criada em 1946 por Joan Rebull (1899-1981) ❹

LEGENDA

– – – Percurso sugerido

Museu Frederic Marès
Esta porta medieval faz parte da ampla mostra de escultura espanhola – um dos destaques do excelente e eclético acervo deste museu ❷

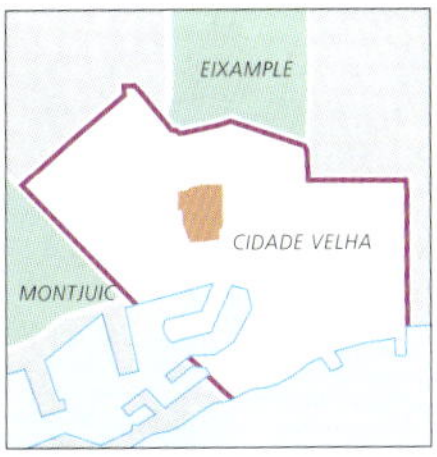

LOCALIZE-SE
Guia de Ruas 5

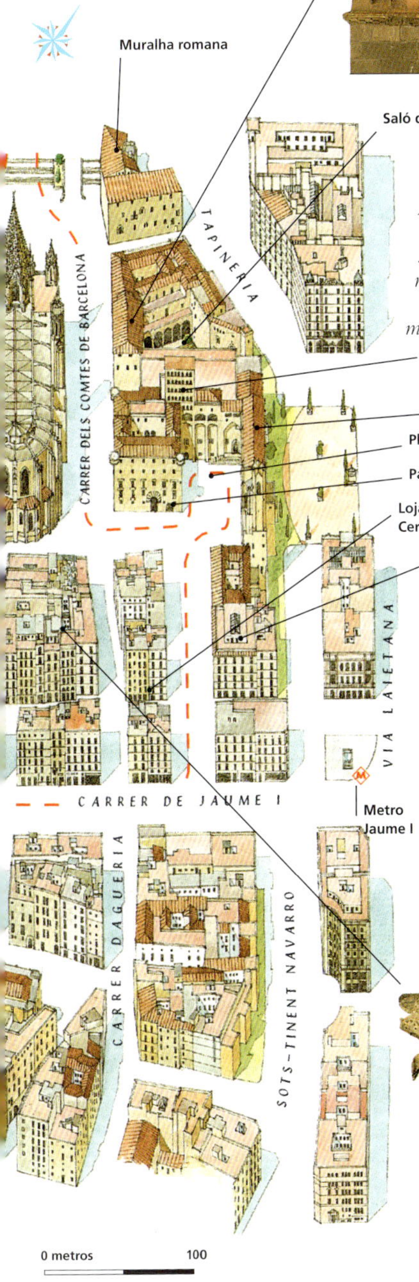

★ Palau Reial
A Capella Reial de Santa Àgata, do século 14, tem um retábulo de 1466 e é uma das partes mais bem conservadas do palácio ❸

O Museu d'História de la Ciutat exibe as mais extensas ruínas romanas subterrâneas do mundo. Com acesso por esta mansão do século 14, os visitantes podem apreciar as ruas e quarteirões da Barcelona romana. A ruínas se estendem pelo subsolo até a saída pelo Palau Reial.

O Centre Excursionista de Catalunya, montado em uma mansão medieval, expõe colunas romanas do templo de Augusto, cuja antiga localização está identificada do lado de fora.

PONTOS ALTOS

★ Catedral

★ Palau Reial

Caixa do correio, de mármore, da Casa de l'Ardiaca

Casa de l'Ardiaca ❶

Carrer de Santa Llúcia 1. **Mapa** 5 B2. ***Tel*** *93 318 11 95.* *Jaume I.* *9h-20h45 seg-sex, 8h-13h sáb.* *feriados.* **www**.bcn.es/arxiu/arxiuhistoric

Situada ao lado do que foi originalmente o Portão do Bispo, na muralha romana, encontra-se a casa do arquidiácono. Foi construída no século 12, mas seu aspecto atual é de 1500, quando foi reformada e ganhou uma colunata. Em 1870, esta foi prolongada para formar o pátio gótico flamboyant ao redor da fonte. O arquiteto modernista Domènech i Montaner (1850-1923) acrescentou a caixa do correio, com três andorinhas e uma tartaruga, ao lado do portal renascentista. No andar de cima fica o Arxiu Històric de la Ciutat (arquivo da cidade).

Museu Frederic Marès ❷

Plaça de Sant Iu 5. **Mapa** 5 B2. ***Tel*** *93 310 58 00.* *Jaume I.* *10h-19h ter-sáb, 10h-15h dom.* *1º jan, Sexta-feira Santa, 1º mai, 25 e 26 dez.* *(grátis para menores de 16 anos; qua após 15h e 1º dom mês).* *marcar hora.* **www**.museumares.bcn.es

O escultor Frederic Marès i Deulovol (1893-1991) foi também um viajante e colecionador, e este fascinante museu é um monumento a seu gosto eclético. O edifício faz parte do complexo do Palácio Real. Foi ocupado por bispos no século 13, condes-reis de Barcelona no século 14, juízes no século 15 e freiras no século 18, que foram expulsas em 1936. Marès, que ocupava um pequeno apartamento no edifício, abriu seu museu em 1948. É um dos mais fascinantes da cidade e possui uma bela coleção de arte religiosa românica e gótica. A cripta contém esculturas de pedra e dois portais românicos completos. Em exposição nos três andares acima, há uma variedade de relógios, crucifixos, trajes, máquinas fotográficas antigas, cachimbos, potes para tabaco, cartões-postais e uma sala de brinquedos.

Virgem, Museu Frederic Marès

Museu d'Història de la Ciutat – Plaça del Rei ❸

Plaça del Rei. **Mapa** 5 B2. ***Tel*** *93 315 11 11.* *Jaume I.* *jun-set: 10h-20h ter-sáb, 10h-15h dom. out-mai: 10h-14h, 16h-20h ter-sáb, 10h-15h dom.* *1º jan, 1º mai, 24 jun, 25.* *grátis tarde do 1º sáb de cada mês* *marcar hora.* **www**.museuhistoria.bcn.es

O Palácio Real era a residência dos condes-reis de Barcelona desde a época de sua fundação, no século 13. O conjunto inclui o Saló de Tinell, enorme salão gótico do século 14 com arcos de 17m. Aqui, Fernando e Isabel *(pág. 44)* receberam Colombo depois de sua volta triunfal da América. O lugar também abrigou a Inquisição –acreditava-se que as paredes se moveriam se mentiras fossem ditas.

Nave gótica da Capella de Santa Àgata, no Palau Reial

OS JUDEUS EM BARCELONA

Tabuleta hebraica

Do século 11 ao 13, os judeus dominaram o comércio e a cultura de Barcelona, formaram médicos e fundaram o primeiro centro de ensino da cidade. Mas, em 1243, 354 anos depois que sua presença na cidade foi documentada pela primeira vez, um violento espírito anti-semita os levou a se restringir ao gueto de El Call. Para proteção, o gueto tinha uma só entrada, que levava à Plaça de Sant Jaume. Os judeus pagavam altos impostos ao rei, que os considerava "servos reais". Em compensação, tinham o privilégio de lidar com a maior parte do comércio lucrativo da Catalunha com o Norte da África. A perseguição oficial e da população levou ao desaparecimento do gueto em 1401, 91 anos antes de o judaísmo ser proscrito da Espanha *(pág. 44)*. Originalmente, havia três sinagogas em Barcelona –a principal no Carrer Domènec del Call, da qual só restam as fundações. Uma tabuleta do século 14, em hebraico, incrustada na parede do nº 1 do Carrer Marlet, diz: "Fundação Sagrada do rabino Samuel Hassardi, para quem a vida nunca termina".

À direita, construída dentro da muralha romana, está a capela real –Capella de Santa Àgata–, com um teto de madeira pintada e um retábulo (1466) de Jaume Huguet *(pág. 28)*. O campanário é parte de uma torre de vigia da muralha romana. As escadas à direita do altar levam à torre de Martí, o Humanitário, do século 16, que reinou de 1396 a 1410 e foi o último governante de uma dinastia de 500 anos de condes-reis de Barcelona. Do alto da torre é possível ter uma vista interessante.

A principal atração do Museu d'Història se encontra no subsolo. Ruas e quarteirões inteiros da velha Barcino são acessíveis por meio de um elevador e passarelas sobre as ruínas da Barcelona romana. O sítio foi descoberto quando a Casa Clariana-Padèllas, o edifício gótico por onde se entra, foi trazido pedra por pedra de seu sítio original em 1931, como se vê numa foto extraordinária da escavação original ao término da exposição. O sistema de água e esgotos, banhos, casas com pavimentos de mosaico, trabalhos de tinturaria, lavanderias e até um antigo fórum agora fazem parte da mais extensa e completa ruína romana subterrânea do mundo.

Casa de la Ciutat ❹

Plaça de Sant Jaume. **Mapa** 5 A2. ***Tel*** *93 402 73 00.* Ⓜ *Jaume I, Liceu.* ◯ *10h-13h30 dom (12 fev e 23 abr: 10h-20h) ou marcar hora (93 402 73 64).*

A suntuosa prefeitura *(ajuntament)*, do século 14, fica em frente ao Palau de la Generalitat. De cada lado da entrada há estátuas de Jaume I *(pág. 43)*, que concedeu à cidade o direito de eleger seus conselheiros em 1249, e de Joan Fiveller, que em 1500 fez com que os membros da corte pagassem impostos. No interior, o Saló de Cent, a câmara do conselho, do século 14, foi construída para os cem conselheiros da cidade. O Saló de les Cròniques foi encomendado para a Feira Internacional de 1929 e decorado por Josep-Marià Sert, com murais sobre a história catalã.

Palau de la Generalitat ❺

Plaça de Sant Jaume, nº 4. **Mapa** 5 A2. ***Tel*** *93 402 46 00.* Ⓜ *Jaume I.* ◯ *23 abr (Dia de Sant Jordi), sáb somente com hora marcada (93402 46 17), 2º e 4º dom mês: 10h30-13h30.* **www**.gencat.es

SDesde 1403, a Generalitat é a sede do governador catalão. Sobre a entrada de sua fachada renascentista está a estátua de sant Jordi (são Jorge), santo padroeiro da Catalunha, com o dragão. O pátio gótico-catalão tardio é de Marc Safont (1416). Entre os belos interiores se encontra a capela gótica de sant Jordi, também de Safont, e um salão em estilo italiano de Pere Blai, o Saló de Sant Jordi. Ao fundo, um andar acima do nível da rua, está o *Pati dels Torongers*, o Pátio das Laranjeiras de Pau Mateu, que tem um campanário de Pere Ferrer datado de 1568. O presidente catalão tem escritórios aqui e na Casa d els Canonges. Os dois prédios estão ligados por uma ponte sobre o Carrer del Bisbe, de 1928, inspirada na famosa Ponte dos Suspiros de Veneza.

A fachada em estilo italiano do Palau de la Generalitat

A suntuosa câmara do conselho, o Saló de Cent, na Casa de la Ciutat

Catedral de Barcelona ❻

Estátua de santa Eulàlia

Esta catedral gótica, com uma capela românica (Capella de Santa Llúcia) e um belo claustro, começou a ser construída sob Jaime II sobre as fundações de uma construção que remonta aos visigodos. Não foi terminada até o fim do século 19, quando a fachada principal ficou pronta. Uma tribuna decorada de mármore branco, esculpida no século 16, mostra o martírio de santa Eulàlia, a padroeira da cidade. Ao lado da pia batismal, uma placa lembra o batismo de seis índios do Caribe, trazidos por Colombo da América em 1493.

Os dois campanários octogonais são iguais e datam de 1386-93. Os sinos foram instalados em 1545.

A fachada principal não foi terminada até 1889. A agulha central, só em 1913. Esta se baseou nos planos originais de 1408 do arquiteto francês Charles Galters.

Nave
O interior em estilo gótico-catalão tem uma única nave com 28 capelas laterais, que ficam entre colunas sobre as quais se apóia o teto abobadado, que chega a 26m.

★ Cadeiras do Coro
A fileira superior das cadeiras entalhadas, do século 15, tem brasões pintados (1518) dos 12 cavaleiros da ordem do Toisón del Oro.

Capella del Santíssim Sagrament
Nesta pequena capela está o crucifixo do Cristo de Lepanto (século 16).

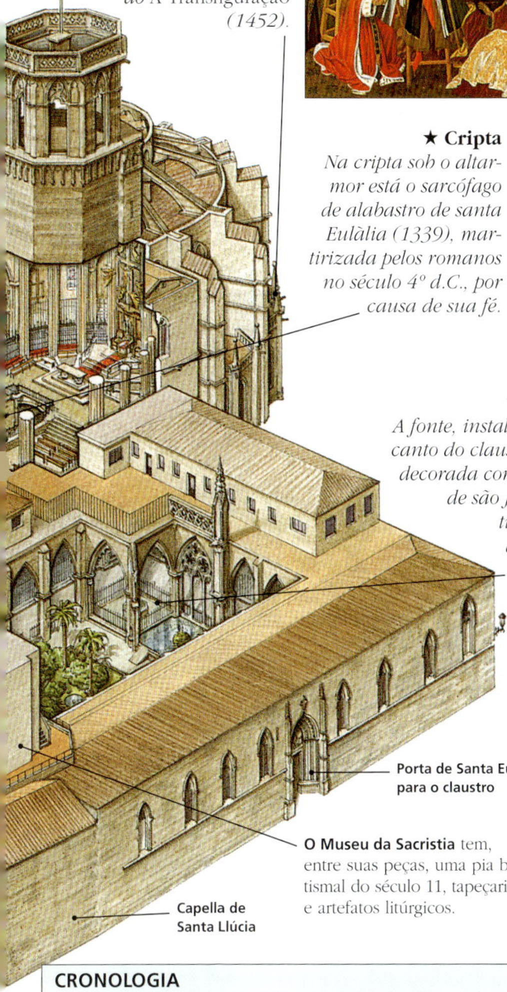

Capella de Sant Benet
Esta capela, dedicada ao fundador da Ordem Beneditina e santo padroeiro da Europa, abriga um belíssimo retábulo de Bernat Martorell mostrando A Transfiguração *(1452).*

PREPARE-SE

Plaça de la Seu. **Mapa** 5 A2. ***Tel*** *93 310 71 95.* *Jaume I.* *17, 19, 45.* *8h-19h30 diariam.* *13h-17h* *(grátis 8h-12h45, 17h15-19h30 diariam)* **Museu da Sacristia** *9h-13h, 17h-19h diariam.* **Coro** *diariam* *vários serviços diariam.*

★ Cripta
Na cripta sob o altar-mor está o sarcófago de alabastro de santa Eulàlia (1339), martirizada pelos romanos no século 4º d.C., por causa de sua fé.

★ Claustro
A fonte, instalada em um canto do claustro gótico e decorada com a estátua de são Jorge, tinha água fresca.

Porta de Santa Eulàlia, para o claustro

O Museu da Sacristia tem, entre suas peças, uma pia batismal do século 11, tapeçarias e artefatos litúrgicos.

Capella de Santa Llúcia

PONTOS ALTOS

- ★ Coro
- ★ Cripta
- ★ Claustro

CRONOLOGIA

400	700	1000	1300	1600	1900

- **Séc. 4º** Construção da basílica original romana (paleocristã)
- **559** Basílica dedicada a santa Eulàlia e santa Cruz
- **877** Os restos de santa Eulàlia vêm de Santa Maria del Mar
- **985** O edifício é destruído pelos mouros
- **1046–58** Construção da catedral românica sob Ramón Berenguer I
- **1257–68** Capella de Santa Llúcia, em estilo românico
- **1298** Catedral gótica iniciada sob Jaime II
- **1339** As relíquias de santa Eulàlia vão para um sarcófago de alabastro
- **1493** Índios trazidos das Américas são batizados
- **1889** Fachada principal é terminada, com base nos planos do arquiteto Charles Galters
- **1913** Concluída a agulha central

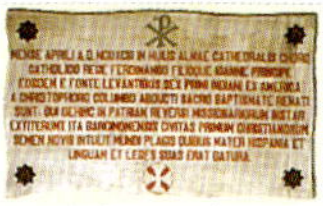

Placa do batismo dos índios

La Rambla ❼

A histórica alameda de La Rambla, que desemboca no mar, ferve em movimento –sobretudo nos finais de semana e no início da noite. Bancas de jornal, barracas de flores, leitores de tarô, músicos e mímicos disputam espaço nesta via animada e arborizada. Entre as construções famosas estão a ópera da cidade, o imenso mercado de La Boqueria e belos prédios.

A agitada La Rambla, cercada de árvores

Como explorar La Rambla
O nome dessa longa alameda, também conhecida como Les Rambles, deriva do termo árabe *ramla*, que designa o leito seco de um rio sazonal. A muralha da cidade, erguida no século 13, acompanhava a margem esquerda do rio, que corria das colinas de Collserola rumo ao mar. No século 16 foram erguidos mosteiros e a universidade na outra margem. Com o tempo o leito do rio foi coberto e essas construções desapareceram, mas ainda são lembradas nos nomes de cinco vias consecutivas que formam a grande avenida entre Port Vell e a Plaça de Catalunya.

Mercat de Sant Josep Plaza de la Boqueria. **Mapa** 2 F3. ***Tel*** *93 318 2017. Liceu. 8h-20h30 seg-sáb.*
Palau de la Virreina La Rambla 99. **Mapa** 5 A2. ***Tel*** *93 316 10 00. Liceu. 11h-14h, 16h-20h30 seg-sex, 11h-20h30 sáb, 11h-15h dom.*
Museu de Cera Pg de la Banca 7. **Mapa** 2 F4. ***Tel*** *93 317 26 49. Drassanes. jul-set: 10h-22h diariam; out-jun: 10h-13h30 e 16h-19h30 seg-sex, 11h-14h e 16h30-20h30 sáb, dom e feriados.*

Mercat de Sant Josep ⑤
Mais conhecido como "La Boqueria", o Sant Josep é o mercado de alimentos mais colorido de Barcelona.

Gran Teatre del Liceu ⑦
Após os incêndios de 1861 e 1994, a ópera de Barcelona passou por duas restaurações.

O monumento a Cristóvão Colombo ergue-se no final da Rambla

Palau Güell ⑨
Este palácio neogótico concluído em 1889 está entre as obras mais importantes de Gaudí *(pág. 62)*.

Font de Canaletes ①
Esta fonte do século 19 tem quatro torneiras de água potável. Dizer que uma pessoa "bebe a água de Canaletes" significa que ela é de Barcelona.

Reial Acadèmia de Ciències i Arts ②
Transformado em teatro em 1910, este edifício exibiu o primeiro relógio público oficial de Barcelona.

Palau Moja ③
Este edifício clássico remonta a 1790. A sala em estilo barroco do primeiro andar sedia exposições.

Palau de la Virreina ④
A primeira moradora dessa bela residência, em 1777, foi a viúva do vice-rei da Espanha no Peru.

Plaça de la Boqueria ⑥
Os destaques desta praça são a colorida calçada de mosaicos de Joan Miró (1976) e o dragão em estilo *art déco* de uma antiga loja de guarda-chuvas.

Plaça Reial ⑧
A praça mais movimentada de Barcelona foi erguida na década de 1850 e exibe belas palmeiras. Os postes de luz neoclássicos foram projetados por Gaudí.

Museu de Cera ⑩
Este museu de cera ocupa uma simpática casa do século 19. O museu foi criado em 1973 e reúne mais de 300 peças.

LEGENDA

- Estação de trem da FGC
- Metrô
- Estacionamento
- Igreja

0 metros 100

Palau Güell ❽

Nou de la Rambla 3–5.
Mapa 2 F3. ***Tel*** *93 317 39 74.*
Liceu. fechado até meados 2007.

A principal obra de Gaudí em Barcelona foi encomendada pelo rico Eusebi Güell, que deixou claro que não haveria limites de orçamento mesmo que o arquiteto quisesse ousar nas formas arquitetônicas.

Gaudí aproveitou a oportunidade, como fica claro na qualidade dos materiais usados no que seria uma obra desproporcionalmente grande erguida em um terreno pequeno de uma rua estreita. A alvenaria inclui mármore e na parte interna destaca-se a presença abundante de madeiras de alta qualidade.

Como fez também em diversas outras obras, Gaudí projetou os móveis, lâmpadas, vitrais e outros itens, pois contava com a ajuda de artesãos para colocar suas idéias na prática. A casa foi concluída em 1889 e, além de servir como residência para a família de um homem rico, sediou reuniões políticas e concertos de câmara e acomodou hóspedes importantes.

A partir da rua, são poucos os sinais de profusão de cores e ousadia. O local, exceto pela presença das torres em forma de espiral instaladas no telhado, exemplifica uma fase mais madura de Gaudí. A austera fachada do Palau Güell destaca-se pela simetria e caracteriza-se basicamente pelas linhas retas, tanto verticais quanto horizontais.
A única indicação da notável preferência do arquiteto pelas curvas se revela nas duas portas, cada uma formada por um arco –forma geométrica bastante usada por Gaudí, com ótimos resultados.

Na parte interna, a grande estrela é a sala do andar principal. Mistura de sala de estar com jardim-de-inverno, este ambiente de pé-direito altíssimo (ocupa três andares de uma construção de seis pisos) é coberto por uma cúpula. Os demais cômodos dispõem-se ao redor.

Torres do Palau Güell, com a forma inspirada em chaminés

El Raval ❾

Mapa 2 F3. *Catalunya, Liceu.*

O bairro de El Raval situa-se a oeste da Rambla e inclui a área de prostituição próxima ao porto, no passado conhecida como Barri Xinès.

A partir do século 14, o hospital da cidade funcionava na Carrer de l'Hospital, que ainda abriga farmácias e lojas de ervas medicinais. Gaudí *(pág. 78)* foi trazido para cá após ser atropelado por um trem, em 1926. Atualmente o local sedia a Biblioteca de Catalunya, mas a antiga sala de dissecação passou por uma restauração completa.

Na direção do porto, na Carrer Nou, ergue-se o Palau Güell. Ao final do Carrer Sant Pau fica a igreja em estilo românico mais preservada da cidade, a Sant Pau del Camp. Construída no século 12, abriga missas celebradas por monges franciscanos.

Museu d'Art Contemporani ❿

Plaça dels Angels 1. **Mapa** 2 F2. ***Tel*** *93 412 08 10. Universitat, Catalunya. 11h-19h30 (20h jul-set) seg e qua-sex, 10h-20h sáb, 10h-15h dom e feriados; 24 jun-24 set: qui até 24h. 1 jan, 25 dez. em inglês 18h seg.* **www**.macba.es
Centre de Cultura Contemporània
Montalegre 5. ***Tel*** *93 306 41 00.*
www.cccb.org

O notável edifício com fachada de vidro foi projetado pelo arquiteto americano Richard Meier. As galerias, arejadas e iluminadas, são hoje o maior palco de arte contemporênea da cidade. O acervo permanente reúne sobretudo pinturas, esculturas e instalações de criadores espanhóis posteriores a 1950, mas as mostras temporárias contemplam estrangeiros, como a pintora americana Susana Solano e o fotojornalista David Goldblatt.

Perto fica o **Centre de Cultura Contemporània**, animado centro de cultura que sedia shows e festivais.

Fachada do Museu d' Art Contemporani

Impressionante cúpula de vitral do Palau de la Música Catalana

Palau de la Música Catalana ⓫

Carrer de Sant Francesc de Paula 2. **Mapa** 5 B1. ***Tel*** *90 244 28 82.* Ⓜ *Urquinaona.* ◻ *10h-15h30 diariam; e para apresent. Recomenda-se comprar ingresso com 1 semana de antecedência.* *em inglês a cada hora. As entradas para visitas guiadas podem ser compradas com 1 semana de antecedência.* **www**.palaumusica.org

Única casa de espetáculos da Europa iluminada com luz natural, trata-se de um verdadeiro palácio da música, uma celebração modernista enfeitada com azulejos, esculturas e vitrais magníficos. Foi projetado por Lluís Domènech i Montaner e concluído em 1908. Apesar dos poucos acréscimos, o edifício mantém a aparência original. A falta de espaço da pequena rua dificulta a apreciação da elaborada fachada de tijolos vermelhos. No alto de pilares cobertos de mosaicos estão os bustos de Bach, Palestrina e Beethoven. A grande escultura de pedra de São Jorge e outras imagens, no canto, referem-se a uma canção folclórica catalã de Miquel Blay.

Mas o grande encanto do local encontra-se na parte interna. A iluminação do auditório fica por conta de uma imensa cúpula ao contrário, com vitrais que representam anjos coristas. As esculturas dos compositores Wagner e Clavé, no arco que cobre o palco, foram criadas por Domènech e concluídas por Pau Gargallo. No fundo do palco destacam-se as "musas do Palau", 18 imagens estilizadas de instrumentistas. Confeccionadas em terracota e fragmentos de cerâmica, hoje são o destaque da casa.

A contribuição de Josep Anselm Clavé (1824-74) para a disseminação da música catalã resultou na criação em 1891 da sociedade de coral Orfeó Català, pólo do regionalismo catalão e fonte de inspiração para o próprio Palau de la Música Catalana. Embora o Orféus hoje ocupe o L'Auditori in Plaça de les Glòries *(pág. 162)*, quase todas as noites há espetáculos no Palau, principal palco para os festivais de jazz da cidade e para as orquestras sinfônicas nacionais e internacionais.

A conclusão da obra realizada pelo arquiteto Oscar Tusquets marcará o início de uma nova era para o Palau. Uma sala de espetáculos subterrânea e uma praça para apresentações ao ar livre no verão fazem parte do projeto, que tende a fortalecer a vocação do Palau como centro musical mais apreciado de Barcelona.

La Llotja ⓬

Carrer del Consolat de Mar 2. **Mapa** 5 B3. ***Tel*** *93 319 24 12 ou 90 244 84 48.* Ⓜ *Barceloneta.* *fechado ao público.*

La Llotja (que significa "troca de mercadoria") foi construída na década de 1380 para abrigar o Consolat de Mar *(pág. 43)*. Uma reforma feita em 1771 deu ar neoclássico ao local, que até 1994 abrigou a bolsa de valores (o saguão em estilo gótico funcionou como sala do pregão e pode ser visto pela janela).

Entre 1849 e 1970, a Escola de Belas-Artes de Barcelona, freqüentada pelos jovens Picasso e Miró *(pág. 29)*, funcionou nos andares superiores –hoje ocupados por órgãos do governo.

Estátua de Posseidon, no átrio de La Llotja

Casamento na igreja Santa Maria del Mar, em estilo gótico

Museu Picasso ⓭

Carrer Montcada 15-23. **Mapa** 5 B2. ***Tel*** *93 256 30 00. Ⓜ Jaume I. ◯ 10h-20h ter-dom. ● 1 jan, Sex Santa, 1 mai, 24 jun, 25 e 26 dez. grátis primeiro dom mês. em inglês grátis 18h qui, 12h sáb.* ♿ **www**.museupicasso.bcn.es

O apreciado Museu Picasso ocupa cinco palácios no Carrer Montcada: Berenguer d'Aguilar, Baró de Castellet, Meca, Mauri e Finestres.

O museu foi inaugurado em 1963 com obras doadas por Jaime Sabartes, amigo do artista. Após a morte de Sabartes em 1968, o próprio Picasso doou quadros, entre eles pinturas do começo de sua carreira, e deixou em testamento alguns trabalhos gráficos. A viúva, Jacqueline, doou peças de cerâmica.

A riqueza desse acervo de 3 mil itens são as obras iniciais, que mostram que, já aos 15 anos, Picasso produzia trabalhos importantes, como *A Primeira Comunhão* (1896) *e Ciência e Caridade* (1897). Há poucas peças das fases Rosa e Azul. O destaque é a série *As Meninas*, composta de 44 pinturas e inspirada na obra de Velázquez.

Basílica de Santa Maria del Mar ⓮

Pl Sta Maria 1. **Mapa** 5 B3. ***Tel*** *93 310 23 90. Ⓜ Jaume I. ◯ 9h- 1h30 e 16h30-20h diariam (10h dom).*

Igreja favorita da cidade (e com excelente acústica para concertos), é o mais perfeito exemplo da arquitetura gótica catalã. Foi construída em 55 anos, com doação dos donos de estaleiro e comerciantes. O tempo recorde –incomum na Idade Média– resultou na unidade de estilo tanto interno quanto externo.

Auto-Retrato **de Pablo Picasso, em carvão (1899-1900)**

PABLO PICASSO EM BARCELONA

Picasso (1881-1973) tinha 13 anos quando se mudou para Barcelona. Seu pai, José Ruiz y Blasco, viera lecionar na escola de arte da cidade, que funcionava nos andares superiores da Llotja. Apesar de rica Barcelona contava com uma classe operária numerosa e pobre, que começava a se organizar e se manifestar. Logo após a chegada da família, uma bomba explodiu no meio de uma procissão de Corpus Christi. Picasso e seus familiares viviam na Carrer de la Mercè, em uma casa de cinco andares perto da Llotja. O talento precoce do artista permitiu seu ingresso na escola superior, cursada por alunos com mais de 20 anos. Não demorou para fazer amizade com o artista Manuel Pallarès Grau, com o qual freqüentou os bordéis do Carrer d'Avinyó, inspiração para o quadro *Senhoritas d'Avignon* (1906-7), para muitos estudiosos o marco inicial da arte moderna. Picasso visitou a cidade natal de Grau, Horta, onde pintou algumas paisagens hoje expostas no Museu Picasso. A amizade entre os dois artistas durou a vida inteira.

A fachada oeste exibe uma rosácea do século 15, que retrata a coroação da Virgem. Outros vitrais, dos séculos 15 e 18, iluminam uma ampla nave e as alas laterais.

Na Guerra Civil Espanhola *(pág. 46)* o coro e os móveis foram incendiados, o que ampliou a sensação de espaço e a simplicidade.

Museu de la Xocolata ⓯

Comerç 36. **Mapa** 5 C2. ***Tel*** *93 268 78 78.* Ⓜ *Jaume I, Arc de Triomf.* *10h-19h seg, qua-sáb, 10h-15h dom e feriados.* *1 jan, 1 mai, 25 e 26 dez.* *grátis prim. seg do mês.* *reservar antes.* **www**.museudelaxocolata.com

Fundado pela associação de doceiros de Barcelona, este museu oferece um passeio pela história de um dos alimentos mais apreciados em todo o mundo, da descoberta do cacau na América do Sul até a chegada a Barcelona da primeira máquina de fazer chocolate. Esse trajeto inclui pôsteres, fotografias e embalagens. O destaque local aqui é a *mona*, uma invenção catalã tradicional da Páscoa e que, com o tempo, tornou-se uma espécie de escultura comestível. Todos os anos os doceiros competem na criação da obra mais criativa e decoram suas reproduções de prédios ou de figuras folclóricas com jóias, penas e outros adornos.

Arc del Triomf ⓰

Passeig Lluís Companys. **Mapa** 5 C1. Ⓜ *Arc de Triomf.*

Principal portão da Exposição Universal de 1888 Universal Exhibition, realizada no Parc de la Ciutadella, o arco foi criado por Josep Vilaseca i Casanovas. Construído com tijolos no estilo mudéjar, tem esculturas que representam a arte, o comércio e a indústria. No friso de Josep Reynés, a cidade acolhe os visitantes.

Fachada de tijolos rosados do Arc del Triomf, erguido no século 19

Parc de la Ciutadella ⓱

Avda del Marquès de l'Argentera. **Mapa** 6 D2. Ⓜ *Barceloneta, Ciutadella-Vila Olímpica.* *8h-22h30 diariam.*

Este apreciado parque oferece lago com barcos, bosques de laranjeiras e palmeiras com papagaios. No passado, aqui erguia-se uma cidadela em forma de estrela, construída por Filipe V entre 1715 e 1720 após um cerco que ameaçou a cidade por 13 meses *(pág. 45)*. A fortaleza deveria acomodar os soldados incumbidos de manter a ordem, mas nunca foi usada com esse fim. Transformada em prisão, ficou famosa na ocupação napoleônica *(pág. 45)* e, na repressão do século 19, foi odiada por simbolizar o poder centralizado. Em 1878, sob o General Prim (representado na estátua situada no meio do parque), a fortaleza foi destruída e o parque foi doado à cidade. Dez anos depois, o local sediou a Exposição Universal *(pág. 46)*. Restaram três construções: o Palácio do Governador (hoje uma escola); a capela e o arsenal, atualmente ocupado pelo Parlamento catalão.

O parque oferece mais atividades culturais e de lazer do que qualquer outro e é muito disputado nas tardes de domingo, quando muitos aproveitam para passear e visitar os museus e o zoológico. Várias obras de escultores catalães como Marès, Arnau, Carbonell, Clarà, Llimona, Gargallo, Fuxà e Dunyac podem ser vistas ao ar livre, ao lado de peças de artistas modernos como Tàpies e Botero.

Os jardins da Plaça de Armes exibem um arco triunfal projetado por Josep Fontseré, que contou com a colaboração do jovem estudante Antoni Gaudí.

Fonte do Parc de la Ciutadella, projetada por Josep Fontseré e Antoni Gaudí

Museu de Zoologia ⓲

Passeig de Picasso. **Mapa** 5 C2.
Tel *93 319 69 12. Arc de Triomf ou Jaume I. 10h-14h30 ter-dom e feriados (qui e sáb até 18h30). reservar.*
www.museuzoologia.bcn.es

Na entrada do Parc de la Ciutadella fica o Castell dels Tres Dragons, que deve seu nome a uma peça de Frederic Soler bastante conhecida na época da construção.

Este edifício de tijolos com ameias foi projetado por Lluís Domènech i Montaner para a Exposição Universal de 1888, com inspiração na bolsa de mercadorias de Valência, em estilo gótico. Mais tarde, o arquiteto usou a construção como workshop para projetos modernistas. Durante a Exposição Universal aqui funcionou um restaurante e café, mas depois a construção foi transformada em museu histórico. Apenas em 1910, quando uma exposição de pesca foi montada em suas instalações, o local começou a abrigar espécimes do mundo natural. Em 1917 entrou em atividade aqui o Museu da Catalunha, com acervo baseado na flora, fauna e geologia locais. Depois transformado em Museu de Biologia, só em 1937 passou a abrigar o Museu de Zoologia que, junto com o Museu de Geologia, forma o Museu de Ciência Natural de Barcelona.

Uma das galerias do espaçoso Museu de Zoologia

Crianças admiram os animais do Parc Zoològic

Museu de Geologia ⓳

Parc de la Ciutadella. **Mapa** 5 C3.
Tel *93 319 68 95. Arc de Triomf, Jaume I. 10h-14h30 ter-dom e feriados (qui e sáb até 18h30). 1 jan, Sex Santa, 1 mai, 25 e 26 dez. agendar.* **www**.museugeologia.bcn.es

O museu mais antigo de Barcelona foi inaugurado em 1882, ano da transformação do Parc de la Ciutadella em espaço público. A origem da instituição está associada ao Martorell Museum, fundado em 1878 para acomodar o acervo arqueológico e de ciências naturais legado por Francesc Martorell i Peña à cidade de Barcelona. O edifício em estilo neoclássico, projetado pelo arquiteto Antoni Rovira i Trias, foi criado para abrigar o primeiro museu público da cidade.

O Museu de Zoologia exibe um variado acervo de fósseis e minerais, entre eles de espécies da Catalunha. Ao lado ergue-se a Hivernacle, uma estufa de vidro projetada por Josep Amargós e usada para sediar espetáculos, e a Umbracle, estufa de madeira e tijolos criada pelo arquiteto do parque, Josep Fontseré. As duas datam de 1884.

Parc Zoològic ⓴

Parc de la Ciutadella. **Mapa** 6 D3.
Tel *93 225 67 80. Ciutadella-Vila Olímpica. nov-fev: 10h-17h; out e mar-mai: 10h-18h; jun: 10h-19h.*
www.zoobarcelona.com

O zoológico de Barcelona foi projetado na década de 1940 com algumas novidades, como fossos em vez de jaulas para isolar os animais. Em um dos aquários, são realizados

Hivernacle, estufa do Museu de Geologia

Barcos no Port Olímpic e, ao fundo, os dois edifícios mais altos do país

shows de baleias e golfinhos. O passeio de pônei e o trem encantam as crianças. A escultura da entrada, *Senhora com Guarda-Chuva* *(pág. 17)*, criada por Roig i Soler em 1885, tornou-se um dos símbolos da cidade.

Port Olímpic ㉑

Mapa 6 F4. Ⓜ *Ciutadella-Vila Olímpica.*

A reforma mais radical realizada para a Olimpíada de 1992 envolveu a demolição da antiga área industrial à beira-mar, a construção de um calçadão com 4km de extensão e a recuperação das praias, medida que conferiu a Barcelona ares de balneário. No centro do projeto está Nova Icària, uma nova cidade, com 650 mil m², parques e duas mil moradias. Muitas pessoas ainda se referem ao local como Vila Olímpica, por ter sido construído para acomodar os atletas.

A única construção do velho porto de Barcelona que sobreviveu são as instalações das Lojas Gerais. Criadas em 1881 pelo engenheiro Maurici Garrán, destinavam-se a servir de depósito. Após a reforma de 1992, passou a funcionar aqui o Museu d'Història de Catalunya *(págs. 68-9)*.

Na beira do mar erguem-se dois arranha-céus gêmeos –com 44 andares, são os mais altos da Espanha. Os edifícios abrigam escritórios e o Arts Hotel *(pág. 135)* e ficam ao lado do Port Olímpic, também construído para o evento de 1992. A região oferece lojas e casas noturnas, mas a principal atração são os dois andares de restaurantes que cercam a marina, disputadas opções para comer e freqüentadas por homens de negócio na hora do almoço e por visitantes em geral à noite e nos finais de semana.

Quem quiser pode almoçar nas praias, que oferecem palmeiras e alguns cafés. Ao

Praias de areia e palmeiras do Port Olímpic de Barcelona

fundo, o novo anel viário conduz a um parque situado ao lado das últimas três praias de areia, divididas por quebra-mares feitos de pedra. Os visitantes podem nadar com segurança.

Barceloneta ㉒

Mapa 5 B5. Ⓜ *Barceloneta.*

A "aldeia de pescadores" de Barcelona, situada em uma área triangular que invade o mar logo abaixo do centro da cidade, deve sua fama a seus cafés e restaurantes. A praia de Barceloneta também é a mais próxima do centro e oferece salva-vidas, acesso para deficientes, ducha e área de lazer para crianças.

A região foi projetada pelo arquiteto e engenheiro militar Juan Martín de Cermeño para acomodar a população desabrigada pela construção da fortaleza da Ciutadella *(págs. 64-5)*. A partir de então, a área foi ocupada por operários e pescadores. Formada por ruas simétricas, a área tem clima acolhedor e exibe casas estreitas de dois e três andares, com sacadas para a rua.

No centro do bairro fica a pequena Plaça de la Barceloneta, na qual ergue-se a igreja barroca de Sant Miguel del Port, também projeto de Cermeño. Há feiras na praça em frente.

Hoje a frota pesqueira de Barceloneta está ancorada no Moll del Rellotge (doca do relógio), que exibe um pequeno campanário. No lado oposto ao porto está a Torre de Sant Sebastià, ponto final dos bondes que percorrem o porto e passam pelo World Trade Centre, com destino a Montjuïc.

Barco de pesca ancorado no cais de Barceloneta

O moderno complexo de lojas e restaurantes Maremàgnum, no Moll d'Espanya, Port Vell

Port Vell ㉓

Mapa 5 A4.
Ⓜ *Barceloneta, Drassanes.*

A marina de Barcelona situa-se no início de La Rambla, próxima à antiga alfândega. Foi construída em 1902 no Portal de la Pau, antiga entrada marítima para a cidade. Ao sul está o Moll de Barcelona, que abriga o novo World Trade Centre e funciona como píer para os passageiros dos navios. Na frente da alfândega, La Rambla é ligada aos iates-clubes situados no Moll d'Espanya por uma ponte móvel e um píer para pedestres, conhecidos como La Rambla de Mar. O Moll d'Espanya abriga um amplo complexo de lojas e restaurantes denominado Maremàgnum, além de um cinema IMAX e um dos maiores aquários da Europa.

Na costa, o Moll de Fusta (ancoradouro de madeira) abriga um café e exibe pontes vermelhas inspiradas na ponte de Arles retratada por Van Gogh. Na extremidade situa-se o El Cap de Barcelona (a cabeça de Barcelona), uma escultura com 20m de altura criada pelo artista pop Roy Lichtenstein.

A graciosa marina de esportes, situada no outro lado do Moll d'Espanya, já foi ocupada por armazéns. Hoje o único que resta (erguido por Elies Rogent na década de 1880) foi transformado no Palau de Mar. Pode-se comer ao ar livre nos restaurantes daqui.

Túnel de observação, atração do Aquário, Port Vell

Aquário ㉔

Moll d'Espanya. **Mapa** 5 B4. Ⓜ *Barceloneta, Drassanes.* ***Tel*** *93 221 74 74.* *9h30-21h diariam (até 21h30 sáb, dom e jun e set).* **www**.aquariumbcn.com

O aquário de Barcelona, um dos maiores da Europa, tem mais de 11 mil seres de 450 espécies. O local ocupa três andares de uma construção de vidro e está direcionado sobretudo à vida marinha da costa mediterrânea. Duas reservas naturais (delta do rio Ebro e ilhas Medes, na região da Costa Brava) contam com espaços exclusivos. Há uma parte dedicada aos oceanos tropicais e os visitantes podem percorrer um túnel de vidro que permite apreciar tubarões, arraias e peixes-lua. Um grande saguão de atividades para crianças inclui tanques construídos ao redor de uma ilha, que também podem ser acessados por meio de túneis transparentes.

Museu d'Història de Catalunya ㉕

Plaça Pau Vila 3. **Mapa** 5 A4. Ⓜ *Barceloneta, Drassanes.* ***Tel*** *93 225 47 00.* *10h-19h ter, qui-sáb, 10h-20h qua, 10h-14h30 dom e feriados.* *25 e 26 dez, 1° e 6 jan.* *exceto 1° dom de cada mês.* *agendar (93 225 42 44).* **www**.mhcat.net

Este museu bem-planejado dedica-se à história da Catalunha e abrange desde os tempos paleolíticos até o apogeu da região como potência marítima e pioneira industrial. No segundo andar

Fachada do Museu d'Història de Catalunya

o acervo aborda a invasão árabe, a arquitetura românica, a vida monástica medieval e a expansão marítima da Catalunha. No terceiro andar, temas como a revolução industrial e o impacto da eletricidade e da energia a vapor na economia local. Um mapa sob um piso de vidro exibe o relevo da região. Mostras temporárias no primeiro andar. Informações escritas em catalão, espanhol e português.

Monument a Colom iluminado por fogos de artifício

Monument a Colom 26

Plaça del Portal de la Pau. **Mapa** 2 F4. ***Tel*** *93 302 52 24.* *Drassanes.* *out-mai:10h-18h30 diariam; jun-set: 9h-18h30 diariam.*

O monumento a Cristóvão Colombo (na época, o grande explorador era tido como um patrício pelos catalães, embora fosse genovês), situado na ponta das Ramblas, foi projetado por Gaietà Buigas para a Exposição Universal de 1888 (*pág. 46*). Com 60m de altura, a coluna marca o local onde o navegador desembarcou em 1493. Quando retornou de sua viagem ao Caribe, Colombo foi recebido com honras pelos Reis Católicos no Saló del Tinell (*pág. 56*). A conversão ao cristianismo dos índios levados do Novo Mundo para a Espanha está registrada na catedral da Plaça del Rei (*págs. 58-9*). Um elevador leva até o mirante do monumento. A estátua do navegador foi criada por Rafael Arché.

Os passeios de *golondrina* partem do Portal de la Pau

Golondrinas 27

Plaça del Portal de la Pau. **Mapa** 2 F5. ***Tel*** *93 442 31 06.* *Drassanes.* **Partidas**: *horário variável (telefone antes).* **www**.lasgolondrinas.com

Pode-se passear pelo porto de Barcelona e Port Olímpic a bordo das *Golondrinas* (andorinhas), barcos de convés duplo ancorados em frente ao monumento a Colombo, no final de La Rambla. Os passeios duram meia hora e permitem apreciar a colina de Montjuïc e a região do porto industrial. Os barcos em geral param no quebra-mar que começa em Barceloneta, para um breve desembarque. Quem preferir pode optar pelo trajeto de uma hora e meia, que inclui o porto de Barcelona, as praias e Port Olímpic.

Museu Marítim e Drassanes 28

Avinguda de les Drassanes. **Mapa** 2 F4. ***Tel*** *93 342 99 20.* *Drassanes.* *10h-20h seg-dom.* *1° e 6 jan, 25 e 26 dez.* *agendar.* **www**.museumaritim-barcelona.com

Os grandes galeões que contribuíram para a expansão marítima de Barcelona foram construídos nas instalações de Drassanes (estaleiros), hoje sede de um museu marítimo. O complexo medieval, o maior e mais completo desse tipo a resistir até os dias atuais, foi inaugurado em meados do século 13, após a união das coroas da Sicília e de Aragão, quando a comunicação marítima entre os dois reinos ganhou importância. Três das quatro torres originais ainda permanecem.
Entre as embarcações que partiram de Drassanes está o *Real*, navio de dom João da Áustria, que comandou a frota cristã na vitória contra os turcos em Lepanto, em 1571.
O destaque do acervo do museu é uma réplica em tamanho natural do navio, com decoração em dourado e vermelho.
O *Llibre del Consolat de Mar*, regulamento náutico, lembra que no passado a Catalunha arbitrava no Mediterrâneo (*pág. 43*). Também no acervo, raros mapas pré-colombianos, como o exemplar datado de 1439 e usado por Américo Vespúcio.

Vitral reproduz embarcação de época no Museu Marítim

EIXAMPLE

Barcelona afirma ter a maior coleção de edifícios Art Nouveau de toda a Europa. O estilo, conhecido na Catalunha como *Modernisme*, floresceu a partir de 1854, quando se decidiu derrubar as muralhas medievais para permitir que a cidade se desenvolvesse no que havia sido anteriormente uma zona militar sem construções.

Os projetos do engenheiro civil Ildefons Cerdà i Sunyer (1815-76) foram escolhidos para esta expansão *(eixample)* em direção ao interior. Os planos seguiam uma rígida disposição de ruas perfeitamente simétricas, com esquinas que permitiam que os edifícios tivessem vista para os dois lados de um cruzamento ou para praças.

Jesus da Coluna, Sagrada Família

Entre as poucas exceções a esse planejamento, há a Diagonal –uma avenida principal que vai da próspera área de Pedralbes até o mar– e o Hospital de la Santa Creu i de Sant Pau, do arquiteto modernista Domènech i Montaner (1850-1923). Ele detestava esse sistema de ruas e posicionou o hospital em ângulo com vista para a diagonal Avinguda de Gaudí, em direção à Sagrada Família, igreja de Antoni Gaudí, o mais espetacular edifício modernista da cidade *(págs. 80-3)*. A riqueza e a paixão pelo novo da elite comercial de Barcelona permitiram que os arquitetos tivessem total liberdade ao projetar as casas particulares e os edifícios públicos da cidade.

PRINCIPAIS ATRAÇÕES

Museus e Galerias
Fundació Antoni Tàpies ❸

Igrejas
Sagrada Família págs. 80-3 ❼

Edifícios Modernistas
Casa Batlló ❶
Casa Milà, "La Pedrera" ❹
Casa Terrades, "Casa de les Punxes" ❺
Hospital de la Santa Creu i de Sant Pau ❻
Mansana de la Discòrdia ❷

COMO CHEGAR

A linha 3 do metrô tem estações em cada ponta do Passeig de Gràcia (Catalunya e Diagonal), e uma no meio, na Illa de la Discòrdia (Passeig de Gràcia). A linha 5 leva diretamente à Sagrada Família e ao Hospital de Sant Pau (que ficam distantes de outras atrações).

LEGENDA
- Mapa Rua a Rua *págs. 194-5*
- Estação de metrô
- Estação ferroviária
- Ponto de ônibus principal
- Informação turística

Rua a Rua: Quadrat d'Or

Frasco do Museu del Perfum

Os cento e poucos quarteirões de Barcelona que têm como centro o Passeig de Gràcia são conhecidos como o Quadrat d'Or (de ouro), pois aqui estão muitos dos melhores edifícios modernistas da cidade *(págs. 24-5)*. Esta foi a área dentro do Eixample preferida pela burguesia, que abraçou o novo estilo artístico e arquitetônico com entusiasmo, não só para suas residências como também para os edifícios comerciais. O mais extraordinário é a Illa de la Discòrdia, um único quarteirão que contém casas criadas pelos mais ilustres expoentes do *Modernisme*. Muitas podem ser visitadas, revelando uma festa de vitrais, cerâmicas e trabalho ornamental em ferro.

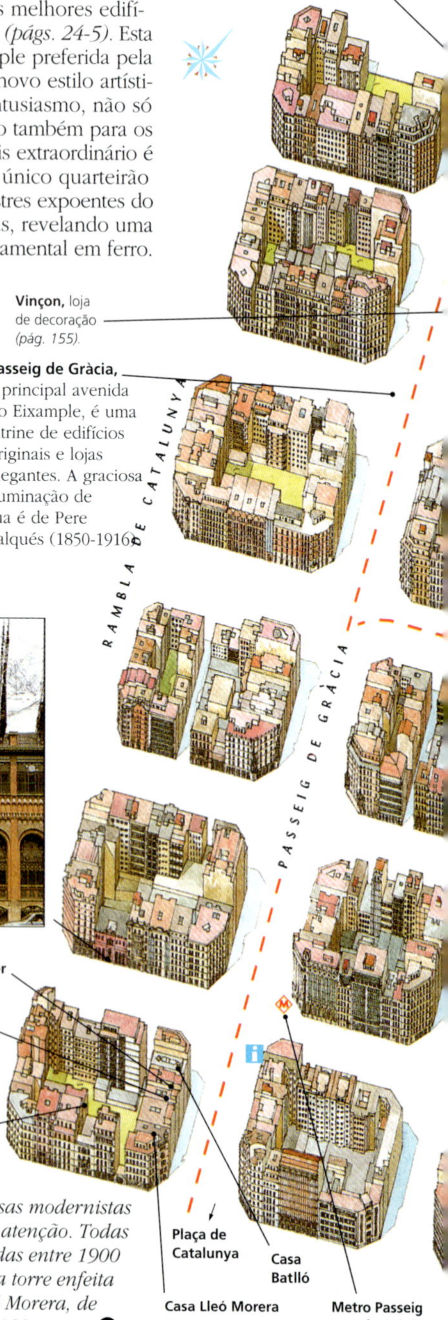

Vinçon, loja de decoração *(pág. 155)*.

Passeig de Gràcia, a principal avenida do Eixample, é uma vitrine de edifícios originais e lojas elegantes. A graciosa iluminação de rua é de Pere Falqués (1850-1916).

Fundació Tàpies
Coroado pela escultura de arame de Antoni Tàpies, Nuvem e Cadeira, *este edifício de 1879 de Domènech i Montaner abriga várias pinturas, desenhos e esculturas de Tàpies* ❷

★ Mansana de la Discòrdia
Neste quarteirão, quatro das mais famosas casas modernistas chamam a atenção. Todas foram criadas entre 1900 e 1910. Esta torre enfeita a Casa Lleó Morera, de Domènech i Montaner ❶

Palau Baró de Quadras foi projetado por Puig i Cadafalch em 1904 em estilo neogótico. A fachada é cravejada de esculturas grotescas como esta, que decora a entrada.

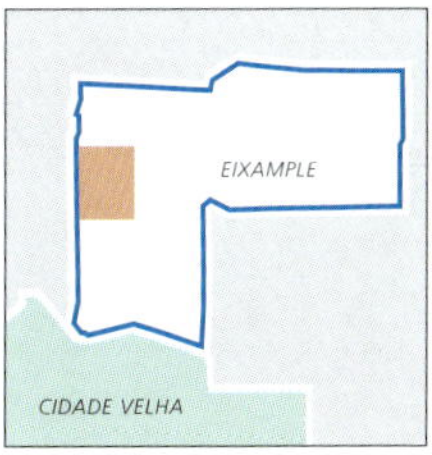

LOCALIZE-SE
Guia de Ruas 3

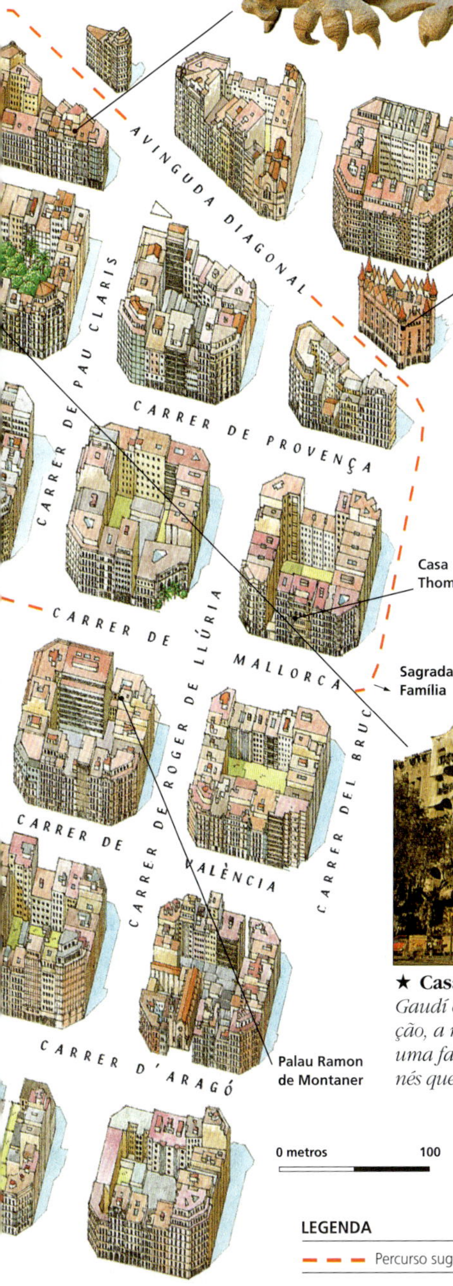

Casa Terrades "Les Punxes"
De tijolos com ornamentação em pedra entalhada, esta casa de 1905 de Puig i Cadafalch lembra os edifícios góticos do Norte da Europa ❹

★ Casa Milà
Gaudí colocou toda sua ousadia nesta construção, a mais famosa de sua autoria. O resultado é uma fachada em ondas e um telhado com chaminés que lembram esculturas abstratas ❸

0 metros 100

LEGENDA

– – – Percurso sugerido

PONTOS ALTOS

- ★ Mansana de la Discòrdia
- ★ Casa Milà

Casa Batlló ❶

Ao contrário de outras obras de Gaudí, esse edifício, encomendado por Josep Batlló i Casanovas e situado no elegante Passeig de Gràcia, resulta da reforma de uma construção existente. Com sua fachada de formas orgânicas e peculiar telhado com chaminés fantásticas, continua tão ousado hoje quanto em 1906, quando foi concluído. Foi tombado pela Unesco como patrimônio da humanidade em 2005. Para alguns, a inspiração do projeto veio da lenda de São Jorge (padroeiro da Catalunha) e o dragão, como sugerem as "escamas" do telhado.

Vista da fachada e do Dorso do Dragão

★ Chaminés
As vistosas chaminés, em geral parte funcional e oculta de uma construção, tornaram-se a marca registrada de Gaudí. Este conjunto compacto exibe formas abstratas.

Pátio e fachada posterior
Este espaço nos fundos do prédio permite apreciar a fachada posterior, que exibe balcões de ferro e um maravilhoso trabalho de trencadis *(mosaicos) no alto.*

Galeria
Os apertados arcos de tijolos que apóiam o teto são brancos, o que dá ao visitante a impressão de estar no esqueleto de um animal.

Escada para o piso principal

Sala de jantar
As formas irregulares no teto da sala de jantar da família Batlló provavelmente representam a queda de uma gota d'água.

PONTOS ALTOS

- ★ Sala de estar
- ★ Chaminés
- ★ Dorso do Dragão

◁ **Chaminés da Casa Milà de Gaudí, extraordinariamente esculpidas e com incrustações de cerâmica**

★ Dorso do Dragão
Uma das inovações mais notáveis da casa está no telhado, com uma estrutura que lembra escamas e sugere a espinha de um enorme réptil. Na parte interna, um ambiente com cobertura branca era usado como depósito de água.

PREPARE-SE

Passeig de Gràcia 43.
Mapa 3 A4.
Tel *93 216 03 06.*
Passeig de Gracia.
9h–20h diariam.
www.casabatllo.cat

Terraço
O terraço do prédio original foi ampliado para receber mais luz.

Cruz
De cerâmica e feita em Mallorca, sofreu danos no transporte. Gaudí se recusou a mandar consertar. Os braços apontam para os pontos cardeais.

Sala da barriga do dragão

★ Fachada
Para Salvador Dalí, as paredes e janelas curvas da fachada eram ondas em um dia de tempestade. As esguias colunas das janelas do primeiro andar já foram comparadas a tíbias, o que conferiu ao local o apelido de "casa de ossos".

Os balcões de ferro
já foram comparados a máscaras de carnaval.

Trencadis **decorativos**

Entrada

★ Sala de estar
Os vitrais de uma das paredes desta sala permitem apreciar o Passeig de Gràcia. O teto exibe formas espirais e as janelas são graciosamente irregulares.

Sala da lareira
O escritório de Josep Battló tem lareira azulejada com forma de cogumelo.

Suntuoso interior da Casa Lleó Morera, Mansana de la Discòrdia

Mansana de la Discòrdia ❷

Passeig de Gràcia, entre Carrer d'Aragó e Carrer del Consell de Cent. **Mapa** 3 A4. Ⓜ *Passeig de Gràcia.*

O mais famoso grupo de edifícios modernistas *(págs. 24-5)* de Barcelona ilustra a variedade de estilos associados ao movimento. O quarteirão onde se situam foi apelidado de Mansana de la Discòrdia (Quadra da Discórdia), devido à chocante "discussão" visual que se estabelece entre eles. As três casas mais famosas, no Passeig de Gràcia, foram reformadas segundo o estilo modernista no início do século 20, mas seus nomes vêm dos proprietários originais. No nº 35 fica a Casa Lleó Morera (1902-6), primeiro trabalho residencial de Lluís Domènech i Montaner. O térreo foi destruído para dar lugar a uma loja em 1943, mas o andar superior foi mantido, com ambientes modernistas, vitrais e bay windows. A casa não está aberta ao público, mas se a porta for aberta pode-se ver o belo afresco do hall.

Passando as próximas duas casas encontra-se a Casa Amatller, projetada por Puig i Cadafalch em 1898. Sua fachada é uma mescla harmoniosa de estilos, com janelas mouriscas e góticas e grades de ferro. Pode-se ver o saguão de entrada, com suas colunas em espiral e a escadaria encimada por uma clarabóia de vitral, mas o restante da construção, incluindo a bela biblioteca com painéis de madeira, está ocupada pelo Institut d'Art Hispànic, que não é aberto ao público. A terceira casa do quarteirão é a Casa Batlló, de Antonio Gaudí *(págs. 76-7)*, com sua fachada fluida, que evoca formas naturais ou marinhas. As chaminés decoradas de maneira bizarra se tornaram uma marca das últimas obras de Gaudí.

Fundació Antoni Tàpies ❸

Carrer d'Aragó 255. **Mapa** 3 A1. ***Tel*** *93 487 03 15.* Ⓜ *Passeig de Gràcia.* *10h-20h ter-dom e feriados* *1º e 6 jan, 25 e 26 dez.* *(grátis para menores de 16 anos).* *com hora marcada (93 207 58 62).* **www**.fundaciotapies.org.

Antoni Tàpies *(pág. 29)*, nascido em 1923, é o mais conhecido artista vivo de Barcelona. Inspirado no surrealismo, seu trabalho abstrato é executado com materiais como concreto e metal *(pág. 72-3)*.
Talvez não seja fácil apreciá-lo de início, mas as exposições da fundação devem ajudar. As obras ficam no primeiro edifício particular de Barcelona construído de ferro (1880), projetado por Domènech i Montaner para a editora de seu irmão.

ANTONI GAUDÍ (1852-1926)

Nascido em Reus (Tarragona) em uma família de artesãos, Gaudí foi o expoente do *Modernisme* catalão. Após trabalhar como aprendiz de ferreiro, ele ingressou na Escola de Arquitetura de Barcelona. Inspirado na busca nacionalista de um passado medieval romântico, seu trabalho foi extremamente original. Sua primeira grande realização foi a Casa Vicens (1888), no nº 24 do Carrer de les Carolines *(pág. 26)*. Sua mais famosa construção é a igreja da Sagrada Família *(págs. 80-3)*, à qual dedicou sua vida a partir de 1914. Gaudí colocou todo seu dinheiro no projeto, e às vezes ia de casa em casa pedindo mais, até sua morte, poucos dias após ser atropelado por um bonde *(pág. 60)*.

Chaminé decorada, Casa Vicens

Fachada ondulada da Casa Milà, edifício de apartamentos de Gaudí

Casa Milà ❹

Passeig de Gràcia 92. **Mapa** 3 B3. ***Tel*** *90 240 09 73. Diagonal.* *10h-20h diariam. 1º e 6 jan, 25 e 26 dez. 16h diariam em inglês* **http**://obrasocial.caixacatalunya.es

Geralmente chamada "La Pedrera", a Casa Milà é a maior contribuição de Gaudí à arquitetura civil de Barcelona. Foi seu último trabalho antes de se dedicar inteiramente à Sagrada Família *(págs. 80-3).*

Construída entre 1906 e 1910, "La Pedrera" se afastou dos princípios de construção da época e, como resultado, foi ridicularizada pelos intelectuais de Barcelona.

Gaudí projetou este prédio de apartamentos ao redor de dois pátios circulares, com o primeiro estacionamento subterrâneo da cidade. O trabalho em ferro das sacadas, de Josep Maria Jujol, lembra algas nas paredes onduladas de pedra branca. Não há uma única parede reta no prédio.

A família Milà possuía um apartamento no primeiro andar, o qual tem agora um interior tipicamente modernista. O museu "El Espai Gaudí", no último piso, tem maquetes e explicações sobre seu trabalho. Daqui, o visitante pode acessar o telhado, onde ficam vários dutos e chaminés esculpidos. São tão ameaçadores que foram apelidados de *espantabruixes* (espanta-bruxas).

Casa Terrades ❺

Avinguda Diagonal 416. **Mapa** 3 B3. *Diagonal. ao público.*

Este isolado bloco de apartamentos hexagonal do arquiteto modernista Puig i Cadafalch deve seu apelido, *Casa de les Punxes* (casa das pontas), às agulhas de suas seis torres, em forma de chapéus de bruxa. Foi construído entre 1903 e 1905, reformando três casas preexistentes no local. É o maior trabalho de Puig, e trata-se de uma eclética mescla dos estilos medieval e renascentista. As torres e os frontões foram influenciados pela arquitetura gótica do Norte da Europa. No entanto, são tipicamente modernistas o ornamento floral esculpido em pedra do exterior e o tijolo vermelho como principal material de construção.

Torre principal da Casa Terrades

Hospital de la Santa Creu i de Sant Pau ❻

Carrer de Sant Antoni Maria Claret 167, 08025 Barcelona. **Mapa** 4 F1. ***Tel*** *93 256 25 01. Hospital de Sant Pau.* **Jardins** *diariam; escreva com antecedência para poder visitar alas não utilizadas para fins médicos. diariam (as 10h15 em inglês (90 207 6621).* **www**.hspau.com

Lluís Domènech i Montaner começou a projetar um hospital para a cidade em 1902. Inovador, seu plano consistia em 26 pavilhões em estilo mudéjar situados em amplos jardins – ele detestava grandes enfermarias e acreditava que os pacientes se recuperariam melhor entre ar fresco e árvores. Todos os corredores e áreas de serviço ficavam escondidos no subsolo. Acreditando que a arte e a cor eram terapêuticas, decorou os pavilhões. Os tetos foram recobertos com cerâmica e a recepção tem esculturas de Pau Gargallo e mosaicos. O prédio foi concluído pelo filho de Domènech, Pere, em 1930, após sua morte.

Estátua da Virgem, no Hospital de la Santa Creu i de Sant Pau

Sagrada Família ❼

Búzio esculpido

A mais diferente das igrejas da Europa, o Temple Expiatori de la Sagrada Família é o emblema de uma cidade que se sente única. Repleta de símbolos inspirados na natureza e se esforçando para ser original, é a maior obra de Gaudí *(págs. 24-5)*. Em 1883, um ano após o início da construção de uma igreja neogótica no local, a tarefa de concluí-la foi confiada ao arquiteto, que mudou tudo, improvisando à medida que trabalhava. Tornou-se a obra de sua vida –ele viveu recluso aqui durante 14 anos. Quando morreu, somente uma torre na fachada da Natividade havia sido terminada, mas muitas outras foram concluídas seguindo seu projeto original. Depois da Guerra Civil, o trabalho foi retomado e continua até hoje, com contribuições públicas.

Campanários
Já foram construídas 8 de 12 agulhas, uma para cada apóstolo. Todas têm mosaicos venezianos.

A IGREJA TERMINADA
A ambição inicial de Gaudí tem sido mantida com o uso de tecnologias novas para realizar sua visão. Ainda está por ser construída a torre central, circundada por quatro grandes torres representando os evangelistas. Quatro torres da fachada da Glória (sul) combinarão com as quatro já existentes na da Paixão (oeste) e na da Natividade (leste). Um deambulatório –como um claustro de dentro para fora– rodeará a parte externa do edifício.

★ Fachada da Paixão
Esta fachada foi concluída entre 1986 e 2000 pelo artista Josep Maria Subirachs. É polêmica. Suas figuras angulosas parecem sinistras.

Elevador

A abside foi a primeira parte da igreja concluída por Gaudí. As escadas levam à cripta abaixo.

A canópia do altar, projetada por Gaudí, ainda espera pelo altar.

Principal entrada

Escadarias
Degraus íngremes –400 em cada uma– dão acesso às torres e galerias superiores. A vista aqui de cima vale o esforço, ou o preço do elevador.

PREPARE-SE

Carrer de Mallorca 401. **Mapa** 4 E3. ***Tel*** *93 207 30 31.* *Sagrada Família.* *19, 34, 43, 50, 51, 54.* *abr-set: 9h-20h; out-mar 9h-18h30 (25 e 26 dez 1 e 6 jan: 9h-14h.* *à tarde 25 e 26 dez, 1° e 6 jan.* *vários serviços diariam.* *exceto cripta e torres.* **www**.sagradafamilia.org

★ Fachada da Natividade
A mais completa parte da igreja, concluída em 1930, tem portas que representam a fé, a esperança e a caridade. Cenas da Natividade e da infância de Cristo são complementadas com simbolismos, como o das pombas brancas representando a congregação.

★ Cripta
A cripta onde Gaudí está enterrado foi começada pelo arquiteto Francesc de Paula Villar i Lozano, em 1882. É aqui que se realizam as missas. O andar de baixo contém um museu com a história dos dois arquitetos e a história da igreja.

Nave
Na nave, que ainda está sendo construída, uma intrincada "floresta" de pilares canelados sustentará quatro galerias sobre as naves laterais, que receberão iluminação natural.

PONTOS ALTOS

★ Fachada da Paixão

★ Fachada da Natividade

★ Cripta

Fachada da Paixão

Gárgula na Sagrada Família

Algumas pessoas comparam a igreja da Sagrada Família a um livro de pedra: feita para ser apreciada como as catedrais medievais, cada um de seus elementos representa um fato bíblico ou um aspecto do cristianismo. Esse era o objetivo de Gaudí, autor de uma arquitetura impossível de ser separada de sua profunda fé católica. As duas fachadas existentes são ricas em detalhes, associados a passagens bíblicas. A Fachada da Glória, até hoje só no projeto, aborda o julgamento dos pecadores.

Entrada principal da Fachada da Paixão

Paixão de Cristo

O sofrimento e a morte de Jesus são os temas retratados na Fachada da Paixão, em estilo condizente com o tema. As imagens criadas pelo escultor catalão Josep Maria Subirachs receberam críticas por seu aspecto anguloso e "desprovido de humanidade", mas é provável que Gaudí as aprovasse, uma vez que o estilo expressionista contribui para atribuir um impacto maior à Paixão de Cristo.

Um grande pórtico com teto sustentado por seis "raízes de árvores" protege os 12 grupos de esculturas, distribuídas em três grupos e que devem ser apreciadas de baixo para cima, da esquerda para a direita (num "S" invertido). A primeira cena, no canto esquerdo inferior, retrata a Última Ceia, evento no qual Jesus (em pé) anuncia a traição de um dos discípulos. Perto está a passagem da prisão no Jardim de Getsêmani, e em seguida se vê a traição de Judas. Em todas as direções, a soma dos números do criptograma ao lado de Jesus é 33: idade em que Cristo morreu.

O flagelo

Nesta parte (entre as portas centrais), Jesus é retratado preso a uma coluna no alto

Escultura de cavaleiros na Fachada da Paixão

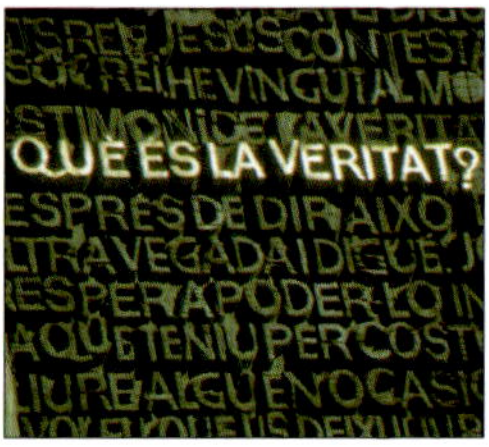

Detalhe na porta de bronze da Fachada da Paixão

de três degraus, a simbolizar os três dias da Paixão. A negação de Pedro é representada pelo galo, de acordo com a profecia de Jesus. Atrás do conjunto de imagens há um labirinto, metáfora para a solidão de Cristo em seu caminho para a cruz. O grupo de esculturas na parte inferior direita divide-se em dois conjuntos. Primeiro vê-se Ecce Homo (Jesus preso por cordas e com a coroa de espinhos). Pilatos, observado pela águia romana, aparece lavando as mãos e se eximindo das responsabilidades pela morte de Cristo. Acima, as Três Marias choram enquanto Simão Cireneu, obedecendo aos romanos, ajuda no transporte da cruz.

Santo Sudário

A escultura central retrata uma passagem que, apesar de não descrita na Bíblia, foi incorporada pela tradição aos relatos da Paixão. Uma mulher chamada Verônica enxuga o suor e o sangue do rosto de Jesus, e a feição de Cristo fica estampada no tecido. Em seguida está a figura solitária de um centurião romano montado em um cavalo e que aponta sua espada para Jesus. Acima dele, três soldados próximos à cruz puxam a túnica do condenado. A maior das esculturas, na parte superior central, mostra Cristo em uma cruz horizontal. A seus pés está um crânio, que simboliza o Gólgota, lugar da crucificação, e no alto vê-se o véu do Templo de Jerusalém. A cena final é o sepultamento. Acredita-se que a imagem de Nicodemo, mostrado preparando o corpo do Messias, seja um auto-retrato do escultor Subirachs.

Fachada da Natividade

A fachada norte, com vistas para o Carrer Marina e concluída de acordo com as instruções do próprio Gaudí, é bem mais repleta de imagens do que a Fachada da Paixão –a ponto de algumas esculturas mal aparecerem, dificultando sua identificação. Muitos elementos naturais somam-se às imagens, o que torna a interpretação ainda mais árdua. Gaudí queria que as imagens fossem coloridas, mas é improvável que seu projeto seja concretizado.

Detalhe de escultura na Fachada da Natividade

Fé, Esperança e Caridade
A suntuosa decoração da fachada se distribui ao redor de três portas: Esperança (esquerda), Fé (direita) e Caridade ou Amor Cristão, no centro. As duas colunas entre as portas erguem-se sobre tartarugas, simbolizando a permanência do cristianismo. Por outro lado, os dois camaleões na parte extrema da fachada representam as forças da mudança. Os quatro anjos no alto das colunas simbolizam os quatro ventos e anunciam a proximidade do fim do mundo.

Espira, Fachada da Natividade

Porta da Esperança
Os entalhes inferiores retratam as passagens da fuga para o Egito (esquerda) e o massacre dos inocentes (direita). Acima da porta, são Joaquim e santa Ana, pais de Maria, observam as imagens de José e do menino Jesus. No lintel da porta, destacam-se entalhes de ferramentas como martelo, machado e serra, símbolos da profissão do pai de Cristo. Um pouco mais acima destaca-se uma representação da união de Maria e José. A ponta sobre a porta tem a forma de uma colina, possivelmente uma referência à montanha de Montserrat *(págs. 122-3)*, considerada sagrada para os catalães. Aos pés do monte vê-se a imagem de José dentro de um barco, com t raços muito similares aos de Gaudí. Acredita-se que se trate de uma homenagem póstuma ao genial arquiteto, feita pelos operários responsáveis pelos toques finais da fachada.

Porta da Fé
Esta porta aborda passagens dos evangelhos e a teologia cristã. No lintel que a cobre destaca-se a representação do coração de Jesus. Na parte esquerda inferior está a visita de Maria a sua prima Isabel, mãe de João Batista. No lado direito, Jesus é visto seguindo o ofício do pai, com um martelo e uma talhadeira. Sobre a porta pode-se ver a cena de Jesus no templo com João Batista (esquerda) e Zacarias (direita). Mais no alto vê-se a apresentação de Jesus ao templo. Os entalhes das partes superiores formam um elaborado destaque que retrata os fundamentos do catolicismo, entre eles a lamparina com três mechas (alusão à Santíssima Trindade), cachos de uva e feixes de trigo em referência à Eucaristia, e a mão e o olho, símbolo da onisciência e do cuidado infinito de Deus.

Porta da Caridade
A coluna com a genealogia de Jesus separa a porta dupla da Caridade. Os reis magos aparecem na parte inferior esquerda, em frente aos pastores, na cena da natividade. Um coro com crianças e músicos completa a imagem. Outras passagens retratadas são a anunciação e a coroação da Virgem Maria. No alto, vê-se um pelicano sobre uma coroa, próximo a um ovo com a inscrição JHS, representação do nome de Jesus.

A grandiosa entrada da Fachada da Natividade

FIB
ENTRADA VISITANTES PROFESIONALES

MONTJUÏC

A colina de Montjuïc, que tem 213m de altura e se ergue sobre o porto comercial no sul da cidade, é a maior área de lazer de Barcelona. Seus museus, galerias de arte, parques de diversões e boates fazem com que seja muito procurada de dia e à noite.

Provavelmente existiu uma colônia celtibera aqui, antes que os romanos construíssem um templo a Júpiter em seu Mons Jovis, que pode ter gerado a palavra Montjuïc, embora outra teoria sugira que um cemitério judeu na colina tenha inspirado o nome Monte dos Judeus.

Em razão da ausência de água, havia poucos edifícios públicos em Montjuïc até a construção do castelo em 1640. A colina se transformou no que é hoje, no entanto, ao se tornar o local da Feira Internacional de 1929, quando foram construídos os edifícios da porção norte e a imponente Avinguda de la Reina María Cristina, que, ladeada por enormes salões de exposições, leva até a Plaça d'Espanya. No meio da avenida fica a Font Màgica, que às vezes é iluminada com luzes coloridas. Acima fica o Palau Nacional, sede da grande coleção de arte da capital catalã. O Poble Espanyol, perto, é um centro de artesanato que reproduz prédios típicos de todas as regiões da Espanha. A última onda de construções no Montjuïc ocorreu nos Jogos Olímpicos de 1992, com instalações esportivas de categoria internacional.

Estátua nos jardins do Palau Nacional

PRINCIPAIS ATRAÇÕES

Edifícios Históricos
Castell de Montjuïc ❼

Arquitetura Moderna
Estadi Olímpic de Montjuïc ❽
Pavelló Mies van der Rohe ❹

Museus e Galerias
Fundació Joan Miró ❶
Museu Arqueològic ❷
Museu Nacional d'Art de Catalunya ❸

Praças
Plaça d'Espanya ❻

Parques Temáticos
Poble Espanyol ❺

COMO CHEGAR

A maioria das atrações de Montjuïc exige uma caminhada ladeira acima, mas há ônibus que sobem a colina a partir da Plaça d'Espanya (50 e 61). Para o parque de diversões e o castelo, pegue o funicular a partir do metrô Parallel, e depois o teleférico. Ambos funcionam diariamente das 9h às 20h no inverno e das 9h às 22h no verão.

LEGENDA

- Mapa Rua a Rua *págs.* 86-7
- Estação de metrô
- Teleférico
- Funicular
- Ponto de ônibus principal

◁ **Luzes coloridas da Font Màgica, na grande avenida que leva a Montjuïc**

Rua a Rua: Montjuïc

Montjuïc oferece uma vista espetacular da cidade. A área é rica em galerias de arte e museus, e tem parque de diversões e teatro ao ar livre, além de um jardim de rosas. Os edifícios mais interessantes ficam ao redor do Palau Nacional, onde se encontra a mais importante coleção de arte românica da Europa. Pode-se chegar a Montjuïc pela Plaça d'Espanya, caminhando entre pilares de tijolos que imitam o campanário de são Marcos, em Veneza, o que dá uma amostra do ecletismo arquitetônico. Se o Poble Espanyol mostra a arquitetura tradicional, a Fundació Joan Miró é moderna e ousada.

Pavelló Mies van der Rohe
Esta estátua de Georg Kolbe está no pavilhão de aço, vidro, pedra e ônix construído em estilo Bauhaus como contribuição alemã à Feira Internacional de 1929 ❹

★ Poble Espanyol
Com réplicas de construções de várias partes do país, este vilarejo oferece uma fascinante visão dos estilos regionais ❺

★ Museu Nacional d'Art de Catalunya
No Palácio Nacional, principal edifício da Feira Internacional de 1929, encontra-se a melhor coleção européia de afrescos dos primórdios da era medieval. Estas peças inspiraram Joan Miró ❸

PONTOS ALTOS

- ★ Poble Espanyol
- ★ Museu Nacional d'Art de Catalunya
- ★ Fundació Joan Miró

Fontes e cascatas descem em degraus do Palau Nacional. Embaixo fica a Font Màgica (Fonte Mágica). Nas noites de verão, de quinta a domingo, seus jatos de água dançam conforme a música e o espetáculo de luzes. Esta maravilha da engenharia hidráulica e elétrica foi construída por Carles Buigas (1898-1979) para a Feira Internacional de 1929.

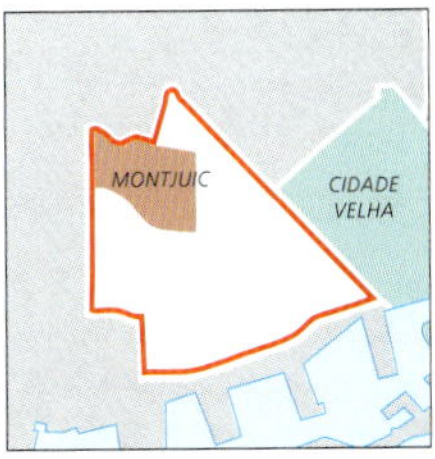

LOCALIZE-SE
Guia de Ruas de Barcelona 1

Museu Arqueològic
O museu mostra importantes achados de culturas pré-históricas da Catalunha e Ilhas Baleares. A Dama de Ibiza, *escultura do século 4º, foi encontrada na necrópole cartaginesa de Ibiza* ❷

Museu Etnològic apresenta artefatos da Oceania, África, Ásia e América Latina.

Teatro do Mercat de les Flors *(pág. 162)*

Teatre Grec é um teatro ao ar livre entre jardins.

★ Fundació Joan Miró
Esta tapeçaria de Joan Miró fica no centro que ele criou para o estudo da arte moderna. Além de abrigar obras suas, o moderno edifício de Josep Lluís Sert tem interesse arquitetônico ❶

LEGENDA

Percurso sugerido

0 metros 100

***Chama no Espaço e Mulher Nua* (1932), de Joan Miró**

Fundació Joan Miró ❶

Parc de Montjuïc. **Mapa** 1 B3. ***Tel*** *93 443 94 70. Pl. Espanya e ônibus 50 ou 55 ou Parallel depois funicular para Montjuïc. jul-set: 10h-20h ter, qua, sex e sáb; out-jun: 10h-19h ter, qua, sex e sáb; ano todo: 10h-21h30 qui, 10h-14h30 dom e feriados. 1º jan, 25 e 26 dez.* **www**.bcn.fjmiro.es

Joan Miró (1893-1983) estudou belas-artes em La Llotja *(pág. 62)*. A partir de 1919, passou a maior parte do tempo em Paris. Embora contra Franco, voltou à Espanha em 1940 e morou principalmente em Maiorca, onde morreu. Admirador da arte catalã e do *Modernisme* de Gaudí *(págs. 24-5)*, Miró sempre se manteve um pintor catalão *(pág. 28-9)*, mas inventou e desenvolveu um estilo surrealista, de cores vivas e formas fantásticas. Nos anos 1950 dedicou-se à cerâmica. Em 1975, depois da volta da Espanha à democracia, seu amigo, o arquiteto José Lluís Sert, projetou um edifício sóbrio, iluminado por luz natural, para abrigar a coleção de desenhos, pinturas, esculturas e tapeçarias doadas por Miró. Entre as melhores obras do acervo está a Série de Barcelona (1939-1940) –50 litografias em preto-e-branco. Outros artistas expõem aqui.

Museu Arqueològic ❷

Passeig Santa Madrona 39-41. **Mapa** 1 B3. ***Tel*** *93 424 65 77. Espanya, Poble Sec. 9h30-19h ter-sáb, 10h-14h30 dom e feriados. 1º jan, 25 e 26 dez. (grátis 11 fev, 23 abr, 18 mai, 11 e 24 set).* **www**.mac.es

Este museu se encontra no Palácio de Artes Gráficas de 1929, inspirado na Renascença, e apresenta artefatos que vão da Pré-história ao período visigótico (415-711 d.C.). Destacam-se achados da cidade greco-romana de Empúries *(pág. 120)* e tesouros de prata ibérica.

Museu Nacional d'Art de Catalunya ❸

Parc de Montjuïc, Palau nacional. **Mapa** 1 A2. ***Tel*** *93 622 03 76. Espanya. 10h-19h ter-sáb, 10h-14h30 dom e feriados. 25 dez, 1º jan e 1º mai grátis 1º dom mês marcar hora (93 622 03 75)* **www**.mnac.es

O austero Palau Nacional foi construído para a Feira Internacional de 1929, mas desde 1934 abriga a mais importante coleção de arte da cidade.

O museu inclui o que talvez seja a maior exposição de peças de arte românica do mundo *(pág. 22-3)*, centralizada em torno de uma série de magníficos afrescos do século 12. Os mais notáveis são os de Sant Climent e Santa Maria de Taüll *(pág. 113)*.

Há também uma crescente coleção gótica. Estão em exposição artistas importantes da época, inclusive espanhóis do século 15 como Lluís Dalmau e Jaume Huguet *(pág. 28)*.

No Llegat Cambó há obras de El Greco, Zubarán e Velásquez, e a mais notável coleção barroca e renascentista de toda Europa. O museu foi expandido recentemente e agora abriga toda a coleção que ficava anteriormente no Museu d'Art Modern, no Parc de la Ciutadella, além da coleção Thyssen-Bornemisza, com trabalhos de Tiepolo, Ticiano, Lotto, Canaletto e Velásquez.

***Cristo em Majestade*, do século 12, Museu Nacional d'Art de Catalunya**

***Manhã*, de Georg Kolbe (1877-1945), Pavelló Mies van der Rohe**

Pavelló Mies van der Rohe 4

Avinguda del Marqués de Comillas. **Mapa** 1 B2. ***Tel*** *93 423 40 16.* *Espanya.* *50.* *10h-20h diariam.* *1° jan, 25 dez* *grátis menores 18 anos.* *17h-19h qua-sex (em inglês)* **www**.miesbcn.com

Se as simples linhas de vidro e pedra polida do pavilhão parecem modernas hoje, devem ter sido chocantes na Feira Internacional de 1929. Projetado por Ludwig Mies van der Rohe (1886-1969), diretor da Bauhaus, contém a famosa *Cadeira de Barcelona*.

Este edifício é uma réplica. O original foi demolido depois da exposição.

Poble Espanyol 5

Avinguda del Marqués de Comillas. **Mapa** 1 A2. ***Tel*** *93 508 63 30.* *Espanya.* *jan e fev: 9h-20h seg-qui, 9h-16h sex e sáb, 9h-0h dom; mar-dez: 9h-20h seg, 9h-14h ter-qui, 9h-16h sex e sáb, 9h-0h dom.* **www**.poble-espanyol.com

O Poble Espanyol (Vila Espanhola) foi concebido com o objetivo de mostrar a arquitetura e o artesanato espanhóis durante a Feira Internacional de 1929. Desde então, tem sido muito procurado.

Estilos de construção de todo o país estão representados em 116 casas dispostas ao longo de ruas que se irradiam a partir de uma praça principal. As casas foram criadas por arquitetos e artistas muito conhecidos na época. A vila foi reformada no fim da década de 1980.

Artistas residentes produzem peças artesanais, desde vidro soprado, cerâmica e damasquinados de Toledo até sandálias catalãs. As Torres de Ávila, que formam a entrada, estão entre os pontos noturnos favoritos da população –em seu interior, idealizado pelos designers Alfredo Arribas e Javier Mariscal *(pág. 19)*, há lojas, bares e teatro infantil.

Vista da Plaça d'Espanya a partir do Palau Nacional

Plaça d'Espanya 6

Avinguda de la Gran Via de les Corts Catalanes. **Mapa** 1 B1. *Espanya.*

A fonte no centro deste cruzamento, onde antes havia uma forca (transferida para a Ciutadella em 1715), é de Josep Maria Jujol, um dos discípulos de Gaudí. As esculturas são de Miguel Blay. A praça de touros de 1899, em um dos lados, é de Font i Carreras, mas os catalães nunca foram adeptos de touradas e então o prédio foi usado para audições musicais. A Avinguda de la Reina Cristina sai da rotatória do lado de Montjuïc. Ela é ladeada por dois campanários de 47m de altura, de Raúl Raventós, inspirados nos da praça de são Marcos em Veneza e construídos para a Feira Internacional de 1929. A avenida, na qual se alinha uma série de edifícios da exposição, leva à Font Màgica, obra de Carles Buigas, situada em frente ao Palau Nacional.

Castell de Montjuïc 7

Parc de Montjuïc. **Mapa** 1 B5. ***Tel*** *93 329 86 13.* *Paral·lel, funicular e teleférico.* **Museu** *mar e nov: 9h30-18h30 ter-sex, 9h30-20h sáb e dom; abr-out: 9h30-20h diariam; dez-fev: 9h30-17h ter-sex, 9h30-19h sáb e dom.* *1° jan, Sexta-feira Santa, 1° mai, 25 e 26 dez.*

Todo o alto de Montjuïc é ocupado por um enorme castelo do século 18 com vista para o porto. O primeiro castelo, erguido em 1640, foi destruído por Filipe V, em 1705. O atual forte em forma de estrela foi erguido para a família Bourbon. Durante a Guerra de Independência foi tomado pelo exército francês. Depois da Guerra Civil, tornou-se uma prisão, onde o chefe catalão Lluís Companys *(pág. 47)* foi executado, em 1940. O castelo é hoje museu militar.

Estadi Olímpic de Montjuïc 8

Passeig Olímpic s/n°. **Mapa** 1 A3. ***Tel*** *93 426 20 89.* *Espanya, Poble Sec..* *50, 61.* *jun-set: 10h-20h; out-mai: 10h-18h diariam.* *1° jan, 25 dez.*

A fachada neoclássica do estádio original, construído por Domènech i Roura para as Olimpíadas de 1936, foi conservada, mas o evento foi cancelado devido à Guerra Civil.

A arena foi ampliada para acomodar 70 mil pessoas, para os Jogos de 1992. O Palau Sant Jordi, um estádio coberto de aço e vidro, do japonês Irata Isozaki, fica perto. Destacam-se as piscinas de Ricardo Bofill.

Entrada do estádio olímpico, reformado em 1992

Frontal de altar do século 13, dedicado à Virgem, Museu Nacional d'Art de Catalunya ▷

FORA DO CENTRO

O radical plano de urbanização da periferia de Barcelona, no fim dos anos 1980 e início dos 1990, proporcionou à cidade grande variedade de novos prédios, parques e praças. A principal estação ferroviária, Sants, foi reconstruída; e criaram-se o Parc de l'Espanya Industrial e o Parc de Joan Miró, nas proximidades, com esculturas modernas e arquitetura futurista. A leste, perto da área de Poblenou, revitalizada, a cidade agora conta com um novo teatro nacional e uma sala de concerto. A oeste, onde ficam as grandes ladeiras, está o histórico palácio real e monastério de Pedralbes e o famoso parque Güell, de Gaudí, de 1910. Mais adiante, a serra de Collserola já é área rural, alcançada por dois funiculares. A vista da cidade é linda, e Tibidabo, o ponto culminante, tem um parque de diversões, uma igreja neogótica –a do Sagrat Cor– e uma torre de comunicações de aço e vidro.

Placas do Parc Güell

PRINCIPAIS ATRAÇÕES

Museus e Galerias
CaixaForum ⓬
CosmoCaixa ❾
Museu del Futbol Club Barcelona ❸

Edifícios Históricos
Monestir de Pedralbes ❺
Palau Reial de Pedralbes ❹
Torre Bellesguard ❿

Edifícios Modernos
Torre de Collserola ❻

Parques e Jardins
Parc de l'Espanya Industrial ❷
Parc Güell ❼
Parc de Joan Miró ❶
Parc del Laberint d'Horta ⓫

Praças e Bairros
Estació del Nord ⓭
Plaça de les Glòries Catalanes ⓮
Poblenou ⓯

Parques Temáticos
Tibidabo ❽

LEGENDA
- Mapa Rua a Rua
- Área construída
- Estação ferroviária
- Funicular
- Rodovia
- Estrada principal
- Estrada secundária

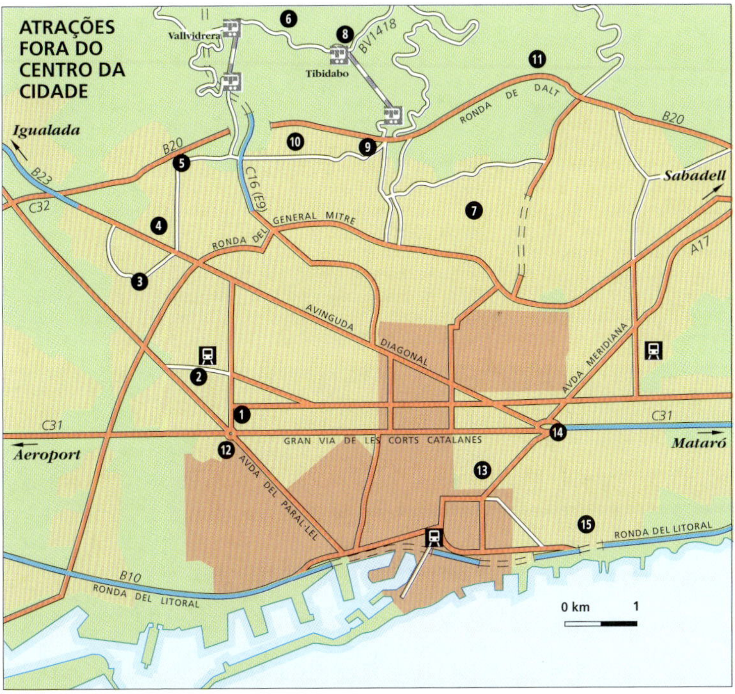

◁ O Temple Expiatori del Sagrat Cor, neogótico, domina Barcelona do alto do Tibidabo

Dona i Ocell **(1983), de Joan Miró, no Parc de Joan Miró**

Parc de Joan Miró ❶

Carrer d'Aragó 1. Ⓜ *Tarragona.*

O matadouro *(escorxador)* de Barcelona, do século 19, foi transformado neste parque incomum na década de 1980, de onde provém seu apelido, Parc de l'Escorxador. Ele está construído em dois níveis: o inferior, dedicado a campos de futebol que se revezam com paisagens de palmeiras, pinheiros, eucaliptos e flores, e o superior, completamente pavimentado e dominado por uma magnífica escultura de 1983 de Joan Miró *(pág. 29)*, intitulada *Dona i Ocell*, ou *Mulher e Pássaro*. A obra se ergue no meio de um lago e sua superfície é recoberta com pedaços coloridos de azulejos vitrificados.

Parc de l'Espanya Industrial ❷

Plaça de Joan Peiró. Ⓜ *Sants-Estació.*

Este moderno parque, projetado pelo arquiteto basco Luis Peña Ganchegui, deve seu nome à fábrica têxtil que se localizava nesta área de 50 mil m². Projetado em 1986 como parte da política de Barcelona de prover mais espaços abertos dentro da cidade, o parque possui canais e um lago para remar, com a clássica estátua de Netuno no centro. Fileiras de degraus se levantam à volta do lago como um anfiteatro e, de um lado, há dez torres de vigia futuristas que, enfileiradas, dominam toda a área. Sua única função é servir como plataformas panorâmicas e suporte de lâmpadas. Seis escultores contemporâneos estão representados no parque.

Museu del Futbol Club Barcelona ❸

Avda de Arístides Maillol (7, 9). ***Tel*** *93 496 36 08.* Ⓜ *Maria Cristina, Collblanc.* *10h-18h30 seg-sáb, 10h-14h30 dom e feriados.* *1º e 6 jan, 24 ago, 25 dez.* **www**.fcbarcelona.com

No Nou Camp, o maior estádio de futebol da Europa, fica o mais famoso clube de futebol da cidade, o FC Barcelona (Barça, como é conhecido localmente). Fundado em 1899, é um dos clubes mais ricos do mundo, com mais de 100 mil sócios e um histórico de salários

Torres de vigia alinhadas no Parc de l'Espanya Industrial

milionários pagos a grandes jogadores, como o brasileiro Ronaldinho.

O magnífico estádio, de 1957, foi projetado por Francesc Mitjans. Ampliado em 1982, hoje acomoda 100 mil torcedores sentados.

O museu do clube, um dos mais visitados de Barcelona, guarda suas lembranças em dois andares e tem uma loja de suvenires. Há também quadros e esculturas de famosos jogadores de futebol encomendadas para uma exposição em homenagem ao clube realizada em 1985 e 1987, chamada Bienal de Blau-grana (azul-e-vinho), as cores da camisa do Barça. A bandeira do clube foi usada como expressão da identidade local durante a ditadura, quando Franco proibiu a bandeira catalã. Além de ser anfitrião de seus jogos importantes (principalmente nos fins-de-semana), Nou Camp sedia outros eventos.

Estádio Nou Camp, sede do famoso Barcelona, time do brasileiro Ronaldinho

Palau Reial de Pedralbes ❹

Avinguda Diagonal 686. *Palau Reial.* **Museu de Ceràmica e Museu de Arts Decoratives** ***Tel*** *93 280 50 24. 10h-18h ter-sáb, 10h-15h dom e feriados. 1º jan, 24 jun, 25 e 26 dez. grátis 1º dom mês. marcar hora.* **www**.museuartsdecoratives.bcn,es

O Palácio de Pedralbes já foi a principal casa da propriedade do conde Eusebi Güell. Em 1919, ele a ofereceu à família real espanhola para que nela se hospedasse quando fosse a Barcelona. A primeira visita real foi a de Afonso XIII, em 1926, e o imóvel foi reformado para recebê-lo. Ainda se pode ver o trono, sustentado por dois leões, criado para o rei. O edifício foi aberto ao público em 1937 e um museu de artes decorativas passou a ocupar o espaço. Em exposição há móveis de época trazidos de outras grandes casas. Uma árvore genealógica reconstitui os 500 anos da dinastia dos condes-reis de Barcelona, mostrando a união entre Catalunha e Aragão, por casamento, em 1137 *(pág. 38)*. O museu do palácio tem objetos de cerâmica mourisca e moderna, inclusive trabalhos de Miró e Picasso *(pág. 80)*. Os jardins do palácio possuem pequenos lagos e caminhos. Logo atrás destes, na Avinguda Pedralbes, encontra-se a entrada original da propriedade. É um portão preto de ferro trabalhado, com um dragão de boca aberta, e duas casas de guarda, tudo de Gaudí *(págs. 22-3)*.

***Madona da Humildade*, Monestir de Santa Maria de Pedralbes**

Monestir de Santa Maria de Pedralbes ❺

Baixada del Monestir 9. ***Tel*** *93 203 92 82 Reina Elisenda. 10h-14h ter-dom. 1º jan, sexta-feira da Paixão, 1º mai, 24 jun, 25 e 26 dez grátis 1º dom mês. marcar hora (93 319 02 22).* **www**.museuhistoria.bcn.es

O acesso ao monastério de Pedralbes se dá por um arco nas suas antigas muralhas e o lugar conserva a atmosfera de comunidade enclausurada. A impressão é acentuada pelo bom estado de conservação das celas mobiliadas, cozinhas, enfermaria e refeitório, mas as freiras da Ordem de Santa Clara se mudaram para o edifício ao lado em 1983, quando a construção foi aberta ao público. O monastério foi fundado em 1326 por Elisenda de Montcada de Piños, quarta mulher de Jaime II de Catalunha e Aragão. Seu túmulo de alabastro está na parede entre a igreja e o claustro. Do lado da igreja, sua efígie aparece vestida com trajes reais e, do lado do claustro, como freira.

A sala mais importante do monastério é a Capella de Sant Miguel, com murais da *Paixão* e da *Vida da Virgem*, ambos pintados por Ferrer Bassa em 1346.

O monastério foi construído em torno de um espaçoso claustro de três pavimentos. Os cômodos principais ao redor do claustro incluem um dormitório, um refeitório, uma abadia e celas diurnas. Aqui são exibidas diversas peças de arte, assim como ornamentos litúrgicos, cerâmica, mobiliário, itens de ouro e prata.

Torre de Collserola ❻

Carretera de Vallvidrera al Tibidabo. ***Tel*** *93 406 93 54. Peu de Funicular, funicular de Vallvidrera e ônibus 211. 11h-14h30 e 15h30-19h qua-dom. 1º e 6 de jan, 25 dez* **www**.torredecollserola.com

Em uma cidade que gosta de emoções, o nível máximo de adrenalina fica por conta do passeio à torre de comunicações perto da montanha de Tibidabo *(pág. 98-9)*. Um elevador de vidro leva menos de dois minutos para chegar ao alto desta estrutura de 288m que se ergue sobre uma colina de 455m. A torre foi projetada pelo arquiteto inglês Norman Foster para os Jogos Olímpicos de 1992. Sua forma lembra a de uma agulha, mas é um mastro tubular em um pilar de concreto ancorado por 12 imensos cabos de aço. Há 13 níveis. No último fica um observatório com um telescópio e uma plataforma panorâmica com uma visão de 360 graus da cidade, mar e montanhas.

BARCELONA *VERSUS* REAL MADRID

FC Barcelona

O lema do FC Barcelona é *més que un club*, ou seja, mais que um clube. De fato, o Barça tem sido o símbolo da luta do nacionalismo catalão contra o governo central de Madri. Não ganhar os jogos do campeonato é uma coisa; ficar atrás do Real Madrid é outra completamente diferente, quase uma desgraça. A cada temporada a grande pergunta dos espanhóis é: qual dos dois clubes vai levar o título. Em 1941, sob o regime de Franco, aconteceu um episódio exemplar envolvendo esses times. O Barça ganhou de 3 a 0 em casa. No jogo decisivo, em Madri, a multidão estava tão hostil que a polícia e o juiz "aconselharam" o Barça a evitar confusão. Intimidado, o time perdeu de 11 a 1.

Real Madrid

Parc Güell ❼

Em 1910, o industrial Eusebio Güell encomendou a Gaudí o projeto de um parque. A idéia original era construir na propriedade da família uma minicidade, com estrutura comum, áreas de lazer e jardins –mas somente duas casas saíram do papel. Porém, a iniciativa resultou em um dos espaços públicos mais originais já criados. O projeto inspira-se de leve no santuário de Apolo, em Délhi. Gaudí usou os contornos de forma criativa para criar arcadas e pontes na pedra. De vários lugares o visitante pode apreciar vistas de Barcelona. Os grandes destaques do parque, no entanto, são as estruturas recobertas de mosaicos (*trencadís*, em catalão), quase todos criados pelo arquiteto Josep Maria Jujol.

★ Sala das Cem Colunas
Um total de 86 colunas em estilo clássico (algo incomum no trabalho de Gaudí) sustentam o peso da praça situada acima. Os mosaicos do teto são uma representação do sol.

Colina das Cruzes
Um caminho sinuoso leva até uma torre de pedra, que oferece vista panorâmica da cidade –desde o porto até Tibidabo e Collserola.

Casa de Güell

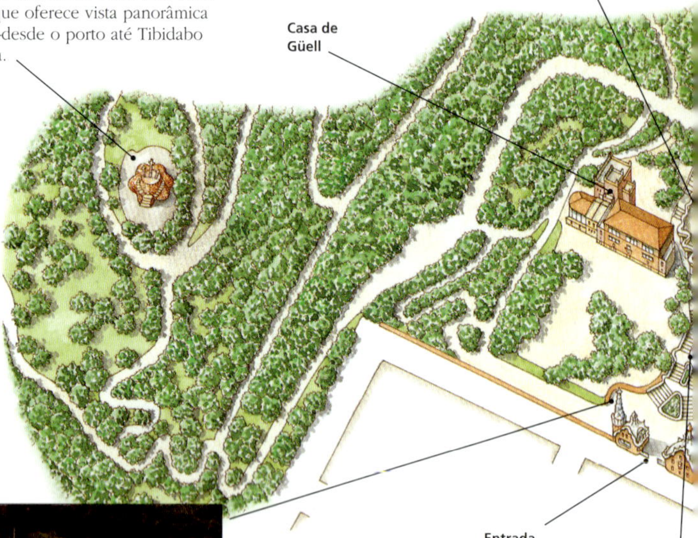

Entrada

★ Escadaria dupla
O maior símbolo do Parc Güell é o emblemático lagarto colorido, instalado junto a uma vistosa escadaria. Abaixo dele situa-se uma fonte, que retrata a cabeça de uma serpente.

★ Pavilhões
Os pavilhões da entrada têm planta oval e são recobertos por mosaicos. A parte interna abriga ambientes irregulares, janelas com formatos inusitados e escadarias estreitas.

★ Praça
Uma sinuosa bancada de mosaicos coloridos (a primeira feita desse tipo) percorre esta praça, concebida para ser uma área para realização de feiras e de eventos públicos. Daqui se tem lindas vistas de Barcelona.

PREPARE-SE

Olot 7, Vallcarca. **Tel** *010 (de Barcelona). 1,3km a pé a partir de Lesseps, pela rua principal colina acima. 24. nov-fev: 10h-18h; mar e out: 10h-19h; abr e set: 10h-20h; mai-ago: 10h-21h; diariam.*
Casa-Museu Gaudí
Tel *93 219 38 11. out-mar: 10h-18h diariam; abr-set: 10h-20h diariam.*
www.casamuseugaudi.org

A **Casa Trias** é uma das duas únicas construções do projeto original que foram efetivamente erguidas.

Viaduto superior
Este é um dos três viadutos que formam caminhos na parte leste do parque.

Um **muro** acompanha os limites do parque e, na entrada da Carretera El Carmen, uma parte dele é feita de ferro trabalhado.

0 metros 40

Casa Museu Gaudí
Esta casa, onde Gaudí morou até mudar para a Sagrada Família, abriga móveis projetados pelo arquiteto, entre eles armários e bancos da Casa Milà.

PONTOS ALTOS

- ★ Pavilhões de entrada
- ★ Escadaria dupla
- ★ Praça

Carrossel em Tibidabo

Tibidabo 8

Plaça del Tibidabo. ***Tel*** *93 211 79 42. Avda Tibidabo, Tramvia Blau e funicular; ou Peu del Funicular, Funicular e ônibus 111; ou Ônibus Tibi da Plaça Catalunya.* **Parque de diversões** *mai: 12h-20h qua-dom; jun: 12h-20h ter-dom; jul-meados set: 12h-22h ter-dom; meados set-out e 20 mar-abr: 12h-19h fins-de-semana e feriados. nov-19 mar.* **Temple del Sagrat Cor** *10h-19h diariam.*

Chega-se às alturas de Tibidabo pelo Tramvia Blau (Trem Azul), o último bonde remanescente na cidade, e, então, por funicular. O nome vem do latim *tibi dabo* (eu lhe darei), uma referência a uma tentação de Cristo, quando Satanás o levou à montanha e lhe ofereceu o mundo a seus pés. Este procurado Parc d'Atraccions *(pág. 137)* foi inaugurado em 1908 e os brinquedos foram renovados na década de 1980. Enquanto os antigos brinquedos mantêm seu encanto, os mais novos oferecem o máximo em experiências vertiginosas. O fato de estarem no topo da colina, a 517m de altura, acentua esta sensação. O parque também tem o Museu d'Automates (um museu de robôs), com brinquedos automatizados e diversões eletrônicas. O Tibidabo está coroado pelo Temple Expiatori del Sagrat Cor, construído por Enric Sagnier entre 1902 e 1911 com zelo religioso, mas pouco gosto. Um elevador leva aos pés de um enorme Cristo. A uma curta distância de ônibus há um mirante, na Torre de Collserola *(pág. 87)*.

CosmoCaixa 9

Teodor Roviralta 47-51. ***Tel*** *93 212 60 50. Avinguda del Tibidabo. 17, 22, 58, 73. 10h-20h ter-dom. 25 dez, 1º e 6 jan. grátis 1º dom mês.* **www**.cosmocaixa.com

O renovado museu científico de Barcelona ficou bem mais estimulante e interativo do que seu apreciado antecessor, instalado numa construção em estilo modernista que ainda existe. Ao lado ergue-se a ala nova com nove andares, seis deles abaixo do nível do chão. O destaque aqui é a estufa que reproduz uma região amazônica, habitada por peixes, anfíbios, insetos, répteis, mamíferos, aves e vegetais. Outras áreas de exposição são a Sala da Matéria, que aborda a teoria da relatividade, a Parede Geológica, dedicada aos diversos tipos de rochas, e um planetário.

Torre Bellesguard 10

Carrer de Bellesguard 16. *Avda del Tibidabo. fechada ao público.*

A meio caminho da serra de Collserola, fica o "belo lugar" escolhido pelos reis catalães medievais como local de veraneio. O castelo, construído em 1408, era uma das residências favoritas de Martí, o Humanitário, de Barcelona *(pág. 55)*.

O distrito vizinho de Sant Gervasi desenvolveu-se no século 19, depois da chegada da ferrovia. Em 1900 Gaudí ergueu a atual construção no local do castelo, que estava em ruínas. A aparência de castelo e as janelas alongadas, de inspiração gótica, são clara referência ao original. Gaudí manteve pedaços das paredes na nova estrutura. O telhado, com um passadiço atrás do parapeito, é encimado por uma torre característica de Gaudí. Peixes em mosaicos de cerâmica ao lado do portão principal simbolizam o poder marítimo catalão.

Portão de entrada de ferro batido da Torre Bellesguard, de Gaudí

Parc del Laberint d'Horta 11

Germans Desvalls, Passeig Castanyers. ***Tel*** *93 428 39 34. Mundet. 10h-18h diariam (inverno); 10h-21h diariam (verão). (grátis qua e dom).* **www**.bcn.es/parcsijardins

Como o nome sugere, o ponto alto do parque mais antigo da cidade, criado no século 18 para Joan Antoni Desvalls, Marquês de Llúpia i d'Alfarràs, é um labirinto vegetal –mas mesmo sem tal atrativo o Laberint d'Horta seria um agradável refúgio. Os jardins semi-silvestres acompanham as encostas a partir da entrada, atrás do palácio quase abandonado do marquês –onde hoje funciona uma escola de jardinagem. É um conjunto de fantasias barrocas aristocráticas: templos clássicos dedicados a Ariadne (que ajudou Teseu a escapar do labirinto do Minotauro) e a Danae (mãe de Perseu) despontam nos dois lados do passeio que acompanha o labirinto. Dali, uma escadaria monumental conduz a um templo em estilo neoclássico. Há ainda um "jardim romântico", um falso cemitério e uma caverna de eremita situada no bosque após o jardim.

CaixaForum 12

Avinguda del Marquès de Comillas 6-8, Montjuïc. ***Tel*** *93 476 86 00. Espanya. 13, 50. 10h-20h ter-dom.* **www**.lacaixa.es/caixaforum

Barcelona é uma capital emergente no mundo das artes contemporâneas, e este novo centro de exposições

O Teatre Nacional de Catalunya, perto da Plaça de les Glòries Catalanes

reforça a reputação. O acervo da fundação "la Caixa", composto de 700 obras de artistas nacionais e estrangeiros, ocupa a Antiga Fàbrica Casaramona, uma fábrica de tecidos em estilo modernista construída por Josep Puig i Cadafalch após a conclusão da Casa de los Punxes.

Inaugurada em 1911, pretendia ser uma fábrica moderna (limpa, iluminada e arejada), mas teve vida curta, pois fechou em 1920. O edifício foi transformado em depósito e, depois da Guerra Civil, em estábulos para os cavalos da polícia. O acervo é exibido de acordo com temas que mudam constantemente, mas uma mostra permanente é a Espai de Dolar, de Joseph Beuy. O local também sedia mostras temporárias.

Estació del Nord ⓭

Avinguda de Vilanova. **Map** 6 D1. Ⓜ *Arc de Triomf.*

Conservaram-se desta antiga estação ferroviária somente a fachada de 1861, com vista para um parque, e a grande entrada, de 1915. O restante do prédio foi remodelado como centro esportivo, sede da polícia e estação de ônibus da cidade. Duas elegantes esculturas de ladrilhos azuis, *Espiral Arbrada (Espiral Ramificada)* e *Cel Obert (Céu Aberto)*, de Beverley Pepper (1992), destacam-se no agradável parque. Na frente da estação, na Avinguda de Vilanova, 12, fica um prédio cuidadosamente restaurado, da companhia de geração de energia da Catalunha. Construída como estação de força em 1897 pelo arquiteto Pere Falqués, a estrutura de ferro e tijolos é claramente modernista.

Plaça de les Glòries Catalanes ⓮

Gran Via de les Corts Catalanes. **Map** 4 F5. Ⓜ *Glòries.*

Toda esta área, onde a Diagonal cruza a Gran Via de les Corts Catalanes, foi recentemente remodelada, à medida que a cidade se expandiu para o nordeste e a Diagonal foi estendida em direção ao mar –como pensara o idealizador do Eixample, Ildefons Cerdà *(pág. 67)*. Ao norte, um novo shopping center contrasta com o mercado-de-pulgas de Encants Vells *(pág. 135)*, que ladeia uma via expressa. O mercado fica aberto das 8h às 20h, quatro dias por semana, e muitos dos artigos –móveis, roupas e bricabraques– são simplesmente dispostos no chão. O movimento é maior no início do dia, e as trocas fazem parte da diversão.

Ao sul da *plaça* está o novo Teatre Nacional de Catalunya, amplo espaço cultural projetado pelo arquiteto barcelonês Ricard Bofill. Ao lado dele fica o Auditori de Barcelona, com duas salas de concerto de Rafael Moneo, inauguradas em 1999. Futuramente, o Museu de la Música *(pág. 69)* será transferido para cá.

Rambla del Poblenou, bom lugar para caminhar e tomar café

Poblenou ⓯

Rambla del Poblenou. Ⓜ *Poblenou.*

Artistas e fotógrafos fixaram seus estúdios em armazéns abandonados daqui, antigo coração industrial da cidade. O centro da área é a Rambla del Poblenou, via arborizada que desce da Avinguda Diagonal em direção ao mar. No cruzamento com o Carrer de Ramon Turró fica o Casino de l'Aliança, próximo de um bom restaurante e, do lado oposto, da sorveteria El Tio Che. Basta caminhar pelo entorno para ver prédios de arquitetura industrial, legado da época em que Barcelona era a "Manchester da Espanha". Ao pé da Rambla, ao longo do paralelo Carrer del Ferrocarril, fica a bonita Plaça de Prim, que lembra uma cidadezinha do interior.

Escultura de ladrilhos azuis de Beverley Pepper, Parc de l'Estació del Nord

TRÊS PASSEIOS A PÉ

Trueta memorial, roteiro de Poblenou

Em Barcelona não faltam bons lugares para um passeio. Cada um dos mapas Rua a Rua deste livro (Cidade Velha, Eixample e Montjuïc) sugerem um pequeno percurso contendo as atrações mais famosas da região. Outros passeios clássicos são a caminhada pela Rambla *(págs. 60-11)* e pelo Parc Güell *(págs. 96-7)*. As cinco sugestões descritas nas próximas páginas, porém, convidam para visitar locais menos conhecidos, cada um com um sabor peculiar.

O primeiro passeio envolve a região de El Born, antes decadente mas atualmente um gracioso bairro que combina ruas antigas com lojas modernas. O destino seguinte é Gràcia, que pode ser definida como localidade à parte: uma orgulhosa região operária com casas de poucos andares, minúsculas lojas e praças charmosas, que abriga movimentada vida noturna. O último percurso contempla o centro pós-industrial de Poblenou, cujas construções passam por reforma e se destinam a novos usos, e onde ainda se pode distinguir algumas chaminés de tijolos.

Os três trajetos tentam evitar locais de trânsito mais pesado e aproveitar ao máximo as praças e ruas para pedestres. Embora em geral incluam monumentos, o destaque dos roteiros é o ambiente de cada lugar, seu comércio peculiar, cafés convidativos e preciosidades arquitetônicas. Todos os trajetos começam e terminam perto de uma estação de metrô. Como em qualquer cidade grande, no entanto, vale tomar cuidado com as bolsas e objetos pessoais.

OPÇÕES DE PASSEIO

Os três roteiros

O mapa abaixo mostra a localização das três áreas sugeridas em relação às partes mais famosas da cidade.

Santa Maria del Mar, roteiro de Born

Lojas de doces, roteiro de Poblenou

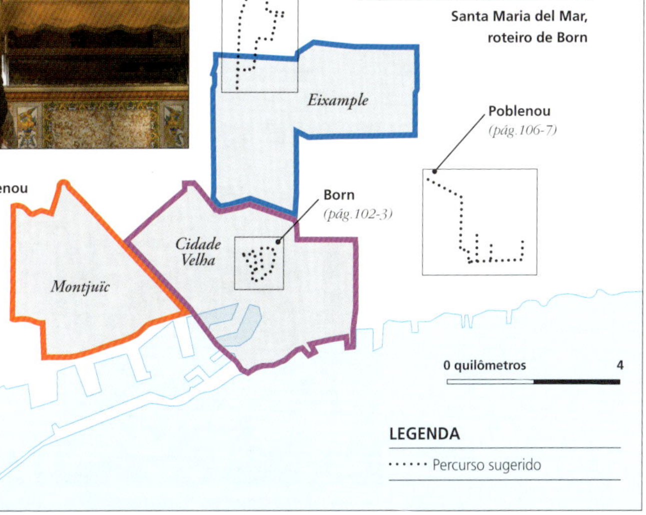

Passeio de uma hora por Born

O minúsculo bairro de El Born, do outro lado da Via Laietana a partir do Barrí Gotic, se recupera após anos de abandono. Situada perto do mar, esta área floresceu no apogeu mercantil da Catalunha, depois do século 13. As estreitas ruas ainda exibem nomes de artesãos e das guildas aqui sediadas –como os chapeleiros no Carrer dels Sombrerers, os fabricantes de espelho no Carrer dels Mirallers e os artesãos da prata no Carrer de la Argentaria. Com ar medieval, El Born se destaca como local animado e de forte vocação artística.

Passeig del Born, a principal rua da região ⑮

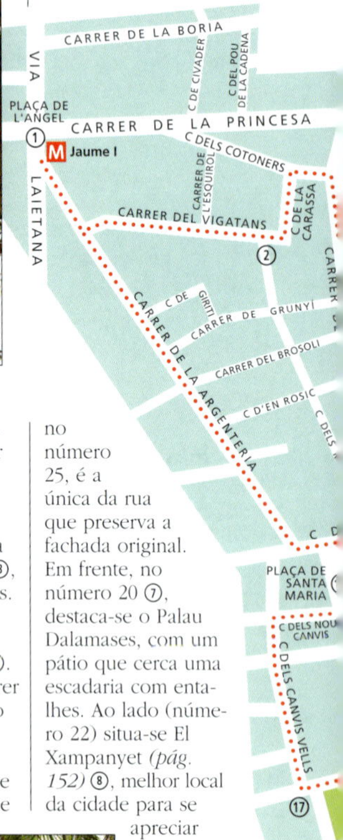

Carrer de Montcada

O ponto de partida é a estação de metrô Jaume I, na Plaça de l'Angel ①. Comece no Carrer de La Argenteria, mas logo entre à esquerda ao lado de uma tabacaria ("Tabac") no Carrer del Vigatans. Após o albergue da juventude (à esquerda), observe o entalhe de uma cabeça que se projeta da parede na esquina com o Carrer dels Mirallers ②, à sua direita. No final da rua, só se pode entrar à esquerda no Carrer de la Carassa, para sair no Carrer de Barra de Ferro. Vire à direita e novamente à direita, seguindo pelo Carrer de Banys Vells. No lado esquerdo, no número 9, funciona uma grande loja, cuja renda é revertida para a caridade, a Farcells Caritas ③, onde às vezes há pechinchas. No final da rua já dá para avistar a parede lateral da igreja Santa Maria del Mar ④. Vire à esquerda e siga o Carrer dels Sombrerers. No número 23, na calçada da esquerda, ergue-se a Casa Gispert ⑤, famosa loja antiga que vende café torrado na hora, nozes e frutas secas. Quando não houver mais saída, vire à esquerda na Placeta de Montcada que recebe o nome de Carrer Montcada *(pág. 64)*, impecável conjunto de obras góticas erguidas no século 14 e reformadas na Renascença. A maioria dos edifícios abriga museus e galerias. A Casa Cervelló-Guidice ⑥, no número 25, é a única da rua que preserva a fachada original. Em frente, no número 20 ⑦, destaca-se o Palau Dalamases, com um pátio que cerca uma escadaria com entalhes. Ao lado (número 22) situa-se El Xampanyet *(pág. 152)* ⑧, melhor local da cidade para se apreciar *cava* (vinho espumante da Catalunha) e tapas. Boa parte do lado direito do Carrer de Montcada é ocupada por cinco palácios, entre eles o Museu Picasso ⑨ *(pág. 64-5)*. Em frente, funcionam mais dois museus: o primeiro, no número 14, é o Museu Barbier-Mueller ⑩, no Palau Nadal. No acervo, esculturas pré-colombianas,

DICAS

Partida: *Plaça de l'Angel*
Percurso: *1,5km*
Como chegar: *Vá à estação de metrô Jaume I, na Plaça de l'Angel, pela linha 4.*
Paradas: *Há bares e locais para comer ao longo do trajeto, como o Café del Born (Plaça Comercial) e o Origens 99,9% (Carrer Vidrieria 6-8), loja e restaurante de comida catalã. Também há muitas opções no Carrer de La Argenteria, como a Xocolateria Xador (bom chocolate quente; 61-3) e o Taller de Tapas (51).*

Turistas lotam o concorrido Museu Picasso ⑨

Disputadas mesas ao ar livre dos bares da região.

LEGENDA

• • • Percurso sugerido

M Estação de metrô

tecidos, cerâmicas e objetos de uso ritual –tudo adquirido pelo colecionador suíço Josef Mueller (1887-1977) com ajuda do genro Jean-Paul Barbier, que achava que a arte "primitiva" merecia maior apreço e admiração. No pátio, destaca-se uma cabeça olmeca gigante, trazida do México. Em seguida está o Museu Tèxtil i d'Indumentària, no Palau del Marquès de Llió (ou Mora) ⑪, com exposições de tecidos e vestuários que remontam ao século 4. No final do Carrer de Montcada, entre à direita no Carrer de la Princesa, e se delicie com as muitas lojas tentadoras: além dos chocolates oferecidos nas vitrines da Brunells (número 22) ⑫, tente resistir ao *turrón* e aos doces vendidos na La Campana (número 36), loja inaugurada em 1890 ⑬.

Passeig del Born

Entre na próxima ruela à direita, o Carrer del Corretger, que forma um "L" e vire à direita na doceria para entrar no Carrer Triangle. Observe o arco no início do Carrer de l'Hostal de Sant Antoni (à direita) ⑭ para apreciar um peculiar friso. O Carrer Triangle desemboca no Carrer del Rec, que conduz ao Passeig del Born ⑮.

Entre os séculos 13 e 17 esta avenida sediava torneios, que deram nome ao bairro. À esquerda, o Passeig margeia a Plaça de Comercial, na qual destaca-se o Mercat del Born ⑯, antigo mercado. Esta velha estrutura de ferro e vidro foi baseada no mercado de Les Halles, de Paris, mas hoje sedia um centro cultural. As escavações aqui realizadas forneceram pistas para os arqueólogos recriarem a vida em Barcelona no século 18. Continue pelo Carrer del Rec do outro lado do Passeig del Born e vire à direita na próxima esquina, para entrar no Carrer de l'Esparteria. Vire à esquerda no Carrer de Vidriera para chegar na Plaça de les Olles. Vire à direita e siga pela ampla calçada que cerca a Plaça del Palau. Ao chegar no Café La Bolsa –em frente a La Llotja *(págs. 62-3)* ⑰– dobre à direita no Carrer dels Canvis Vells. Dobre outra vez à direita no Carrer de l'Anisadeta, tão pequeno que parece acabar logo que se entra nele, e dirija-se novamente à charmosa Plaça de Santa Maria ⑱, em frente à igreja com o mesmo nome *(págs. 64-5)*. Não perca tempo e entre para apreciar o lindo interior do templo, em estilo gótico catalão. Siga à esquerda para pegar o começo do Carrer de La Argenteria, rua mais movimentada de El Born e repleta de bares e lugares para comer –no final dela você estará de volta ao ponto de partida, na estação de metrô da Plaça de l'Angel.

Chocolateria Brunells ⑫

Passeio de uma hora e meia por Gràcia

Quem atravessa a Avinguda Diagonal e mergulha no labirinto de ruas sinuosas e pequenas praças tem a impressão de ter entrado numa aldeia. Como tornou-se parte de Barcelona apenas em 1897, Gràcia nunca perdeu sua identidade e independência. Durante o dia o local parece isolado do ritmo da vida metropolitana moderna, situada apenas a alguns quarteirões daqui. Em agosto e nos finais de tarde, porém, o local se transforma devido à multidão que vem em busca das lojas peculiares e da animada vida noturna.

Fachada da Casa Fuster, edifício em estilo modernista ③

Passeig de Gràcia

A partir da Plaça Joan Carles I ①, o Passeig de Gràcia se transforma em uma avenida modesta e cercada de árvores. No lado esquerdo (logo no início), pode-se avistar a Casa Bonaventura Ferrer ②, obra modernista de Pere Falqués I Urpi, com entalhes de folhas e fachada que exibe uma coroa de ferro. Pouco mais adiante, a rua fica estreita e desponta outro edifício modernista (apesar da clara inspiração neogótica). Trata-se da Casa Fuster ③, último trabalho do arquiteto Lluis Domènech i Montaner, e hoje um hotel. O Café Vienés, no térreo, é aberto a todos.

As praças de Gràcia

Poucos metros após a Casa Fuster, a via muda de nome e passa a se chamar Gran de Gràcia. No número 15 pode-se apreciar os belos *miradores* (balcões) com vitrais nos andares acima da doceria La Colmena ④. Volte para a Casa Fuster e siga pela rua que sai dos fundos dela, o Carrer Gràcia. Entre à esquerda e logo à direita, no Carrer de Domènech. No final dessa rua dobre à esquerda no Carrer de Francisco Giner e siga até chegar à Plaça de Rius I Taulet ⑤: observe o relógio de 33m de altura, cercado pela fachada azul da sede do governo-geral de Gràcia. Uma placa na parede homenageia as conquistas dos *castellers* da Catalunha,

DICAS

Partida: *Plaça Joan Carles I*
Percurso: *2,5km*
Como chegar: *A estação de metrô Diagonal (Linha 3) fica na Plaça Joan Carles I e é servida pelo trem FCG.*
Paradas: *Muitas das praças de Gràcia abrigam restaurantes e bares. Sugestões: Miria (comida mediterrânea moderna na Plaça Rius i Taulet); Café del Sol (drinks e música) e Mirasol (bar), na Plaça de Sol; Niu Toc (peixe), na Plaça Revolució de Setembre de 1868; ou Virreina Bar (sanduíches e cerveja), na Plaça de la Virreina.*

Performance dos *castellers* numa festa do bairro ⑤

Vida noturna na Plaça del Sol ⑥

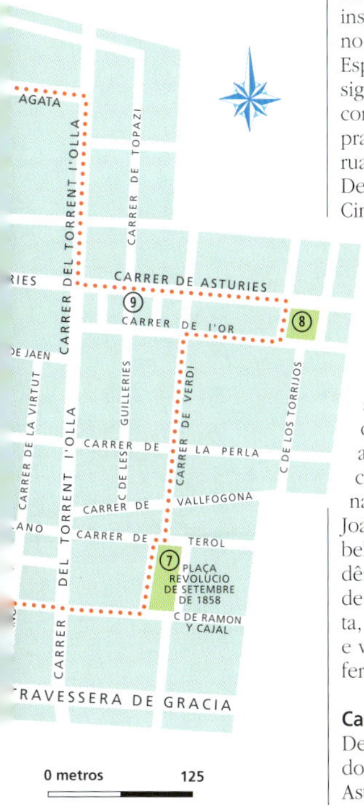

LEGENDA

• • • Percurso sugerido

M Estação de metrô

equipe de ginastas amadores que formam pirâmides humanas com até oito integrantes e se apresentam nas festas do bairro. Atravesse a praça e siga pelo Carrer Mariana Pineda. Cruze a Travessera de Gràcia, uma das principais ruas de compras da região, e percorra o Carrer Xiquets de Valls, cujo nome celebra uma equipe de *castellers*. No final da rua está a Plaça del Sol ⑥, local de agitada vida noturna conhecido como Plaça dels Encants. Vire à esquerda para pegar o Carrer Maspons. Em frente, no outro lado do Carrer del Torrent l'Olla, situa-se a Plaça Revolució de Setembre de 1868 ⑦. O nome relembra o golpe de estado comandado pelo General Prim, que destronou a dinastia dos Bourbon –cuja grande hostilidade aos catalães serviu como impulso à instalação do primeiro governo republicano da história da Espanha. Vire à esquerda e siga pelo Carrer de Verdi, que começa no alto da praça, uma agradável rua com lojas modernas. Depois de passar o Cinemes Verdi (direita), que costuma exibir filmes estrangeiros em versão original, vire à direita no Carrer de l'Or. Logo se chega a uma das praças mais aprazíveis de Gràcia, a Plaça Virreina ⑧. Aqui, a igreja de Sant Joan faz frente com duas belas construções: uma residência com torre e uma casa de tijolos em estilo modernista, com fachada em tons bege e vermelho e balcões de ferro.

Casa Vincens

Deixe a Plaça Virreina seguindo pelo sombreado Carrer de Astúries e passe pela Plaça Diamant ⑨, na qual foi descoberto um abrigo antiaéreo que pode vir a se transformar em museu dedicado à paz. Vire à direita no Carrer Torrent l'Olla e à esquerda no Santa Agata. Cruze o Carrer Gran de Gràcia e siga pelo Carrer de les Carolines. No número 24 dessa rua pode-se apreciar um dos primeiros trabalhos de Antoni Gaudí, a Casa Vicens ⑩. Hoje é uma propriedade particular, mas pode ser admirada na parte externa. Encomendada para ser residência de verão de um fabricante de tijolos e telhas, a casa levou cinco anos para ser construída (1883-8). Com inspiração na arquitetura mourisca, a obra representou uma ruptura em relação à arquitetura convencional, e o uso intenso de cores e enfeites serviu como um indicativo das preferências de Gaudí. A parte externa da casa é um tabuleiro de azulejos brancos e verdes e peças com motivos de cravos. Os intrincados trabalhos em ferro exibem curvas acentuadas e imagens de animais. Volte para o Carrer Gran de Gràcia. Se tiver interesse em ver mais obras de Gaudí, dirija-se à Plaça Lesseps e de lá siga para o Parc Güell *(págs. 96-7)*. Caso contrário, aprecie a graciosa Plaça Trilla ⑪. Você pode terminar o passeio na estação de metrô Fontana ou então voltar ao ponto inicial.

Belíssimos vitrais nos *miradores* ④

Interior de um dos ambientes da Casa Vicens ⑩, com vitrais

Passeio de duas horas por Poblenou

Parece difícil de acreditar, mas a agitada região de Poblenou já abrigou a maior concentração de fábricas da Catalunha. Na década de 1960, elas interromperam as atividades ou mudaram-se para os arredores da cidade, o que causou a deterioração dos imóveis. Com a Olimpíada de 1992 teve início o impulso renovador e os armazéns de Poblenou se converteram em elegantes estúdios de fotógrafos e ateliês de artistas. Também se instalaram na região hotéis, restaurantes e casas noturnas, criando um misto de arqueologia industrial e cultura contemporânea.

A controversa Torre Agbar ③

Avinguda Diagonal

Comece o passeio na estação de metrô Plaça de Les Glòries Catalanes ① (área recém-recuperada, *pág.* 99) pela saída para o Carrer Badajoz, que dá acesso à ampla extensão da Avinguda Diagonal ②. O destaque aqui é uma construção estreita e peculiar (além de bastante polêmica) que destoa no cenário da cidade, a Torre Agbar ③. Esta edificação cilíndrica é encimada por cúpula. Tem 33 andares e foi projetada pelo arquiteto francês Jean Nouvel para a empresa local de fornecimento de água, a Aguas de Barcelona.

Siga pela Diagonal, que conta com um largo passeio no meio das pistas e uma ciclovia. Aqui passam os trilhos que ligam Glòries a Sant Adrià del Besòs. Cerca de 700m à frente, a Diagonal se transforma na Rambla del Poblenou ④, principal rua de Poblenou e que desemboca no mar. Depois de cruzar o Carrer de Pere IV, a Rambla se estreita e fica mais interessante. No meio ergue-se o memorial ao Doctor Josep Trueta ⑤, médico nascido em Poblenou em 1897 e que, após salvar muitas vidas durante os bombardeios da Guerra Civil, exilou-se por três décadas na Inglaterra quando os franquistas tomaram o poder, em 1939.

Rambla del Poblenou

Siga pela Rambla após os três próximos cruzamentos. O caminho abriga construções que merecem uma observação atenta, como a do número 51 (direita) ⑥, belo edifício em tom salmão projetado por Josep Masdeu em 1914 e decorado com motivos florais modernistas.

Na esquina com o Carre Joncar, dobre à esquerda entre El Tio Che ⑦, famosa loja fundada em 1912 e que oferece sorvetes e *turrón* (doce típico feito de amêndoas) e, em frente, o Casino de l'Aliança de Poblenou ⑧, que é uma sala de espetáculos (e não uma casa de jogos, como o nome sugere). Vire à direita na pri-

Memorial ao Dr. Josep Trueta ⑤

DICAS

Partida: *Plaça de Les Glories Catalanes*
Percurso: *3,5km*
Como chegar: *A estação de metrô Glòries fica na Linha 1.*
Paradas: *Há bares na Rambla de Poblenou, novos restaurantes no Carrer Taulat e alguns poucos bares baratos no Carrer Maria Aguilo. Não deixe de tomar sorvete no El Tio Che.*

El Tio Che, loja famosa pelo sorvete e pelo *turrón* ⑦

meira esquina e desça o Carrer Maria Aguilo, agitada porém organizada rua de compras. À esquerda, no alto de uma rua pequena, ergue-se o Mercat de la Unió ⑨, que passa por reformas. Ao lado situa-se um gracioso edifício, Placa de la Unió, com decoração em cerâmica art nouveau nas cores verde e branco sobre as janelas. À direita de Maria Aguilo, no número 120, funciona a loja do artista Chema Vidal ⑩, que faz reproduções dos monumentos de Poblenou, tanto existentes quanto já demolidos. Atravesse o Carrer del Taulat (o cruzamento é um pouco confuso) rumo ao Carrer del Ferrocarril e vire à esquerda para chegar na antiga Plaça del Prim ⑪. Observe as árvores de umbu, com suas raízes robustas e galhos retorcidos, e as casas baixas e de cor branca. Hoje um pouco destoante em relação à modernidade que cerca o lugar, a praça marca o verdadeiro centro de Poblenou, a partir do qual tudo cresceu. Acredita-se que entre os pescadores e operários que viviam aqui estavam muitos seguidores do movimento utópico dos icarianos, que se difundiu em meados do século 19 e pregava a criação de um mundo de "fraternidade universal". Volte para o Carrer del Taulat e vire à direita. Se quiser terminar seu percurso aqui, dobre à esquerda para chegar à estação de metrô de Poblenou. Caso prefira prosseguir, continue pela Taulat, uma faixa de jardins em meio a modernas construções residenciais. Basta um pequeno desvio até a esquina do Carrer de Ramón Turró com Espronceda para chegar a um jardim ⑫ dedicado ao filósofo e líder indiano Mahatma Gandhi, no qual se ergue uma escultura.

Volte ao Passeig del Taulat e à sua frente surgirá a construção industrial mais característica de Poblenou, a Torre de les Aigües ⑬. Entre à esquerda no Carrer de la Selva para ter acesso à base da estrutura, situada no meio da Plaça Ramón Calsina. Esta torre arredondada e feita com tijolos vermelhos mede 63m de altura e foi erguida para acumular água vinda do rio Besos, que corre perto daqui. Próximo ao topo da torre há uma estonteante escadaria de metal que dá acesso a um balcão.

Torre de les Aigües ⑬

Siga pelo Carrer de la Selva até a estação de metrô Selva del Mar, na esquina do Carrer de Pujades. Se quiser, percorra o Carrer de Llull, à esquerda. Na esquina com o Carrer de Provençals eleva-se a chaminé mais alta de Barcelona ⑭: com 65m, fazia parte da siderúrgica Macosa. Volte ao Carrer de la Selva e termine seu trajeto na estação de metrô Selva de Mar.

As incomuns árvores de umbu da Plaça del Prim ⑪

CATALUNHA

LLEIDA · ANDORRA · GIRONA
BARCELONA PROVINCE · TARRAGONA

As quatro províncias da Catalunha, e o pequeno país de Andorra, de fala catalã, são ricos em belezas naturais. Oferecem costas rochosas e montanhas, férteis planícies e litorais arenosos. A maioria dos turistas não se afasta do litoral, mas vale muito a pena se aventurar pelo interior.

Para além do alvoroço de Barcelona, a Catalunha é essencialmente uma região rural, com pequenas cidades e apenas alguns núcleos industriais. Das quatro províncias, todas levando o nome de suas principais cidades, Lleida é a maior e menos povoada. Entre seus tesouros estão as igrejas românicas do vale de Boí e o parque nacional de Aigüestortes.

Santa Maria, Ripoll

Os atrativos da província de Girona são as montanhas e o mar. Na extremidade leste dos Pirineus, abriga o mágico vale de Cerdanya, os antigos monastérios de Ripoll e Sant Joan de les Abadesses, bem como vilas medievais e uma bela capital. Seu litoral rochoso, a Costa Brava, é encantador.

A província de Barcelona tem seu próprio litoral. O Maresme, ao norte, é deteriorado pela ferrovia que corre paralela ao mar. Já o Garraf, ao sul, é mais excitante, tendo Sitges como um local altamente elegante. No interior destacam-se o Montserrat (coração espiritual da Catalunha), os vinhedos de Penedès e a cidade de Vic.

Tarragona, a província mais meridional, possui uma das antigas capitais peninsulares romanas. O relevo, menos acidentado, dá lugar a pomares de frutas e nozes e às comunidades monásticas de Poblet e Santes Creus, antes de cair em direção aos campos de arroz do Ebro. A costa também é suave, com longas praias de areia.

Árvores frutíferas em flor perto de Balaguer, na província de Lleida

◁ Pescador verifica sua rede em Cadaqués, na Costa Brava

Como Explorar a Catalunha

Faz parte da Catalunha um longo trecho dos Pirineus espanhóis, com vales verdes e floridos que escondem vilarejos pitorescos e suas igrejas românicas. O Parc Nacional d'Aigüestortes e o Vall d'Aran são os paraísos dos naturalistas, e Baqueira-Beret oferece aos esquiadores neve certa no inverno. Quem gosta do sol pode escolher entre a acidentada Costa Brava e as longas praias da Costa Daurada. Tarragona tem muitos monumentos romanos. Mais para o interior ficam os conventos de Poblet e Santes Creus e os vinhedos de Penedès.

Casas isoladas nos campos de La Seu d'Urgell

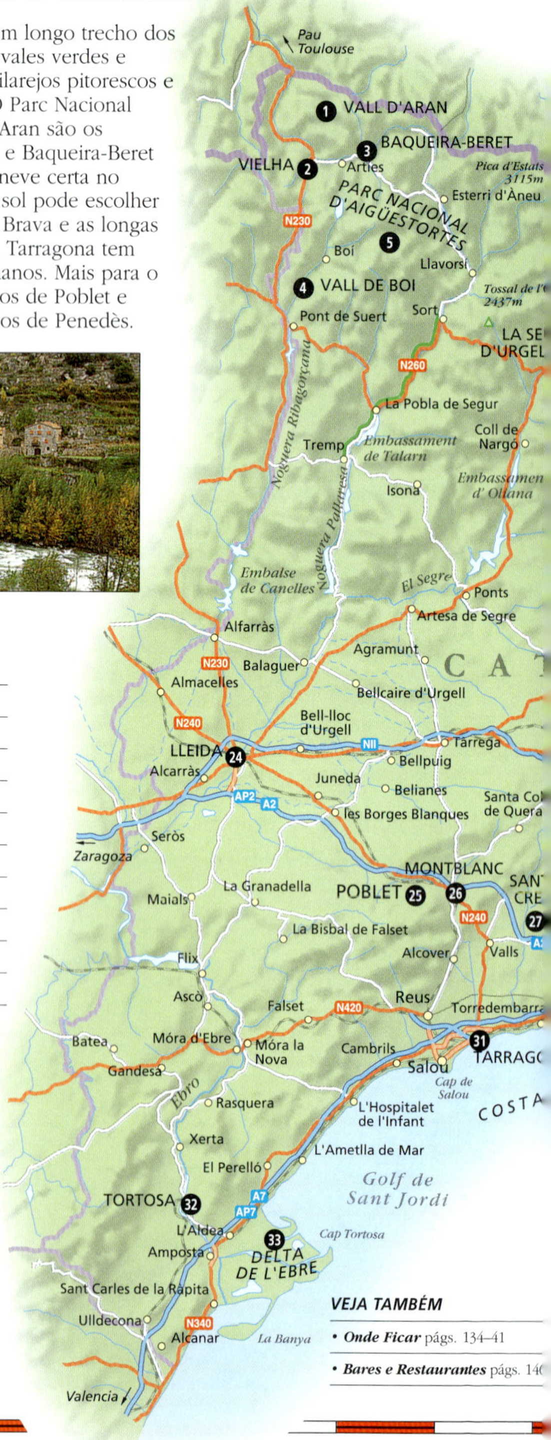

LEGENDA

- Rodovia
- Rodovia secundária
- Estrada principal
- Estrada secundária
- Percurso com paisagem
- Ferrovia principal
- Ferrovia secundária
- Fronteira internacional
- Fronteira regional
- Cume

COMO CHEGAR

A rodovia internacional que vem da França entra na Espanha em La Junquera e, a partir de Barcelona, segue a costa via Tarragona até Valência. Como a Espanha mudou recentemente os números das rodovias, alguns destes números no mapa podem não estar atualizados. Ônibus ligam a maioria das cidades. A principal ferrovia norte-sul vai pela costa de Blanes até o sul. As linhas que saem de Barcelona passam por Vic e Lleida.

VEJA TAMBÉM

- ***Onde Ficar*** págs. 134–41
- ***Bares e Restaurantes*** págs. 14

Igreja à beira-mar em Sitges

Vinhedos perto de Gandesa, a oeste de Tarragona

PRINCIPAIS ATRAÇÕES

- Andorra 6
- Baqueira-Beret 3
- Besalú 12
- Blanes 19
- Cadaqués 15
- Cardona 22
- Costa Daurada 30
- Delta de l'Ebre 33
- Empúries 16
- Figueres 14
- Girona 13
- Lleida 24
- Montblanc 26
- *Montserrat págs. 122-3* 20
- Olot 11
- Parc Nacional d'Aigüestortes 5
- Peratallada 17
- *Poblet págs. 126-7* 25
- Puigcerdà 8
- Ripoll 9
- Santes Creus 27
- Sant Joan de les Abadesses 10
- La Seu d'Urgell 7
- Sitges 29
- Solsona 23
- Tarragona 31
- Tortosa 32
- Tossa de Mar 18
- Vall d'Aran 1
- Vall de Boí 4
- Vic 21
- Vielha 2
- Vilafranca del Penedès 28

O Vall d'Aran, cercado pelos picos cobertos de neve dos Pirineus

BORBOLETAS DO VALL D'ARAN

Existe uma grande variedade de borboletas e mariposas nos vales e montanhas dos Pirineus. No isolado Vall d'Aran, em particular, encontram-se várias subespécies raras. A melhor época para ver as borboletas é entre maio e julho.

Saltadora-xadrez
(Carterocephalus palemon)

Apolo-manchado
(Parnassins mnemosyne)

Saltadora-cinzenta
(Pyrgus malvae)

Vall d'Aran ❶

Lleida N230. *Vielha.* *Vielha, 973 64 01 10.*

Este vale dos vales *–aran* também quer dizer vale– é uma bela área de 600km² de florestas e prados floridos, cercada de altas montanhas.

O Vall d'Aran é formado pelo rio Garona, que atravessa o vale e segue para a França, com o nome de Garonne. Sem estrada que o ligasse ao resto do mundo até 1924, quando uma foi construída no passo Bonaigua, o vale permanecia totalmente isolado durante o inverno. Até hoje a neve bloqueia o caminho estreito de novembro a abril, mas o acesso é possível graças ao Túnel de Vielha, que parte de El Pont de Suert.

Por estar voltado para o norte, o Vall d'Aran tem clima semelhante ao da costa atlântica. Muitas flores silvestres e borboletas raras vicejam no ambiente perfeito criado por brisa úmida e encostas sombreadas. Também florescem espécies de narciso.

Entre os vilarejos ao longo do rio Garona, erguidos em volta de igrejas românicas, destacam-se **Bossòst**, **Salardú**, **Escunhau** e **Arties**. O vale é ideal para esportes ao ar livre, como esqui, e para caminhadas.

Vielha ❷

Lleida. *2.700.* *Carrer Sarriulera 10 (973 64 01 10).* *Thu.* *Festa de Vielha (8 set), Feria de Vielha (8 out).*

Hoje uma moderna estação de esqui, a capital do Vall d'Aran conserva traços de seu passado medieval. A igreja românica de **Sant Miquel** tem campanário octogonal e um magnífico crucifixo de madeira do século 12, o *Mig Aran Christ*, a única peça que restou de uma representação da Descida da Cruz. O **Museu de la Vall d'Aran** exibe a história e o folclore do vale.

Museu de la Vall d'Aran
Carrer Major 26. ***Tel*** *973 64 18 15.* *ter-sáb 10h-13h, 17h-20h, dom 11h-14h.* *1º e 6 jan, 17 jun, 8 set, 8 out, 25 dez.*
www.aran.org

Mig Aran Christ **(século 12), igreja de Sant Miquel, Vielha**

Baqueira-Beret ❸

Lleida. 100. *Baqueira-Beret (973 63 90 10). Romería de Nostra Senyora de Montgarri (2 jul).*

Esta grande estação de esqui, uma das melhores da Espanha, é frequentada inclusive pela família real. Sempre cai boa quantidade de neve no inverno nas mais de 40 pistas, em altitudes que vão de 1.520m a 2.470m.

Baqueira e Beret eram duas cidades separadas, que se uniram depois que suas pistas de esqui se tornaram populares. Os romanos apreciavam muito suas fontes termais, que hoje em dia fazem a festa dos esquiadores cansados e doloridos.

Vall de Boí ❹

Lleida N230. *La Pobla de Segur. El Pont de Suert. Barruera (973 69 40 00).* **www**.vallboi.com

Este pequeno vale encostado ao Parc Nacional d'Aigüestortes é pontilhado de cidadezinhas erguidas em volta de igrejas românicas. Estas igrejas, dos séculos 11 e 12, distinguem-se pelos altos campanários, como o de seis andares da **Església de Santa Eulàlia**, em Erill-la-Vall.

As duas igrejas de Taüll, **Sant Climent** *(pág. 22-3)* e **Santa Maria**, têm belíssimos afrescos. São réplicas dos originais que, entre 1919 e 1923, foram removidos para o Museu Nacional d'Art de Catalunya, em Barcelona *(pág. 88)*, por questão de segurança. Pode-se subir na torre de Sant Climent, de onde se tem uma vista magnífica da região.

Outras igrejas que vale a pena visitar são as de **Coll**, com suas peças de ferro trabalhado, **Barruera** e **Durro**, que também têm um grande campanário.

No alto do vale fica **Caldes de Boí**, famosa pelas fontes termais e pistas de esqui. É também uma boa base para explorar o Parc Nacional d'Aigüestortes. A entrada do parque fica a 5km de distância.

O campanário da igreja de Sant Climent, em Taüll, no Vall de Boí

Parc Nacional d'Aigüestortes ❺

Lleida. *La Pobla de Segur. El Pont de Suert, La Pobla de Segur. Barruera (973 69 61 89).*

O cenário montanhoso do único parque nacional da Catalunha é um dos mais espetaculares oferecidos pelos Pirineus.

Criado em 1955, o parque cobre uma área de mais de 10 mil km². O nome inteiro é Parc Nacional d'Aigüestortes i Estany de Sant Maurici, tirado do lago (*estany*) Sant Maurici, ao norte, e do Aigüestortes ("águas tortas"), a oeste. A principal cidade é Espot, nas montanhas a leste do parque. A área é repleta de cachoeiras e de cerca de 150 lagos que, na era glacial, foram escavados por geleiras até chegar a profundidades de 50m e hoje exibem águas cristalinas e brilhantes.

As melhores vistas estão em volta do lago Sant Maurici, à sombra dos picos gêmeos da Serra dels Encantats (Serra dos Encantados). Daqui partem várias trilhas, a maioria ao longo dos lagos na direção norte, para os picos chamados Agulles d'Amitges. Ao sul fica o belíssimo *estany* Negre, o mais alto e mais profundo lago da região.

O começo do verão no parque é celebrado com uma explosão de rododendros rosa e vermelhos; depois é a vez dos lírios silvestres florescerem nos bosques de pinheiros, faias e bétulas.

Também há muitos animais selvagens no parque. Camurças vivem nas encostas e pradarias; castores e lontras podem ser vistos nos lagos. Águias-douradas fazem seus ninhos nas montanhas; nos bosques se encontram galos selvagens grandes e tetrazes.

Durante o verão, o parque é muito procurado por quem gosta de boas e longas caminhadas. No inverno, é o esqui do tipo *crosscountry* que faz mais sucesso.

Riacho de águas cristalinas, Parc Nacional d'Aigüestortes

LES QUATRE BARRES

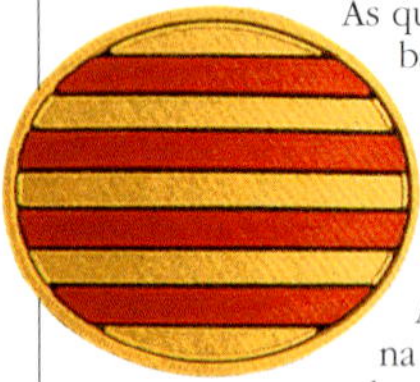

Emblema da Catalunha

As quatro listras vermelhas na *senyera*, a bandeira catalã, representam as quatro províncias: Barcelona, Girona, Lleida e Tarragona. O desenho originou-se de uma lenda a respeito de Wilfredo, o Cabeludo, primeiro conde-rei de Barcelona *(pág. 42)*. Após mudar o curso de uma batalha na qual ajudava Carlos, o Careca, rei dos francos ocidentais e neto de Carlos Magno, Wilfredo foi mortalmente ferido. Vendo-o morrer, Carlos molhou os dedos no sangue de Wilfredo e em seguida os passou em seu escudo de ouro, formando as quatro listras.

Andorra ❻

Principado de Andorra. *77.000.* *Andorra la Vella.* *Plaça de la Rotonda, Andorra la Vella (376 82 71 17).* **www**.andorra.ad

Andorra ocupa 464km² dos Pirineus, entre França e Espanha. Em 1993 tornou-se plenamente independente e realizou sua primeira eleição democrática. Mas desde 1278 era um Estado feudal autônomo submetido à jurisdição do bispo de La Seu d'Urgell, da Espanha, e do conde de Foix, da França (título adotado pelo presidente francês).

A língua oficial de Andorra é o catalão, e sua moeda, a peseta, embora também se fale francês e castelhano e o franco francês seja aceito.

Não se paga imposto sobre compras em Andorra, o que atrai muitas pessoas para as lojas e supermercados da capital, **Andorra la Vella**. Les Escaldes (perto da capital), Sant Julià de Lòria e El Pas de la Casa (próximas às fronteiras da França e Espanha) também se transformaram em centros de compras.

Poucos visitantes chegam a apreciar o charme rural de Andorra, semelhante ao de outras partes dos Pirineus. Toda a região é ótima para caminhadas. Uma das trilhas principais leva a **Cercle de Pessons**, região de lagos a leste, passando por capelas românicas como **Sant Martí**, em La Cortinada.

Ao norte fica o vale de Sorteny, com restaurantes que funcionam em antigas casas de fazenda.

La Seu d'Urgell ❼

Lleida. *13.000.* *Avenida Valles de Andorra 33 (973 35 15 11).* *ter e sáb.* *Festa major (última semana ago).* **www**.laseu.org

Esta cidade nos Pirineus se tornou um bispado no século 6°. Divergências sobre a posse de terras entre os bispos de Urgell e os condes de Foix levaram à criação de Andorra, no século 13. A **catedral** tem uma imagem românica de Santa Maria d'Urgell. O **Museu Diocesà** possui uma cópia do século 10° dos *Comentários sobre o Apocalipse* de são Beato de Liebana.

Museu Diocesà
Plaça del Deganat. ***Tel*** *973 35 32 42.* *out-mai: 12h-13h seg-sex 11h-13h sáb-dom; jun-set: 10h-13h, 14h-19h seg-sáb, 10h-13h dom.* *1° jan, 25 dez e feriados.*

Entalhe, catedral de La Seu d'Urgell

Puigcerdà ❽

Girona. *7.000.* *Carrer Querol 1, 972 88 05 42.* *dom.* *Festa de l'Estany (3° dom ago); Festa del Roser (meados jul).* **www**.puigcerda.com

Puig é colina em catalão. Embora Puigcerdà fique no topo de um morro relativamente baixo se comparado às montanhas em volta (que chegam a 2.900m), tem mesmo assim uma bela vista do vale de Cerdanya, banhado pelo piscoso rio Segre. A cidade, na fronteira com a França, foi fundada em 1177 por Afonso II como capital da região agrícola de Cerdanya, que compartilha passado e cultura com a francesa Cerdagne. O enclave espanhol de **Llívia**, atraente cidadezinha com uma farmácia medieval, fica já dentro da França, a 6km.

Cerdanya é o maior vale dos Pirineus. Em um extremo fica a reserva natural de **Cadí-Moixeró** *(pág. 170)*, habitada por gralhas-alpinas.

Portal do Monestir de Santa Maria

Ripoll ❾

Girona. *11.000.* *Plaça del Abat Oliva (972 70 23 51).* *sáb.* *Festa major (11-12 mai), La Llana y Casament a Pagès (dom após Festa Major.* **www**.elripolles.com

Antiga base militar de onde partiam ataques contra os mouros, Ripoll é mais famosa atualmente pelo **Monestir de Santa Maria** *(pág. 22)*, de 879. É considerada o berço da Catalunha, pois o convento era o centro de poder de Wilfredo, o Cabeludo, fundador da Casa de Barcelona *(pág. 42)*, que está enterrado ali. No final do século 12, o enorme portal ocidental ganhou entalhes de madeira, talvez os mais belos da Espanha no estilo românico. Retratam cenas históricas, evangélicas e bíblicas e, juntamente com o claustro, sobreviveram desde aquela época.

Arredores
Nas montanhas a oeste fica **Sant Jaume de Frontanyà** *(pág. 22)*, outra magnífica igreja românica.

Besalú, cidade medieval às margens do rio Fluvià

Sant Joan de les Abadesses ⑩

Girona. 3.800. Plaça de Abadia 9 (972 72 05 99). dom. Festa major (2ª semana set). www.santjoandelesabadesses.com

Uma bela ponte gótica sobre o rio Ter, do século 12, dá acesso a esta cidadezinha simples, cuja atração principal é o **convento de freiras**.

Fundado em 885, foi um presente de Wilfredo, primeiro conde de Barcelona, a sua filha, a primeira abadessa. O único adorno da igreja é uma representação em madeira, *A Descida da Cruz*. Esculpida em 1150, parece quase moderna –uma parte da peça, a figura de um ladrão, foi queimada na Guerra Civil, mas tão bem substituída que quase não se nota diferença. O museu tem altares barrocos e renascentistas.

Calvário do século 12, convento de Sant Joan de les Abadesses

Arredores

Ao norte ficam **Camprodon** e **Beget**, onde há igrejas românicas *(pág. 23)*. Camprodon, situada numa região famosa pelas linguiças, também tem casas imponentes.

Olot ⑪

Girona. 28.000. Carrer Hospici 8 (972 26 01 41). seg. Feria de mayo (1º mai), Corpus Christi (jun), Festa del Tura (8 set), Feria de Sant Lluc (18 out). www.olot.org/turisme

Esta pequena cidade fica no centro de uma região marcada por vulcões extintos. Mas foi um terremoto, em 1474, que destruiu seu passado medieval.

No século 18, a indústria têxtil local deu origem à "Escola Olot" de arte *(pág. 28)*, que imprimia desenhos em peças de algodão e, em 1783, foi fundada a Escola Pública de Desenho. Boa parte das obras da escola, inclusive pinturas como *Les Falgueres*, de Joaquim Vayreda, está no **Museu Comarcal de la Garrotxa**. Cariátides do escultor modernista Miquel Blay estão no nº 38 do Passeig Miquel Blay.

Museu Comarcal de la Garrotxa

Calle Hospici 8. ***Tel*** 972 27 91 30. *11h-14h, 16h-19h seg, qua-sáb, 11h-14h dom e feriados.* *1º jan, 25 dez.*

Besalú ⑫

Girona. 2.000. Plaça de la Llibertat 1 (972 59 12 40). ter. Sant Vicenç (22 jan), Festa major (fim-de-semana mais próximo de 25 set). www.ajuntamentbesalu.org

Magnífica cidade medieval à qual se chega por uma ponte fortificada sobre o rio Fluvià, Besalú tem duas belas igrejas: as românicas **Sant Vicenç** e **Sant Pere** *(pág. 23)*. Só as igrejas restaram do monastério beneditino local, fundado em 948 e derrubado em 1835.

Em 1964, uma **mikvah**, local do banho ritual judaico, foi descoberta por acaso. Construída em 1264, é uma das três únicas do período ainda existentes na Europa.

Ao sul, o lago azul de **Banyoles**, onde se realizaram as provas de remo da Olimpíada de 1992, é ideal para quem quer fazer piqueniques.

Loja de frios na cidade montanhosa de Camprodon

Girona ⓭

Girona. 75.000. *Rambla de la Llibertat 1 (972 22 65 75).* *ter, sáb.* *El Pedal (última quinzena set), Sant Narcis (29 out).*

A área mais bonita da cidade é a que fica às margens do rio Onyar, com seus prédios altos em tons pastel. Atrás deles, na cidade velha, a Rambla de la Llibertat tem lojas e cafés. Os prédios foram construídos no século 19 no ponto onde as muralhas da cidade tinham sido destruídas durante um cerco de sete meses por tropas francesas, em 1809. O restante das muralhas, obra original dos romanos, está intacto e foi transformado no Passeig Arqueològic (Passeio Arqueológico), anel que circunda a cidade.

O ponto de partida do passeio fica ao norte, perto da **Església de Sant Pere de Galligants** (São Pedro dos Cocoricós) *(pág. 23)*. A igreja exibe atualmente os tesouros arqueológicos de Girona.

Daqui uma rua estreita passa pelo portão norte, onde ainda se podem ver enormes pedras que os romanos usavam como alicerce. Elas marcam o percurso da Via Augusta, estrada que ligava Tarragona a Roma. Os católicos de Girona frequentam a **Església de Sant Feliu**. Iniciada no século 14, foi erguida sobre os túmulos de são Félix e são Narciso, padroeiros da cidade. Ao lado do altar estão oito sarcófagos romanos. Apesar do nome, os **Banys Arabs** (Banhos Árabes), iluminados por uma bela luminária octogonal, são do fim do século 12, 300 anos, portanto, após a partida dos mouros.

Casas coloridas ao longo das margens do rio Onyar, em Girona

Centre Bonastruc Ça Porta

Carrer de la Força 8. ***Tel** 972 21 67 61.* *10h-18h seg-sáb (20h jun-out), 10h-15h dom.* *1º e 6 jan, 25 e 26 dez.*

No meio do labirinto de vielas e escadarias da cidade velha fica o antigo bairro judeu de El Call. O Centre Bonastruc Ça Porta conta a história dos judeus de Girona, expulsos no fim do século 15, depois de obrigados a viver confinados em um gueto.

Catedral

O estilo da fachada ocidental da Catedral de Girona é puro barroco catalão, mas o resto da estrutura é gótico. A nave, construída em 1416 por Guillem Bofill, é a mais larga do mundo, no estilo gótico. Atrás do altar vê-se um trono de mármore conhecido por "trono de Carlos Magno", menção ao rei franco cujas tropas tomaram Girona em 785. Na capela há uma peça de altar de prata esmaltada incrustada de pedras preciosas, a mais bela da Catalunha. O museu da catedral tem quadros e imagens românicas, como a iluminura do século 10º dos *Comentários sobre o Apocalipse*, de são Beato de Liebana, e a estátua do século 14 do rei catalão Pedro, o Cerimonioso.

A peça mais famosa do acervo é uma tapeçaria dos séculos 11 e 12, *A Criação*, decorada em cores vivas e muito bem preservadas.

Tapeçaria *A Criação*

Museu d'Art
Pujada de la Catedral 12. ***Tel*** *972 20 95 36. mar-set: 10h-19h ter-sáb; out-fev: 10h-18h ter-sáb; 10h-14h dom. 1º e 6 jan, 25 e 26 dez.*
Esta galeria abriga obras que vão do período românico ao século 20. As peças vindas de igrejas destruídas por guerras ou falta de cuidado são um dos destaques.

Museu del Cinema
Carrer Sèquia 1. ***Tel*** *972 41 27 77. ter-dom. 1º e 6 jan, 25 e 26 dez.*
Perto da Església de Mercadel esta coleção inclui filmes e artefatos do século 19 até os dias de hoje.

Museu d'Història de la Ciutat
Carrer de la Força 27. ***Tel*** *972 22 22 29. ter-dom. 1º e 6 jan, 25 e 26 dez.*
O museu histórico da cidade fica em um convento do século 18. Foram preservados os nichos onde se guardavam os corpos em decomposição dos monges capuchinhos. O acervo tem objetos antigos e instrumentos para a *sardana* *(pág. 129)*.

Figueres ⓮

Girona. *35.000. Plaça del Sol (972 50 31 55). qui. Santa Creu (3 mai), Sant Pere (29 jun).*
www.figueresciutat.com

Figueres abriga o mercado da planície de Empordà. Ao lado da Rambla, encontra-se o **Museu de Joguets** (Museu de Brinquedos). O filho mais famoso da cidade é Salvador Dalí, que lá fundou o **Teatre-Museo Dalí**, em 1974.

Sob uma impressionante cúpula de vidro vêem-se trabalhos dele e de outros pintores. O museu é um monumento ao mais excêntrico artista catalão, que, muito apropriadamente, está enterrado aqui.

Arredores

A **Casa-Museu Castell Gala Dalí**, 55km ao sul de Figueres, é o castelo medieval que Dalí comprou na década de 1970. Abriga algumas pinturas de Dalí. A leste de Figueres está o monastério de **Sant Pere de Rodes** *(pág. 23)*.

***Táxi em Dia de Chuva*, no jardim do Teatro-Museu Dalí**

Museu del Joguet
C/ Sant Pere 1. ***Tel*** *972 50 45 85. jun-set: diariam; out-mai: ter-dom.* **www**.mjc-figueres.net

Teatre-Museu Dalí
Pl Gala-Salvador Dalí 5. ***Tel*** *972 67 75 00. jul-set: diariam; out-jun: ter-dom. 1º jan, 25 dez. marcar hora.* **www**.salvador-dali.org

Casa-Museu Castell Gala Dalí
C/ Gala Dalí, Púbol (La Pera). ***Tel*** *972 48 86 55. meados mar-dez: ter-dom (meados jun-meados set diariam).*

A ARTE DE DALÍ

Salvador Dalí i Domènech nasceu em Figueres, em 1904, e fez sua primeira exposição aos 15 anos. Depois de estudar na Escuela de Bellas Artes de Madri e de flertar com o cubismo, o futurismo e a pintura metafísica, o jovem artista abraçou o surrealismo, em 1929, vindo a se tornar uma das mais conhecidas figuras do movimento. Mestre da polêmica e da autopromoção, Dalí ficou famoso por suas imagens delirantes –como a *Simbiose Mulher-Animal*–, que definia como "fotos de sonhos pintadas à mão". Ao longo da carreira, Dalí também escreveu e fez filmes, destacando-se como um dos maiores artistas do século. Morreu em sua cidade natal, em 1989.

Afresco no teto da sala Palácio do Vento, Teatro-Museu Dalí

Cadaqués ⓯

Girona. *2.000.* *Carrer Cotxe 2 (972 25 83 15).* *seg.* *Fiesta major de Verano (1ª sem set), Santa Esperança (18 dez).*

Este bonito resort é dominado pela **Església de Santa María**, em estilo barroco. Nos anos 1960, era chamada de "St-Tropez espanhola", devido às legiões de jovens que queriam visitar a casa de Salvador Dalí na vizinha Portlligat. Seis meses por ano, de 1930 até sua morte, em 1989, Dalí viveu aqui.

Hoje a casa, originalmente uma cabana de pescadores, está bastante modificada, e é conhecida como a **Casa-Museu Salvador Dalí**. Gerenciada pela Fundação Gala-Salvador Dalí, o museu proporciona uma interpretação da vida do artista.

Casa-Museu Salvador Dalí
Port Lligat. **Tel** *972 25 10 15.* FAX *972 25 10 83.* *obrigatório marcar hora.* *7 jan-12 mar.* **www**.salvador-dali.org

Empúries ⓰

Girona. *L'Escala.* **Tel** *972 77 02 08.* *out-mai: 10h-18h diariam; jun-set e Páscoa: 10h-20h diariam.* *1º jan, 25 dez.* *nas ruínas.* *marcar hora* **www**.mac.es

As ruínas da cidade greco-romana *(pág. 41)* compõem um imponente sítio arqueológico à beira-mar. Três cidades-fortalezas foram erguidas no local entre os séculos 7º e 3º a.C.: a cidade velha (Palaiapolis); a nova (Neapolis); e a romana.

Coluna romana no conjunto de ruínas de Empúries

Vista da Costa Brava a partir de Tossa de Mar

A **cidade velha** foi fundada pelos gregos em 600 a.C. como porto comercial. No local encontra-se agora o vilarejo fortificado de San Martí de Empúries. Por volta de 550 a. C., o porto original foi substituído por um povoado maior, que os gregos chamaram Emporiom ("ponto de comércio"). Em 218 a.C. chegaram os romanos, que fizeram sua fortaleza perto da cidade nova.

Um museu nas proximidades das ruínas expõe alguns achados do sítio, mas os melhores hoje estão no Museu Arqueològic de Barcelona *(pág. 88)*.

Peratallada ⓱

Girona. *150.* *C/Unió 3, Ajuntament de Forallac, Vulpellac (972 64 55 22).* *Feria Peratallada (último fim-de-semana abr), Festa Major (6 e 7 ago), Mercado Medieval (primeiro fim-de-semana out).* **www**.forallac.com

Esta pequena aldeia é a mais espetacular das muitas de Costa Brava situadas mais para o interior. Junto com Pals e Palau Sator, forma o 'triângulo dourado' de aldeias medievais. Sua localização no topo da montanha fornece uma vista fantástica da área. Um labirinto de ruas de pedras conduz ao bem-conservado castelo e seu mirante, cujos registros escritos datam do século 11. Para garantir proteção contra qualquer ataque, os reis e condes de Peratallada construíram uma robusta muralha ao redor de toda a aldeia que ainda hoje limita a expansão do núcleo, garantindo que se mantenha seu caráter medieval.

Tossa de Mar ⓲

Girona. *4.000.* *Avinguda Pelegrí 25 (972 34 01 08).* *qui.* *Festa de hivern (22 jan), Festa de estiu (29 jun).* **www**.infotossa.com

Situada no fim de uma estrada tortuosa, a cidade romana de Turissa é, sem dúvida, um dos lugares mais bonitos da Costa Brava. Acima da cidade moderna fica a **Vila Vella** (cidade velha). Muralhas medievais, com três torres, cercam casas de pescadores, uma igreja do século 14 e vários bares.

O **Museu Municipal** na cidade velha tem acervo de peças arqueológicas e arte moderna.

Museu Municipal
Plaça Roig y Soler 1. **Tel** *972 34 07 09.* *diariam no verão.* *inverno: tarde seg e dom.*

Blanes ⓳

Girona. *30.000.* *Paseo de Catalunya 21 (972 33 03 48).* *seg.* *Santa Ana (26 jul); Festa Major Petita (21 ago).* **www**.blanes.net

O porto de Blanes tem uma das praias mais longas da Costa Brava. O destaque da cidade é o **Jardí Botànic Mar i Murtra**. Os jardins, projetados pelo alemão Karl Faust em 1928, ficam muito bem localizados. Há 7.000 espécies de plantas tropicais e mediterrâneas, sobretudo cactos africanos.

Jardí Botànic Mar i Murtra
Pg Karl Faust 10. **Tel** *972 33 08 26.* *diariam.* *1º e 6 jan, 24 e 25 dez.*

◁ **Ornamentos surrealistas em um dos edifícios do Teatre-Museu Dalí, em Figueres**

Costa Brava

A Costa Brava espanhola estende-se por 200km, desde Blanes, ao norte, até a região de Empordà (Ampurdán), na fronteira com a França. É uma mistura de enseadas sombreadas por pinheiros, praias douradas e balneários modernos e cheios de gente. Os principais –Lloret de Mar, Tossa de Mar e La Platja d'Aro– ficam ao sul. As cidades de Sant Feliu de Guixols e Palamós são industriais. Mais para o interior ficam vilarejos medievais, como Peralada, Peratallada e Pals. Antes de os turistas chegarem, nos anos 1960, a região vivia da pesca e da produção de vinho e azeitona.

Cadaqués, *acessível por uma estrada íngreme, mantém certo isolamento. Com seu ar "artístico" e pequenas praias de cascalho, é menos lotada e mais preservada que a maioria.*

L'Estartit *é de onde se parte para ir às Illes Medes, refúgio de piratas e, hoje, reserva marítima de águas cristalinas, ótima para mergulho.*

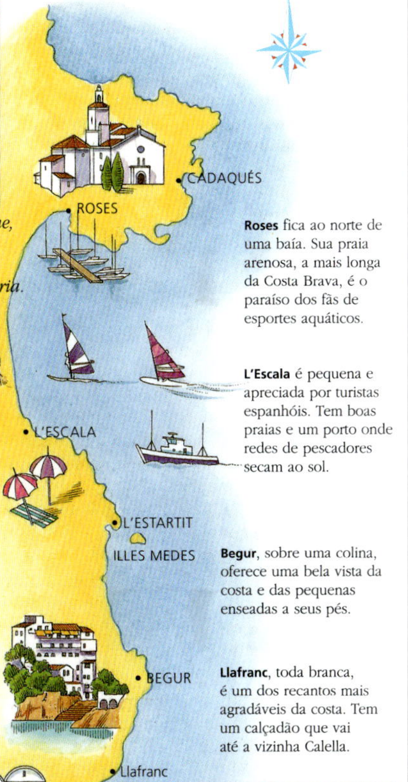

Roses fica ao norte de uma baía. Sua praia arenosa, a mais longa da Costa Brava, é o paraíso dos fãs de esportes aquáticos.

L'Escala é pequena e apreciada por turistas espanhóis. Tem boas praias e um porto onde redes de pescadores secam ao sol.

Begur, sobre uma colina, oferece uma bela vista da costa e das pequenas enseadas a seus pés.

Llafranc, toda branca, é um dos recantos mais agradáveis da costa. Tem um calçadão que vai até a vizinha Calella.

Palamós é um porto movimentado, com modernos hotéis ao sul e praias escondidas, de águas claras, ao norte.

La Platja d'Aro, com sua praia longa e arenosa repleta de hotéis modernos, é uma das cidades mais procuradas.

Tossa de Mar tem bela praia e uma pequena enseada abaixo da cidade fortificada.

Lloret de Mar *tem o maior número de hotéis da Costa Brava. Mesmo assim mantém praias bem preservadas, como a de Santa Cristina.*

Monestir de Montserrat ⓴

Monge beneditino

O Montserrat ("monte serreado"), com seu pico de 1.236m, é o magnífico cenário do lugar mais sagrado da Catalunha, o Convento de Montserrat, cercado de capelas e cavernas de eremitas. A primeira menção foi a uma capela no século 9º, o convento foi fundado no século 11 e se tornou independente de Roma em 1409. Quando os franceses atacaram a Catalunha na Guerra da Independência, em 1811 *(pág. 45)*, o convento foi destruído e seus monges, mortos. Reconstruído em 1844, foi um reduto da cultura catalã na ditadura franquista. Pertence hoje à Ordem dos Beneditinos. Na basílica os visitantes podem ouvir o Escolania cantar o *Salve Regina i Virolai* (o hino de Montserrat) todos os dias às 13h e às 19h (aos domingos às 12h e às 18h45), –menos em julho, agosto e durante o Natal.

Plaça de Santa Maria
Os destaques são duas alas do claustro gótico construído em 1477. A fachada moderna é de Françesc Folguera.

O Museu tem uma coleção de quadros catalães dos séculos 19 e 20 e obras italianas e francesas. Tem ainda em seu acervo itens litúrgicos da terra santa.

Via Crucis
O percurso passa por 14 imagens que representam o caminho de Cristo até a cruz. Começa na Plaça de l'Abat Oliba.

PONTOS ALTOS

★ Fachada da Basílica

★ Virgem Negra

Vista de Montserrat
O conjunto inclui cafés e um hotel. Um segundo funicular leva o visitante para trilhas acima do monastério.

★ Fachada da Basílica
Agapit e Venanci Vallmitjana esculpiram Cristo e os apóstolos na fachada neo-renascentista da basílica, erguida em 1900 no lugar da igreja original, consagrada em 1592.

PREPARE-SE

Montserrat (Província de Barcelona). ***Tel*** *93 877 77 77.* 🚆 *Aerí de Montserrat, depois teleférico; Monistrol-Enllaç, depois cremalheira.* 🚌 *de Barcelona.* **Basílica aberta** *out-jun: 7h30-19h30 diariam; jul-set: 7h30h-20h15 diariam* ✝ *o dia todo, a partir de 9h seg-sex, de 7h30 sáb, de 8h dom e feriados religiosos.* **Museu aberto** *10h-18h seg-sex; mar-dez: 9h30-18h30 sáb-dom e feriados.* ***Entrada paga*** **www**.abadiamonrserrat.cat

★ Virgem Negra
La Moreneta, atrás do altar, é protegida por um vidro, mas a auréola de madeira fica fora, podendo ser tocada por fiéis.

Interior da basílica
O santuário na igreja abobadada é adornado por um belíssimo altar e pinturas de artistas catalães.

A cremalheira, aberta em 2003, segue o curso de uma ferrovia histórica construída em 1880.

Terminal do funicular que parte da estação de trem Aeri de Montserrat

Pátio Interno
Em uma das laterais do pátio fica o batistério (1902), com esculturas de Carles Collet.

A VIRGEM DE MONTSERRAT

A pequena imagem de madeira de La Moreneta (a morena) é a alma de Montserrat. Os fiéis dizem que foi feita por são Lucas e levada ao local por são Pedro no ano 50. Séculos depois, conta a lenda que a imagem foi escondida dos mouros na vizinha Santa Cova, uma caverna. Estudos indicam, no entanto, que foi esculpida no século 12. Em 1881, a Virgem Negra de Montserrat se tornou padroeira da Catalunha.

A Virgem Negra de Montserrat

Vic 21

Barcelona. 32.000. *C/ Ciutat 4 (93 886 20 91). ter e sáb. Mercat del Ram (sáb antes da Páscoa), Sant Miquel (5-15 jul), Música Viva (3 dias meados set), Mercat medieval (6-10 dez).* **www**.victurisme.com

Os dias de mercado são os melhores para visitar esta pequena cidade. É quando a excelente linguiça local (*embotits*) é empilhada em bancas na Plaça Major, de estilo gótico, ao lado de outros produtos cultivados na região.

No século 3º a.C., Vic era a capital de uma tribo ibérica, os *ausetans*. Depois a cidade foi colonizada pelos romanos –ostenta até hoje as ruínas de um templo da época. No século 6º, tornou-se a sede de um bispado. No século 11, o abade Oliva encomendou a torre El Cloquer, em volta da qual a catedral foi erguida no século 18. O interior é coberto de grandes murais de Josep Maria Sert (1876-1945) *(pág. 29)*, retratando cenas bíblicas em vermelho e dourado.

Ao lado da catedral fica o **Museu Episcopal de Vic** *(pág. 23)*, que possui um dos melhores acervos de peças românicas da Catalunha. Fazem parte de suas muitas obras de arte e relíquias religiosas alguns murais alegres e simples, além de esculturas de madeira retiradas de igrejas rurais da região. Também são exibidos afrescos e belos altares dos séculos 11 e 12.

No alto da colina, Cardona domina a área ao seu redor

Museu Episcopal

Plaça Bisbe Oliba, 3. ***Tel*** *93 886 93 60. ter–dom. 1º e 6 Jan, 25 e 26 dez.*

Cardona 22

Barcelona. *6.000. Avinguda Rastrillo (93 869 27 98). dom. Carnival (fev), Festa major (2º fim de semana set).* **www**.ajcardona.org

O castelo de pedra erguido no século 13 pelos duques de Carmona, guardiões da coroa de Aragão, fica no alto de uma colina. O castelo foi reconstruído no século 18 e é atualmente um luxuoso parador *(pág. 132)*. Ao seu lado fica uma elegante igreja do século 11, a **Església de Sant Vicenç**.

Do castelo tem-se uma bela vista da cidade, logo abaixo, e da Montanya de Sal, grande mina de sal próxima ao rio Cardener explorada desde os tempos romanos.

Altar do século 12, Museu Episcopal de Vic

Solsona 23

Lleida. *7.000. Carretera de Bassella 1 (973 48 23 10). ter e sex. Carnival (fev), Sant Isidro (fim-de-semana mais próximo de 15 mai), Corpus Christi (mai-jun), Festa major (8-11 set).* **www**.elsolsonesinvita.com

Nove torres e três portões são o que resta da fortaleza de Solsona. A catedral tem linda Virgem de pedra negra. O **Museu Diocesà i Comarcal** exibe pintura românica e o **Ganivets**, uma bela coleção de facas.

Museu Diocesà i Comarcal

Plaça del Palau 1. ***Tel*** *973 48 21 01. ter-dom. 1º e 6 jan, 25 e 26 dez.*

Museu del Ganivet

Trav. Sant Josep, 9. ***Tel*** *973 48 15 69. ter-dom. 6 jan, 25 e 26 dez.*

Lleida 24

Lleida. *112.000. Plaça Ramón Berenguer IV, s/n (973 24 88 40). ter e sáb. Sant Anastasi (11 mai), Sant Miquel (29 set).* **www**.lleidatur.es

La Suda, a grande fortaleza tomada dos mouros em 1149, domina a área de Lleida (Lérida), capital da única província catalã sem acesso ao mar. A catedral, fundada em 1203, fica dentro das muralhas do forte, acima da cidade. Ela foi utilizada como quartel por Filipe V, em 1707, mas hoje está abandonada, mas mesmo assim continua imponente, com magníficos vitrais góticos.

Um elevador desce da Seu Vella à Plaça de Sant Joan, no centro movimentado ao pé da colina. Aqui estão a nova catedral e os prédios administrativos, como a prefeitura do século 13, a **Paeria**, restaurada.

Poblet ㉕

Págs.126–7.

Montblanc ㉖

Tarragona. *7.000.* *Antigua Iglesia de Sant Francesc (977 86 17 33).* *ter e sex.* *Festa major (8-11 set).*

A grandeza medieval de Montblanc permanece viva dentro de suas muralhas, consideradas a melhor amostra de arquitetura militar da Catalunha. No portão de **Sant Jordi**, são Jorge teria matado o dragão. O **Museu Comarcal de la Conca de Barberà** exibe peças de artesanato local.

Museu Comarcal de la Conca de Barberà
Carrer de Josa 6. ***Tel*** *977 86 03 49.* *ter-dom e feriados.*

Santes Creus ㉗

Tarragona. *150.* *Plaça de Sant Bernard 1 (977 63 81 41).* *sáb e dom.* *Santa Llúcia (13 dez).*

Neste pequeno vilarejo fica o mais belo do "triângulo cisterciense" de conventos. Os outros dois vértices, Vallbona de les Monges e Poblet *(págs. 108-9)*, ficam próximos. O **Monestir de Santes Creus** foi fundado em 1150 por Ramón Berenguer IV *(pág. 42)*, durante a Reconquista da Catalunha. O claustro gótico é decorado com imagens figurativas, estilo autorizado por Jaime II, que reinou de 1291 a 1327. Sua lápide está na igreja, do século 12, iluminada por uma linda rosácea.

Monestir de Santes Creus
Tel *977 63 83 29.* *ter-dom e feriados.* *1º jan, 25 dez.* *marcar hora.*

Vilafranca del Penedès ㉘

Barcelona. *35.000.* *Carrer Cort 14 (93 818 12 54).* *sáb.* *Fira de Mayo (2ª sem mai), Festa major (fim ago).*
www.turismevilafranca.com

Esta cidade movimentada localiza-se no coração da principal região vinícola da Catalunha. O **Museu del Vi** (do vinho) documenta a longa história do comércio local de vinhos. Algumas bodegas oferecem degustação.

Ao norte, a 8km, fica **Sant Sadurní**, a capital do vinho espumante ou champanhe espanhol, o *cava (págs. 32-3)*.

Museu del Vi
Plaça de Jaume I. ***Tel*** *93 890 05 82.* *ter-dom e feriados.*

Monestir de Santes Creus, em meio a álamos e aveleiras

Um *anxaneta* sobe ao topo de uma torre de *castellers*

TORRES HUMANAS

A província de Tarragona é famosa pelas festas de *castellers*, em que grupos de rapazes sobem nos ombros uns dos outros para tentar construir a mais alta torre humana *(castell)*. A configuração depende do número de homens na base. Os participantes, trajando camisas coloridas, são chamados de *els xiquets* (os rapazes), e o menino que tem de escalar a torre para, no alto, fazer o sinal da cruz é conhecido como *anxaneta*.

Os *castellers* se reúnem em competições nos maiores festivais de Tarragona, ao longo do ano. Na cidade vinícola de Vilafranca del Penedès apresentam-se no dia de sant Fèlix (30 de agosto) e em Tarragona, no de santa Tecla, na *festa major* de 23 de setembro. Equipes rivais duelam em Valls no dia de são João (24 de junho), mas lutam pelos melhores resultados no fim da temporada de torres humanas, no dia de santa Úrsula (21 de outubro), quando os times de toda a Catalunha afluem à praça central de Valls.

Monestir de Poblet ㉕

O Convento de Santa Maria de Poblet é um paraíso de tranquilidade e lugar de repouso de reis. Foi o primeiro e o mais importante dos três monastérios cistercianos, chamados de "triângulo cisterciense" *(pág. 125)*, que ajudaram a consolidar o poder na Catalunha depois de ela ter sido retomada dos mouros por Ramón Berenguer IV. Em 1835, durante a revolução carlista, a abadia foi saqueada e incendiada. A restauração das ruínas, já quase concluída, começou em 1930, e os monges voltaram em 1940.

Vista de Poblet
A abadia, circundada por muralhas que pouco mudaram desde a Idade Média, fica em um vale isolado, perto da nascente do rio Francolí.

O dormitório é acessado por uma escada que sai da igreja. A galeria de 87m de comprimento é do século 18, e metade ainda está em uso.

O refeitório, do século 13, fica em um salão abobadado, com púlpito e fonte octogonais.

Museu

Adega

Antiga cozinha

Portão real

Museu

Biblioteca
O scriptorium gótico foi convertido em biblioteca no século 17, quando a família Cardona doou sua coleção de livros.

CRONOLOGIA

Túmulos reais

- **1150** Fundado Santes Creus, terceiro do "triângulo cisterciense"
- **1150** Fundado o monastério de Poblet, por Ramón Berenguer IV
- **1156** Fundado o monastério em Valbona de les Monges
- **1196** Afonso II é o primeiro rei enterrado aqui
- **Século 14** Claustro concluído
- **1336-87** Reinado de Pedro, o Cerimonioso, que decreta Poblet panteão real
- **1479** Enterro de João II, último rei de Aragão
- **1812** Poblet profanado por tropas francesas
- **1835** Desvinculação *(pág. 45)* dos monastérios; Poblet saqueado
- **1940** Voltam os monges
- **1952** Túmulos restaurados. Voltam os restos dos reis

1100 | 1300 | 1500 | 1700 | 1900

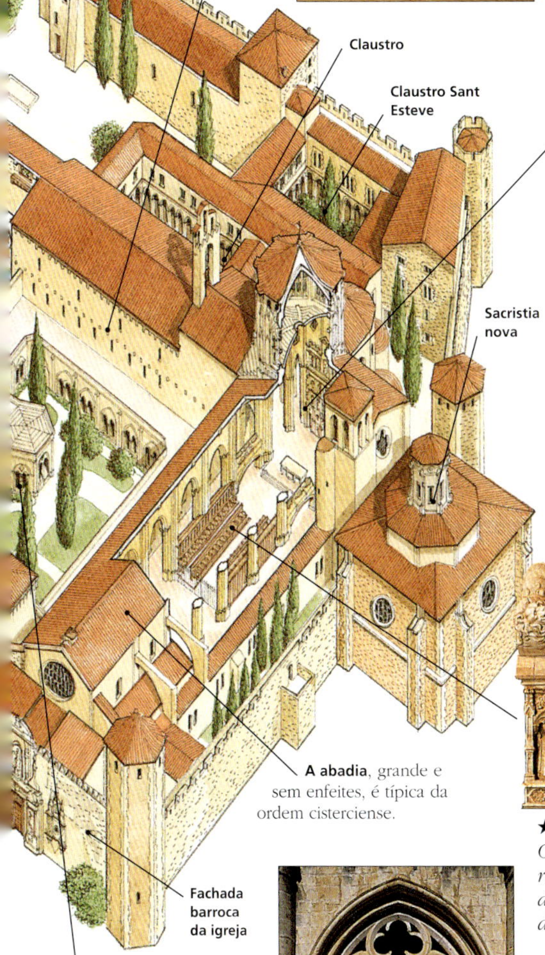

Casa Paroquial
Esta sala, um quadrado perfeito de colunas esguias, tem fileiras de bancos para os monges. No piso estão as lápides dos túmulos de 11 abades que morreram entre 1312 e 1623.

A abadia, grande e sem enfeites, é típica da ordem cisterciense.

★ Claustros
Os claustros abobadados, erguidos nos séculos 12 e 13, eram o centro da vida monástica. Os capitéis são lindamente decorados com arabescos de madeira entalhada.

PREPARE-SE

Pela N240, 10 km de Montblanc. ***Tel*** *977 87 00 89.* *L'Espluga de Francolí, depois caminhada ou táxi.* *10h-12h45, 15h-17h30 diariam (até 18h meados mar-meados out.* *1° jan, 25 e 26 dez.* *8h diariam; 10h, 13h e 18h dom e feriados.*

★ A peça do altar
Atrás do altar de pedra, apoiado em colunas românicas, um magnífico retábulo de alabastro esculpido por Damià Forment em 1527 domina a abside.

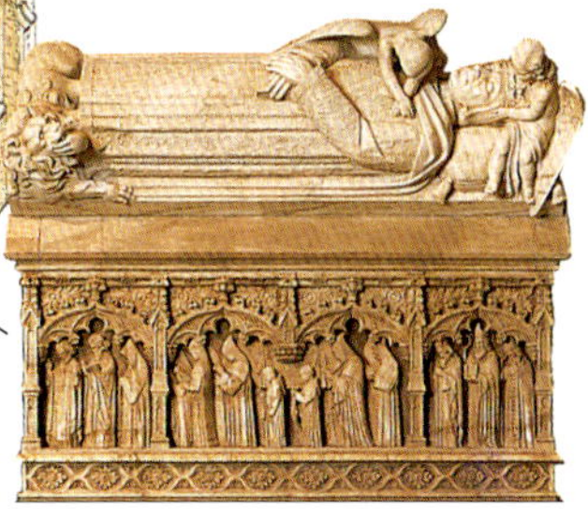

★ Túmulos Reais
Os túmulos do panteão dos reis começaram a ser construídos em 1359 e foram restaurados em 1950.

PONTOS ALTOS

★ A peça do altar

★ Túmulos reais

★ Claustros

Palmeiras enfeitam a orla de Sitges

Sitges ㉙

Barcelona. 20.000.
C/ Sínia Morera 1 (93 894 50 04).
qui (no verão). Festa major (22–27 ago), Carnival (fev/mar).
www.sitgestown.com

Sitges oferece nove praias para se escolher. Tem a fama de ser um resort gay, mas é bem popular entre os barcelonenses. Bares e restaurantes animados alinham-se na avenida principal, a Passeig Marítim, e há vários exemplos de arquitetura *modernista* espalhados entre os blocos de apartamento da década de 1970. O artista modernista Santiago Rusiñol *(pág. 29)* passou muito tempo aqui e doou sua peculiar coleção de esculturas, cerâmicas, pinturas e peças trabalhadas em ferro ao **Museu Cau Ferrat**. Perto do Sitges fica a igreja de **Sant Bartomeu i Santa Tecla**, do século 17.

Museu Cau Ferrat
Carrer Fonollar. ***Tel*** *93 894 03 64.*
ter-dom. *feriados.*

Costa Daurada ㉚

Tarragona. *Calafell, Sant Vicenç de Calders, Salou.* *Tarragona (977 23 34 15).* www.costadaurada.org

Todo o litoral da província de Tarragona é chamado de Costa Daurada. **El Vendrell** é um dos vários portos ainda em atividade na área. O **Museu Pau Casals**, em Sant Salvador (El Vendrell), é dedicado ao famoso violoncelista. **Port Aventura**, ao sul de Tarragona, é um dos maiores parques temáticos da Europa, onde se encontram atrações exóticas, como Polynesia e Wild West. **Cambrils** e **Salou**, ao sul, são os balneários mais animados –os outros são calmos, frequentados por famílias.

Museu Pau Casals
Avinguda Palfuriana 59-61.
Tel *977 68 42 76.* *ter-dom.*

Port Aventura
Autovia Salou–Vila-seca. ***Tel*** *977 77 90 00.* *meados de mar-6 jan.*

Tarragona ㉛

Tarragona. *125.000.*
Carrer Major 39 (977 25 07 95).
ter, qui e dom. *Sant Magí (19 ago), Santa Tecla (23 set).*
www.tarragonaturisme.es

Tarragona é hoje importante porto industrial e pólo petroquímico, mas preserva muitos traços de seu passado romano, quando era a capital de Tarraconensis e serviu de base para a conquista da península, iniciada no século 3º *(pág. 41)*.

A avenida Rambla Nova acaba de repente no topo do penhasco Balcó de Europa, de onde se vêem as ruínas do **Anfiteatro Romano**. Dentro delas ficam os restos de uma igreja do século 12, **Santa Maria del Miracle**.

Perto daqui está Praetorium, torre romana convertida em palácio na Idade Média. Atualmente é sede do **Pretori i Circ Romans**, que exibe objetos romanos e medievais e dá acesso aos cavernosos corredores de uma arena romana do século 1º. Ao lado do Praetorium, o **Museu Nacional Arqueològic** exibe o principal acervo de artefatos romanos da Catalunha –objetos de bronze, bustos de pedra e belos mosaicos, entre eles a *Cabeça da Medusa*.

Ruínas do anfiteatro romano, Tarragona

Entre as ruínas de maior destaque estão as enormes pedras pré-romanas –a muralha romana foi construída sobre elas. Um passeio arqueológico percorre 1km das muralhas e suas torres.

Logo atrás fica a **catedral** do século 12, erguida onde havia um templo romano dedicado a Júpiter. A estrutura foi ampliada ao longo do tempo, como se nota pela mistura de estilos na fachada. Dentro da catedral há uma imagem de alabastro de santa Tecla, que foi esculpida por Pere Joan, em 1434. O claustro do século 13 tem abóbadas góticas, embora toda a entrada seja românica *(pág. 22-3)*.

Ruínas do Palaeo, o cemitério cristão

A oeste da cidade há um cemitério cristão do século 6º. Você pode se informar sobre os horários de visita no Museu Arqueológico. Alguns dos sarcófagos foram originalmente túmulos pagãos.

Arredores

O **Aqüeducte de les Ferreres**, fica perto da cidade e da rodovia A7. O aqueduto foi construído no século 2º para abastecer a cidade com água do rio Gaià, 30km ao norte. O **Arc de Barà**, arco triunfal do século 1º, na Via Augusta, fica 20km a nordeste, na rodovia N340.

Mais para o interior de Tarragona fica a agitada cidade de **Reus**. Pode-se ver aqui exemplos de bela arquitetura modernista, em especial alguns primeiros trabalhos de Antoni Gaudí, que nasceu em Reus. O Pere Mata Psychiatric Institute foi projetado por Domènech i Montaner antes de sua obra-prima, o Hospital de la Santa Creu i de Sant Pau *(pág. 73)*.

Museu Nacional Arqueològic de Tarragona
Plaça del Rei 5. *Tel 977 23 62 09.* *ter-dom.* www.mnat.es

Pretori i Circ Romans
Plaça del Rei. ***Tel** 977 24 19 52.* *ter-dom.*

Tortosa ㉜

Tarragona. *30.000.* *Plaça Carrilet, 1 (977 44 96 48).* *seg* *Nostra Senyora de la Cinta (1ª semana set).* **www**.tortosa.cat

Os restos de um castelo e a muralha medieval são indicações da importância histórica de Tortosa. No ponto mais raso do rio Ebre (Ebro), tem importância estratégica desde os tempos ibéricos. Os mouros ocuparam a cidade do século 8º até 1148. O velho castelo mourisco, La Suda, é tudo o que resta da antiga fortaleza. Foi restaurado como um parador *(pág. 141)*. Os mouros também fizeram uma mesquita, em 914. Seus alicerces foram aproveitados na atual catedral, que começou a ser erguida em 1347. Embora só tenha sido concluída dois séculos depois, o estilo é puro gótico. Tortosa foi muito danificada em 1938-39, em uma das piores batalhas da Guerra Civil *(pág. 47)*, quando o Ebro se tornou uma frente de guerra entre as forças adversárias.

Delta de L'Ebre ㉝

Tarragona. *Aldea.* *Deltebre, Aldea.* *Deltebre (977 48 96 79).* **www**.ebre.com/delta

O delta do rio Ebro é uma próspera região de cultivo de arroz e tem uma reserva natural de cerca de 70km², o **Parc Natural del Delta de l'Ebre**. Em Deltebre há um centro de informações e o interessante **Eco-Museu**, com um aquário repleto de peixes do delta.

As principais cidades são **Amposta** e **Sant Carles de la Ràpita**, ambas bons pontos de partida para quem pretende explorar a reserva.

Os melhores pontos de observação da vida selvagem estão ao longo das margens do rio, de Punta del Fangar, ao norte, a Punta de la Banya, ao sul. Chega-se de carro a todos os pontos, menos à Illa de Byda. Nesta ilha, flamingos fazem ninhos, da mesma forma que outros pássaros aquáticos, como as garças. Eles podem ser observados dos barcos turísticos que partem de Riumar e Deltebre.

Eco-Museu
Carrer Martí Buera 22. ***Tel** 977 4896 79.* *diariam.*

SARDANA

A dança nacional da Catalunha é mais complicada do que parece. Os participantes têm que formar um círculo e precisam contar com precisão os difíceis passos e pulos longos e curtos. A música fica a cargo da *cobla*, banda de 11 integrantes, em que o regente toca flauta de três furos *(flabiol)* e um pequeno tambor *(tubal)*, cinco tocam instrumentos de sopro e os outros cinco, metais. Dança-se a *sardana* na maioria das *festes* locais e em eventos especiais de um dia, os *aplecs*. Em Barcelona, ela é executada aos sábados às 18h em frente à catedral e geralmente aos domingos, na Plaça de Sant Jaume às 18h.

Escultura de pedra de um grupo dançando a *sardana*

INDICAÇÕES AO TURISTA

ONDE FICAR

A Catalunha oferece muitas opções de hospedagem. As autoridades de turismo de Barcelona e da Catalunha têm listas completas de hotéis, casas no campo e campings e informam sobre outras opções. Em Barcelona, você pode ficar no maior arranha-céu da Espanha e, no litoral, hospedar-se numa vila de férias, onde o próprio turista cozinha e tem todos os tipos de esporte e entretenimento à disposição. As *cases de pagès*, casas de campo ou de fazenda feitas de pedra, administradas por famílias locais, representam uma das excelentes alternativas da Catalunha. Veja os melhores hotéis e as faixas de preço nas *págs. 134-41.*

Placa de um hotel cinco-estrelas

Fachada do Hotel Lloret na Rambla de Canaletes, em Barcelona

CLASSIFICAÇÃO DOS HOTÉIS E INSTALAÇÕES

Os diversos tipos de hotel na Catalunha têm placas azuis de identificação junto à porta, com a classificação segundo o número de estrelas e o padrão das instalações disponíveis (mais do que a qualidade do serviço). *Hotels* (H) e *hotel-residències* (HR) têm de uma a cinco estrelas; *motels* (M), *hostals* (H) e *hostal-residències* (HR), de uma a três estrelas; e *pensions* (P), as mais simples, uma ou duas estrelas. Hotéis, *hostals, pensions* e motéis oferecem restaurantes de livre frequência. *Hotel-residències* e *hostal-residències* não servem refeições, mas alguns incluem o café-da-manhã.

PREÇOS E PAGAMENTO

A lei espanhola exige que os hotéis exibam seus preços na recepção e nos quartos. Em geral, quanto mais estrelas, mais alto o preço. Os valores são quase sempre por quarto (mas as refeições são cobradas por pessoa). Um quarto de casal num *hostal* uma-estrela pode custar 18 euros, e num cinco-estrelas, mais de 150 euros. Os preços variam de região para região, conforme a estação, o dia da semana ou a presença de algo especial, como uma vista ou sacada. Os preços nas *págs. 134-41* se baseiam nos valores de meia ou alta estação. Preços de quartos e refeições não incluem o imposto (IVA), que geralmente é de 7%.

RESERVAS E CHECK-IN

Os hotéis em Barcelona podem lotar durante as muitas feiras realizadas ao longo do ano, por isso é bom reservar. Fora da estação, na Catalunha rural, raramente é preciso fazer reserva, mas se você quer um quarto na alta estação ou num hotel em particular deve se antecipar. Balneários na Costa Brava fecham entre o outono e a primavera. Na quente Costa Daurada, o período de recesso no inverno é menor. Não é usual cobrar depósito ao se reservar um quarto. Mas pode ser exigido um depósito de 20% ou 25% nos períodos de pico, ou por uma estada mais longa. Você pode perder tudo ou parte disso se cancelar a reserva com menos de uma semana de antecedência. Em geral os hotéis honram a reserva só até as 20 horas. Se atrasar a entrada, ligue dizendo a que horas vai chegar. No check-in será pedido seu passaporte ou a identidade, para atender às exigências da polícia. Os documentos serão devolvidos depois que os dados forem copiados.

PARADORS

Existem sete *paradors* na Catalunha –em Aiguablava, Artíes, Cardona, Seu de Urgell, Vic, Vielha e Tortosa. Eles integram a cadeia de hotéis de alto nível do governo espanhol, instalados em edifícios históricos ou construídos especialmente para essa finalidade, com localizações espetaculares. As reservas para os *paradors* podem ser feitas diretamente na **Central de Reservas**, em Madri.

O espaçoso e confortável interior do parador de Vic

◁ Mercado de Natal em frente à catedral, em Barcelona

Arquitetura sólida, de pedra, típica das velhas casas rurais catalãs

ACOMODAÇÕES RURAIS

Cases de pagès são casas rurais catalãs *(masies)* que aceitam hóspedes. Algumas dão só café-da-manhã, outras oferecem jantar ou refeições completas. Procure nos serviços de turismo o *Guia residències-casa de pagès*, da Generalitat de Catalunya. Pode-se reservar diretamente ou por meio da **Turisverd**. A **Associació Fondes de Catalunya** é um grupo de *cases fonda* (hotéis simples no campo, com cozinha regional). Eles fecham por duas semanas em agosto. Por isso, se for viajar nesse mês, faça reserva antecipada. A **Xarxa d'Albergs de Catalunya** gerencia pousadas para jovens e atende também adultos e famílias, e a **Federació d'Entitats Excursionistes de Catalunya** oferece pousadas na montanha para excursionistas.

AUTO-SERVIÇO

Villas e apartamentos alugados por semana são comuns na Costa Daurada e na Costa Brava. *Aparthotels* e *residències apartament* são um novo tipo de acomodação com auto-serviço. Eles podem ser de uma a quatro estrelas, e cada um tem sua cozinha, mas o complexo possui restaurante e, às vezes, piscina e outras instalações. Os escritórios de turismo da Generalitat de Catalunya *(pág. 174)* ou os agentes de viagem podem dar detalhes sobre todos os tipos de *villas* e apartamentos. As *ciutats de vacances*, como Cala Montjoi ou o Club-Hotel Giverola na Costa Brava, são similares, mas têm chalés e opções de esporte e lazer. Muitas *cases de pagès* operam com auto-serviço.

LOCAIS PARA ACAMPAR

A Catalunha possui mais de 300 campings, dos mais luxuosos até os rurais, bastante simples. Além do básico, todos os campings oferecem guardas e um cofre. Os escritórios de turismo fornecem o *Catalunya Càmpings*, publicado pela Generalitat *(pág. 174)*.

Muitos campings próximos a Barcelona formam a **Associació de Càmpings de Barcelona** (que fica fechada durante três semanas em agosto). A carteira do clube de camping local substitui o passaporte na hora de fazer o check-in e ainda cobre o seguro de terceiros. Só é permitido acampar em campings oficiais.

Sinal para área de camping

DEFICIENTES FÍSICOS

Poucos hotéis estão equipados para receber hóspedes portadores de deficiência física. Algumas pousadas para jovens dispõem desse tipo de estrutura. A **Federació ECOM** e a Viajes 2000 *(pág. 143)* informam sobre os hotéis existentes.

AGENDA

PARADORS

Central de Reservas
Calle Requena 3, 28013 Madrid.
Tel *90 254 79 79.*
Fax *90 252 54 32.*
www.parador.es

ALBERGUES DA JUVENTUDE

Associação de Albergues da Juventude
R. 7 de Abril, 386, 2° andar/ cj. 23, São Paulo, SP.
Tel *11 3258-0388.*

R. Assembléia, 10, sala 1616, Rio de Janeiro, RJ.
Tel *21 2531-2234.*

Federação Brasileira de Albergues da Juventude
R. Gal. Dionísio, 63, Rio de Janeiro, RJ.
Tel *21 2286-0303.*

ACOMODAÇÕES RURAIS

Associació Fondes de Catalunya
Ramón Turró 63–65, 2 08005 Barcelona.
Tel 902 314 249.
Fax 93 300 16 58.
www.casafonda.com

Federació d'Entitats Excursionistes de Catalunya
La Rambla 41, 1er, 08002 Barcelona.
Tel *93 412 07 77.*
Fax *93 412 63 53.*
www.feec.org

Turisverd
Plaça Sant Josep Oriol 4, 08002 Barcelona.
Tel *93 412 69 84.*
www.turisverd.com

Xarxa d'Albergs de Catalunya
Carrer Rocafort 116–122, 08015 Barcelona.
Tel *93 483 83 41.*
Fax *93 483 83 47.*
www.tujuca.com

CAMPING

Associació de Càmpings de Barcelona
Gran Via Corts Catalanes 608, 3ª, 08007 Barcelona.
Tel *93 412 59 55.*
Fax *93 302 13 36.*
www.campingsbcn.com

DEFICIENTES FÍSICOS

Federació ECOM
Gran Via de les Corts Catalanes 562, principal, 2a, 08011 Barcelona.
Tel 93 451 55 50.
Tel 93 451 69 04.
www.ecom.es

ESCRITÓRIOS DE TURISMO

Brasil
Rua Zequinha de Abreu, 78, Pacaembu, São Paulo, SP.
CEP 01250-050
Tel *11 3675-2000*

Como escolher um hotel

Os hotéis aqui indicados foram escolhidos, dentro de suas respectivas faixas de preço, por suas instalações, localização ou estilo. O quadro lista primeiro os hotéis em Barcelona, por área, e depois os estabelecimentos no resto da Catalunha. Os nomes seguem a ordem alfabética, dentro da mesma categoria de preço.

CATEGORIAS DE PREÇO
Para apartamento padrão de casal, por noite, com impostos, café-da-manhã e serviços.

€ até 75 euros
€€ 75–125 euros
€€€ 125–200 euros
€€€€ 200–275 euros
€€€€€ acima de 275 euros

CIDADE VELHA

Fontanella — €

Via Laietana 71, 2nd, 08002 ***Tel*** *93 317 59 43* ***Fax*** *93 317 59 43 Quartos: 11* ***Mapa*** *5 B1*

Neste *hostal simples* e familiar, os proprietários se desdobram para fazer o hóspede se sentir em casa. O elevador, antigo e charmoso, dá num saguão repleto de quinquilharias. Os quartos são básicos e acolhedores. Quartos triplos e quádruplos também estão disponíveis. **www.hostalfontanella.com**

Gat Raval — €

Carrer de Joaquín Costa 44, 08001 ***Tel*** *93 481 66 70* ***Fax*** *93 342 66 97 Quartos: 24* ***Mapa*** *2 F1*

Um *hostal* novo e atraente, pintado de verde e branco brilhante, com excelente custo/benefício e situado no coração da transada região de El Raval. Na decoração, enormes fotos de cenas de Barcelona. Os quartos são simples e modernos, e o hotel oferece acesso à internet para os hóspedes. **www.gataccommodation.com**

Hostal d'Avinyó — €

Carrer de Avinyo 42, 08002 ***Tel*** *93 318 79 45* ***Fax*** *93 318 68 93 Quartos: 28* ***Mapa*** *5 A3*

Este hotel simples tem localização central, perto de Port Vell, La Rambla e Museu Picasso. E o melhor de tudo: fica numa das mais animadas ruas de compras da Cidade Velha, tendo ao redor butiques *fashion* e bares e restaurantes da moda. Quartos básicos e limpos. Melhor custo/benefício na baixa estação. **www.hostalavinyo.com**

Hostería Grau — €

Carrer de Ramalleres 27, 08001 ***Tel*** *93 301 81 35* ***Fax*** *93 317 68 25 Quartos: 27* ***Mapa*** *2*

Perto do Museu de Arte Contemporânea (MACBA) e do agito noturno de El Raval, este pequeno hostal é muito agradável. Os quartos são decorados com simplicidade, e alguns deles são suítes. A *hostería* também aluga apartamentos, uma boa opção para famílias ou para longos períodos de hospedagem. **www.hostalgrau.com**

Pensión Francia — €

Carrer de Rera Palau 4, 08003 ***Tel*** *93 319 03 76 Quartos: 14* ***Mapa*** *5 B3*

Bem no coração da região de El Born, com seu ativo comércio e animada vida noturna, a Francia oferece quartos básicos, mas impecavelmente limpos. Todos têm TV, mas somente alguns contam com banheiros compartilhados. Um local tranqüilo para apreciar a vista do Passeig del Palau. Possui, ainda, uma agradável área de convivência.

España — €€

Carrer de Sant Pau 9–11, 08001 ***Tel*** *93 318 17 58* ***Fax*** *93 317 11 34 Quartos: 80* ***Mapa*** *2 F3*

Lluís Domènech i Montaner, talentoso arquiteto modernista, projetou este hotel, inclusive o maravilhoso mural de sereias da sala de jantar. Os quartos modernos, porém, não correspondem às expectativas despertadas pelo belíssimo saguão, com sua lareira e seus magníficos trabalhos em madeira. **www.hotelespanya.com**

Jardí — €€

Plaça Sant Josep Oriol 1, 08002 ***Tel*** *93 301 59 00* ***Fax*** *93 342 57 33 Quartos: 42* ***Mapa*** *5 A2*

Hostal concorrido, com vista para uma bela praça no coração do Barrí Gotic. Alguns quartos foram reformados e dão para a praça e para a bonita igreja de Santa María del Pi, construída em estilo gótico. As outras acomodações não propiciam essa atmosfera, mas são mais baratas. Boa opção de hospedagem para boêmios.

Lloret — €€

Rambla de Canaletes 125, 08002 ***Tel*** *93 317 33 66* ***Fax*** *93 301 92 83 Quartos: 58* ***Mapa*** *5 A1*

Em plena La Rambla e perto da Plaça de Catalunya, este hotel funcional tem excelente localização mas poucos atrativos. O saguão é charmoso, enquanto os quartos parecem um tanto antiquados. Os melhores têm sacadas que dão para a animação da avenida abaixo, mas são afetados pelo barulho do tráfego. **www.hlloret.com**

Metropol — €€

Carrer Ample 31, 08002 ***Tel*** *93 310 51 00* ***Fax*** *93 319 12 76 Quartos: 71* ***Mapa*** *5 A3*

Gracioso hotel do século 19, o Metropol foi totalmente reformado mas preservou um pouco do antigo charme. Situa-se numa calma rua do Barri Gòtic e os quartos da frente, muitos com sacada, são modernos e claros, enquanto os do fundo podem ser um tanto sombrios. **www.hesperia-metropol.com**

Legenda dos símbolos *orelha da quarta capa*

Nouvel €€
Carrer de Santa Anna 18–20, 08002 ***Tel*** *93 301 82 74* ***Fax*** *93 301 83 70 Quartos: 54* ***Mapa*** *5 A1*

Situada numa pequena rua de compras perto de La Rambla e da Plaça de Catalunya, este hotel em estilo antigo tem decoração e mobília de bom gosto. Os melhores quartos incluem balcões de estilo modernista. Além do gracioso saguão, o destaque é a área de convivência com candelabros ao estilo dos anos 1920. **www.hotelnouvel.com**

Peninsular €€
Carrer de Sant Pau 34, 08001 ***Tel*** *93 302 31 38* ***Fax*** *93 412 36 99 Quartos: 59* ***Mapa*** *2 F3*

Quartos muito simples, e de bom preço, neste antigo convento carmelita. Próximo de La Rambla, atrás da ópera do Liceu, seu charme reside no pátio luminoso e cheio de plantas, além do atendimento simpático. O café-da-manhã é servido numa antiga sala de jantar, de pé-direito alto. Não tem restaurante.

Pensió 2000 €€
Carrer de Sant Pere més Alt, 6, 1° andar, 08003 ***Tel*** *93 310 7466* ***Fax*** *93 319 42 52 Quartos: 7* ***Mapa*** *5 B1*

Este pequeno e acolhedor *hostal* tem ótima localização, com vista para o Palau de la Música. Os aconchegantes quartos, alguns com banheiro compartilhado, oferecem ampla e confortável sala equipada com TV. Também oferece quartos triplos e quádruplos. **www.pensio2000.com**

HCC Montblanc €€€
Via Laietana 61, 08003 ***Tel*** *93 343 55 55* ***Fax*** *93 343 55 58 Quartos: 157* ***Mapa*** *5 B2*

Hotel moderno que oferece quartos amplos, com decoração moderna e boa estrutura para os hóspedes, como conexão à internet. Conta ainda com terraço com vistas magníficas, pequena piscina (apenas no verão), sala de ginástica e bom restaurante. Por causa do local barulhento, os quartos são à prova de som. **www.hcchotels.es**

Jazz Hotel €€€
Carrer Pelai 3, 08001 ***Tel*** *93 552 96 96* ***Fax*** *93 552 96 97 Quartos: 108* ***Mapa*** *5 A1*

Vistoso hotel ultramoderno situado próximo à Plaça de Catalunya, oferece estrutura acima da média para um hotel desta categoria. Destaque para piscina com deck situada no terraço e para a decoração elegante, com tecidos e móveis contemporâneos, que diferenciam os quartos à prova de som. **www.hoteljazzbarcelona.com**

Mesón de Castilla €€€
Carrer de Valdonzella 5, 08001 ***Tel*** *93 318 21 82* ***Fax*** *93 412 40 20 Quartos: 57* ***Mapa*** *2 F1*

Um hotel confortável, mas de estilo antigo, em prédio com fachada modernista. Fica perto do Museu de Arte Contemporânea (MACBA) na boêmia região de El Raval. Quartos simples, embora a mobília pintada à mão tenha lá o seu charme. O lugar é tranquilo e há acomodações para famílias. **www.mesoncastilla.com**

Montecarlo €€€
La Rambla 124, 08002 ***Tel*** *93 412 04 04* ***Fax*** *93 318 73 23 Quartos: 55* ***Mapa*** *5 A2*

Este magnífico hotel situado em plena La Rambla está instalado num antigo palácio do século 19. O saguão impressiona pelo mármore e pelos tons dourados, mas os quartos são modernos e bonitos. O atendimento é especialmente cortês. Recomenda-se fazer a reserva pelo *website*. **www.montecarlobcn.com**

Oriente €€€
La Rambla 45–7, 08002 ***Tel*** *93 302 25 58* ***Fax*** *93 412 38 19 Quartos: 142* ***Mapa*** *2 F1*

Um ex-mosteiro franciscano funciona como romântico cenário para o hotel Oriente, reformado há pouco. O antigo claustro acomoda um magnífico salão de baile com colunas douradas. Os quartos são modernos, com tecidos em tons naturais e móveis de madeira. Os melhores (e mais ruidosos) quartos dão para La Rambla. **www.hotelhusaoriente.com**

Park Hotel €€€
Carrer de Marquès de l'Argentera 11, 08003 ***Tel*** *93 319 60 00* ***Fax*** *93 318 45 19 Quartos: 91* ***Mapa*** *5 C3*

Jóia arquitetônica, projetada por Antonio Moragas em 1951 e bem preservada pela reforma feita por seu filho, em 1990. O destaque é a elegante escada helicoidal. Quartos pequenos mas decorados com inteligência –os melhores possuem sacadas. O Abac, restaurante do hotel, é estupendo. **www.parkhotelbarcelona.com**

San Agustín €€€
Plaça de Sant Agustí 3, 08001 ***Tel*** *93 318 16 58* ***Fax*** *93 317 29 28 Quartos: 75* ***Mapa*** *2 F3*

Um dos hotéis mais antigos da cidade, o San Agustín está em frente a uma bela praça. Quartos modernos e com decoração simples, mas os situados no sótão têm charmosas vigas de madeira e oferece vistas magníficas para a praça. Este animado bairro reúne galerias de arte e bons restaurantes. **www.hotelsa.com**

Colón €€€€
Avinguda de la Catedral 7, 08002 ***Tel*** *93 301 14 04* ***Fax*** *93 317 29 15 Quartos: 145* ***Mapa*** *5 B2*

Este hotel tradicional destaca-se pela excelente localização, em frente à Catedral de Barcelona. Os melhores quartos oferecem balcões com vista para a praça, dos quais os hóspedes podem observar a *sardana*, dança típica catalã, apresentada nas manhãs de domingo na Plaça de la Catedral. Há duas salas de reunião. **www.hotelcolon.es**

Arts €€€€€
Carrer de Marina 19–21, 08005 ***Tel*** *93 221 10 00* ***Fax*** *93 221 10 70 Quartos: 455* ***Mapa*** *6 E4*

Situado num edifício alto com vista para o Port Olímpic, o Arts é um dos hotéis mais luxuosos e glamurosos da Europa. Dos quartos imensos se tem vistas espetaculares e não faltam comodidades contemporâneas. Suítes magníficas nos andares superiores –para quem pode pagar. **www.hotelartsbarcelona.com**

Le Méridien €€€€€

La Rambla 111, 08002 ***Tel*** *93 318 62 00* ***Fax*** *93 301 77 76 Quartos: 233* ***Mapa*** *5 A1*

Reformado recentemente, este elegante hotel situado em La Rambla tem entre seus hóspedes astros de cinema e cantores que se apresentam na ópera do Liceu, perto daqui. Quartos bem decorados e todo tipo de comodidade para quem viaja a trabalho. O destaque é a extravagante suíte presidencial. **www.lemeridien-barcelona.com**

Neri €€€€€

Carrer de Sant Sever 5, 08002 ***Tel*** *93 304 06 55* ***Fax*** *93 304 03 37 Quartos: 22* ***Mapa*** *5 A2*

Gracioso hotel, que combina traços arquitetônicos da construção original, um palácio do século 18, com detalhes contemporâneos. Quartos arejados e elegantes e um maravilhoso terraço no último andar, do qual se tem vistas para a Catedral de Barcelona. O restaurante, muito bom, serve comida mediterrânea. **www.hotelneri.com**

EIXAMPLE

Hostal Ciudad Condal €€

Carrer de Mallorca 255, 08008 ***Tel*** *93 215 10 40* ***Fax*** *93 487 04 59 Quartos: 15* ***Mapa*** *3 A4*

Modesto *hostal* situado em edifício modernista, numa das ruas mais elegantes do Eixample. Ar-condicionado e minibar em todos os quartos, mas os situados no fundo, no segundo andar, são mais tranqüilos do que os mais próximos da rua. Não serve café-da-manhã. **www.hostalciudadcondal.com**

Hostal Palacios €€

Rambla Catalunya 27, 1st, 08007 ***Tel*** *93 301 3079* ***Fax*** *93 301 3792 Quartos: 11* ***Mapa*** *3 A3*

Simpático *hostal* numa maravilhosa construção modernista. Muitas características originais, como as portas entalhadas e os ladrilhos coloridos, ainda permanecem e complementam com bom gosto os modernos banheiros. O piano do saguão está à disposição dos hóspedes. **www.hostalpalacios.com**

Hotel Paseo de Gràcia €€

Passeig de Gràcia 102, 08008 ***Tel*** *93 215 58 24* ***Fax*** *93 215 37 24 Quartos: 33* ***Mapa*** *3 B3*

São poucas as opções em conta no badalado bairro de Eixample, mas este hotel modesto é uma boa escolha. A localização, no bulevar mais badalado da cidade e perto das principais obras de Gaudí, é fabulosa. Alguns dos quartos dão vista para a Plaça de Catalunya.

Actual €€€

Carrer Rosselló 238, 08008 ***Tel*** *93 552 05 50* ***Fax*** *93 552 05 55 Quartos:* ***Mapa*** *3 B3*

Este hotel elegante e moderno apresenta decoração em estilo minimalista. Tem magnífica localização, no mesmo quarteirão de La Pedrera, de Gaudí, e bem perto das sofisticadas lojas do Passeig de Gràcia. Como muitos outros hotéis da área, volta-se para quem viaja a trabalho: diárias mais baratas no fim-de-semana. **www.hotelactual.com**

Catalunya Plaza €€€

Plaça de Catalunya 7, 08002 ***Tel*** *93 317 71 71* ***Fax*** *93 317 78 55 Quartos: 46* ***Mapa*** *5 A1*

Confiável hotel de rede situado no centro da cidade, muito procurado por quem viaja a negócios. O edifício do século 19 tem amplas salas de estar decoradas com afrescos. Quartos graciosos e destaque para o atendimento cortês e bastante prestativo. **www.hotelcatalunyaplaza.com**

Gran Via €€€

Gran Via de les Corts Catalanes 642, 08010 ***Tel*** *93 318 19 00* ***Fax*** *93 318 99 97 Quartos: 53* ***Mapa*** *3 B5*

Um edifício do século 19 abriga este hotel, com ares de grandiosidade. Situa-se ao norte da Plaça de Catalunya, perto do Passeig de Gràcia. Quartos espaçosos e belo piso de madeira, com móveis ao estilo antigo. O melhor de tudo está nos jardins e no terraço, verdadeiros oásis no coração da cidade. **www.nnhotels.com**

Axel €€€€

Carrer Aribau 33, 08011 ***Tel*** *93 323 93 93* ***Fax*** *93 323 93 94 Quartos: 66*

Este é o melhor hotel gay de Barcelona, classificado com quatro estrelas e dono de excelentes instalações. Quartos despojados e modernos, magnífico bar no terraço e estrutura para quem viaja a negócios na pequena biblioteca. Oferece, ainda, piscina e bom restaurante com show de *drag queens*. **www.hotelaxel.com**

Hispanos Siete Suiza €€€€

Carrer Sicilia 255, 08025 ***Tel*** *93 208 20 51* ***Fax*** *93 208 20 52 Quartos: 19* ***Mapa*** *4 D3*

Situado em magnífica localização, próximo à Sagrada Família, de Gaudí. Os 18 apartamentos e a única suíte têm decoração tradicional. O lucro deste *aparthotel* reverte para a fundação Dr. Melchor Colet, de pesquisa do câncer. A fundação tem um acervo de carros antigos, aberto à visitação. **www.barcelona19apartments.com**

Prestige Paseo de Gràcia €€€€

Passeig de Gràcia 62, 08007 ***Tel*** *93 272 41 80* ***Fax*** *93 272 41 81 Quartos: 45* ***Mapa*** *3 A4*

O modernismo e a cultura zen se encontram neste luxuoso hotel situado próximo às principais obras de Gaudí. Quartos elegantes e iluminados, com requintes como aparelhos de som e de TV da Bang and Olufsen. Livros de design e de arte disponíveis para consulta dos hóspedes. **www.prestigehotels.com**

Legenda dos preços *pág.134* **Legenda dos símbolos** *orelha da quarta capa*

Clarís €€€€€

Carrer Pau Clarís 150, 08009 ***Tel*** *93 487 62 62* ***Fax*** *93 215 79 70 Quartos: 124* ***Mapa*** *3 B4*

Este hotel situado perto do Passeig de Gràcia destaca-se pelos kilims e pelos elegantes móveis em estilo francês e inglês. Está instalado no antigo palácio Vedruna e por toda a parte exibe magníficas obras de arte vindas de todo o mundo. Oferece uma piscina na cobertura e disponibiliza carros Smart para os hóspedes. **www.derbyhotels.es**

Condes de Barcelona €€€€€

Passeig de Gràcia 73–75, 08008 ***Tel*** *93 445 00 00* ***Fax*** *93 445 32 32 Quartos: 183* ***Mapa*** *3 A4*

Este hotel situa-se em dois palácios modernistas muito bem reformados e ostenta um saguão rico em mármore. Os quartos dos dois edifícios são elegantes e alguns oferecem *jacuzzi*. Quem optar por um quarto com balcão só precisa abrir a janela para apreciar La Pedrera. **www.condesdebarcelona.com**

Hotel Palace €€€€€

Gran Vía de les Corts Catalanes 668, 08010 ***Tel*** *93 510 11 30* ***Fax*** *93 318 01 48 Quartos: 125* ***Mapa*** *3 B5*

Recém-reformado, o Ritz é um dos hotés mais elegantes de Barcelona. Os quartos, luxuosos e espaçosos, têm decoração em estilo clássico e incluem imensos banheiros de mármore inspirados nas termas romanas. O hotel oferece um centro de beleza. A família real espanhola se hospeda aqui. **www.hotelpalacebcn.com**

Majèstic €€€€€

Passeig de Gràcia 68, 08007 ***Tel*** *93 488 17 17* ***Fax*** *93 488 18 80 Quartos: 303* ***Mapa*** *3 A4*

Este hotel, grande e tradicional, em estilo neoclássico fica numa rua elegante, próxima do Carrer de València. Os quartos são decorados com tecidos e cortinas vistosos, todos equipados com a estrutura própria de um cinco-estrelas. Há ainda suítes muito luxuosas, além de piscina no terraço, com lindas vistas. **www.hotelmajestic.es**

Omm €€€€€

Carrer Rosselló 265, 08008 ***Tel*** *93 445 40 00* ***Fax*** *93 445 40 04 Quartos: 59* ***Mapa*** *3 B3*

Este hotel é símbolo do design *clean* de Barcelona, como se pode ver pela fachada ultramoderna e pelos amplos espaços de convivência. Quartos minimalistas, mas bastante confortáveis. O bar e o clube do hotel atraem adeptos do mundo da moda. **www.hotelomm.es**

FORA DO CENTRO

PEDRALBES Princesa Sofia Intercontinental €€€€€

Plaça de Pius XII 4, 08028 ***Tel*** *93 508 10 00* ***Fax*** *93 508 10 01 Quartos: 500*

Enorme hotel de luxo com decoração em mármore, madeira e bronze. Oferece restaurante, bar e estrutura para conferências, além de piscina aberta e coberta e uma gama de comodidades, como lojas e centro de beleza. Os preços das tarifas caem nos fins-de-semana e no verão. **www.expogrupo.com**

POBLENOU Hostal Poble Nou €

Carrer Taulat 30, 08005 ***Tel*** *93 221 26 01* ***Fax*** *93 221 26 01 Quartos: 5*

Este gracioso e pequeno *hostal* situa-se numa simpática residência dos anos 1930, no tradicional bairro de Poblenou, próximo das melhores praias da cidade. Está muito bem servido de metrô e bonde. As suítes são simples, mas o terraço para o café-da-manhã (incluso na diária) é charmoso. **www.hostalpoblenou.com**

SARRIA-SANT GERVASI Rekor'd €€€

Carrer de Muntaner 352, 08021 ***Tel*** *93 200 19 53* ***Fax*** *93 414 50 84 Quartos: 15 + 2 apartamentos*

Hotel pequeno e moderno, voltado para quem viaja a trabalho e situado em área de compras. Os quartos grandes exibem decoração despojada, com traços contemporâneos, todos equipados com bicicletas ergométricas e excelente estrutura de escritório. **www.hotelrekord.com**

VALLVIDRERA Gran Hotel La Florida €€€€€

Carretera Vallvidrera al Tibidabo 83–93, 08035 ***Tel*** *93 259 30 00* ***Fax*** *93 259 30 01 Quartos: 74*

Situado num belíssimo palácio nas colinas da cidade, este hotel está cercado por jardins estupendos e proporciona vistas maravilhosas de Barcelona. As suítes têm estrutura completa, e o hotel destaca-se pelo restaurante e pelo spa. Uma linha de microônibus leva os hóspedes até a cidade. **www.hotellaflorida.com**

CATALUNHA

ANDORRA LA VELLA Andorra Park Hotel €€€€

Les Canals 24, ***Tel*** *376 87 77 77* ***Fax*** *376 82 09 83 Quartos: 40*

Um dos hotéis mais luxuosos de Andorra. Moderno, foi erguido numa encosta coberta por bosques. Oferece biblioteca e uma piscina encravada na rocha. Ao lado funciona uma loja de departamentos. **www.andorraparkhotel.com**

ARTIES Parador Don Gaspar de Portolà €€€

Ctra Bequeira-Beret, 25599 (Lleida) ***Tel*** *973 64 08 01* ***Fax*** *973 64 10 01 Quartos: 57*

Parador moderno, acolhedor e confortável, foi construído pelo tradicional sistema de pedras. Situa-se numa das vilas mais graciosas do Vall d'Aran, repleta de ruas estreitas e capelas medievais. A localização favorece o acesso a estações de esqui e é boa base para quem quer caminhar pela montanha. **www.parador.es**

AVINYONET DE PUIGVENTÓS Mas Pau €€

Carretera de Besalúa Olot, 17742 (Girona) ***Tel*** *972 54 61 54* ***Fax*** *972 54 63 26 Quartos: 20*

Maravilhoso hotel situado em construção do século 16, cercada de jardins e de uma área de cultivo. Muitos dos quartos e suítes luxuosos ficam na torre de 25m de altura, o que garante lindas vistas. O restaurante daqui também é magnífico. **www.maspau.com**

BANYOLES Mirallac €€

Passeig Darder 50, 17820 (Girona) ***Tel*** *972 57 10 45* ***Fax*** *972 58 08 87 Quartos: 27*

Simpático hotel em estilo antigo com vista para o lago, em Banyoles. Oferece quartos com decoração tradicional, imensa piscina e muita atividade associada ao lago. O bom restaurante do hotel serve especialidades locais. O Mirallac é ideal para quem procura esportes de aventura. **www.hotelmirallac.cbholidays.com**

BEGUR Aigua Blava €€€

Platja de Fornells, 17255 (Girona) ***Tel*** *972 62 20 58* ***Fax*** *972 62 21 12 Quartos: 86*

Este encantador hotel em estilo mediterrâneo dá vista para a baía Fornells, um dos locais mais belos da Costa Brava. Lindas vistas para o mar e belos jardins ao redor do edifício. Quartos claros e arejados e dez apartamentos muito bem equipados. Fechado de novembro a meados de fevereiro. **www.aiguablava.com**

BEQUEIRA-BERET Royal Tanau €€€€€

Ctra de Beret, 25598 (Lleida) ***Tel*** *973 64 44 46* ***Fax*** *973 64 43 44 Quartos: 30*

Este hotel e loja de luxo situado na área de esqui de Tanau conta com boa estrutura, como jacuzzis cobertas e a céu aberto e spa. No inverno, um elevador privativo leva os hóspedes diretamente para as pistas. Inclui ótima estrutura associada à prática do esqui. Quartos e suítes elegantes e bem equipados. **www.solmelia.com**

BEUDA Can Felicià €

Segueró, 17850 (Girona) ***Tel*** *972 59 05 23* ***Fax*** *972 59 05 23 Quartos: 6*

As vistas magníficas fazem a diferença neste hotel rural instalado em uma antiga escola. Quartos com cores suaves e vistas para um lindo jardim. Ideal para quem viaja com crianças. Oferece uma pequena piscina. As tarifas incluem deliciosos jantares caseiros para os hóspedes. **www.canfelicia.com**

BEUDA Mas Salvanera €€

Mas Salvanera s/n, 17850 (Girona) ***Tel*** *972 59 09 75* ***Fax*** *972 59 08 63 Quartos: 9*

Esta simpática residência rural construída no século 17 foi muito bem reformada e hoje abriga um hotel administrado por uma família. Um dos destaques é o belo jardim, bem como a apetitosa comida caseira oferecida aos hóspedes. Estrutura para pescaria, cavalgadas e caminhadas. **www.salvanera.com**

BOLVIR DE CERDANYA Torre del Remei €€€€€

Camí Reial s/n, 17539 (Girona) ***Tel*** *972 14 01 82* ***Fax*** *972 14 04 49 Quartos: 20*

Um dos hotéis mais luxuosos da região, esta opulenta construção em estilo modernista está cercada por jardins e oferece lindas vistas para a montanha. Os quartos com decoração clássica são muito bem equipados, com o que há de mais moderno. Os hóspedes contam com spa e sala de ginástica. **www.torredelremei.com**

CADAQUÈS Misty €

Carretera Nova Port Lligat, 17488 (Girona) ***Tel*** *972 25 89 62* ***Fax*** *972 15 90 90 Quartos: 11*

Três casas e uma piscina cercadas por jardins bem-cuidados formam este hotel peculiar, um dos mais incomuns da Costa Brava. Boa opção para quem viaja com a família. Oferece área para churrasco, salão de bilhar e uma piscina. Não tem restaurante. Um bar serve aperitivos na alta estação. Fechado de janeiro a março. **www.hotel-misty.com**

CARDONA Parador de Cardona €€€

Carrer de Castell s/n, 08261 (Barcelona) ***Tel*** *93 869 12 75* ***Fax*** *93 869 16 36 Quartos: 54*

Um dos *paradores* mais destacados da Espanha, este castelo medieval muito bem reformado se destaca na cidade e oferece vistas inesquecíveis da região. Em muitos dos elegantes quartos pode-se dormir em camas com dossel. No restaurante, especialidades catalãs. **www.parador.es**

CASTELLDELFELS Gran Hotel Rey Don Jaime €€€

Avinguda del Hotel 22, 08860 (Barcelona) ***Tel*** *93 665 13 00* ***Fax*** *93 664 51 51 Quartos: 220*

Este imenso hotel em estilo mediterrâneo exibe arcos e paredes claras. O hóspede pode escolher entre quartos mais modernos ou mais tradicionais. A estrutura para esportes é excelente e inclui de quadras de squash a piscina. Do alto da colina pode-se apreciar o mar. **www.grup-soteras.com**

CASTELLÓ D'EMPURIES Allioli €€

Carrer Pabordería s/n, 17486 (Girona) ***Tel*** *972 25 03 00* ***Fax*** *972 25 03 00 Quartos: 42*

Residência rural do século 17, perto da principal estrada entre Roses e Figueres, oferece quartos simples, alguns próprios para famílias. O restaurante é disputado no almoço de domingo. No verão, a piscina é aberta. O hotel fecha de meados de dezembro a final de fevereiro. Completamente reformado. **www.hotelallioli.com**

Legenda dos preços *pág.134* **Legenda dos símbolos** *orelha da quarta capa*

CÓll Casa Peyró €

Carrer Unic s/n, 25527 (Lleida) ***Tel*** *973 29 70 02 Quartos: 8*

Simpática hospedaria administrada por uma famíla e afastada do agito, em uma bela aldeia de montanha. Suítes com decoração tradicional, sauna e estrutura para massagem. Não tem restaurante, mas os donos preparam apetitosa comida caseira para os hóspedes. A tarifa inclui meia-pensão.

FIGUERES Hotel Durán €€

Carrer de Lasauca 5, 17600 (Girona) ***Tel*** *972 50 12 50* ***Fax*** *972 50 26 09 Quartos: 60*

Este hotel de cores ocre e rosa funciona sobre um dos melhores restaurantes da região, fundado em 1855. Até hoje pertence à mesma família, que acolhe muito bem os hóspedes. Quartos com decoração simples e simpática, alguns com sacadas que dão vista para a rua. **www.hotelduran.com**

GIRONA Pensión Bellmirall €

Carrer de Bellmirall 3, 17004 (Girona) ***Tel*** *972 20 40 09 Quartos: 7*

Este é um reduto antigo, situado no coração de Girona. A casa foi preservada (inclusive as paredes de pedra) e os quartos exibem decoração individual, com móveis tradicionais e objetos de arte. No belo jardim os hóspedes desfrutam de um farto café-da-manhã. Fecha em janeiro e fevereiro.

GOMBRÉN Fonda Xesc €

Plaça Roser 1, 17531 (Girona) ***Tel*** *972 73 04 04 Quartos: 14*

Muito bem situado no centro de uma aldeia de montanha, este hotel antigo oferece quartos modestos, mas imaculados. No cardápio do restaurante, especialidades catalãs como os *embutits* caseiros, que também estão à venda na pequena loja. **www.fondaxesc.com**

GRANOLLERS Fonda Europa €€

Carrer Anselm Clavé 1, 08400 (Barcelona) ***Tel*** *93 870 03 12* ***Fax*** *93 870 79 01 Quartos: 7*

Aqui funcionou desde 1714 uma hospedaria, hoje transformada num pequeno hotel, mas ainda nas mãos da mesma família. Os quartos, situados no segundo andar, foram totalmente reformados e exibem decoração modesta. O grande destaque é o restaurante, que serve vigorosas especialidades catalãs, preparadas com receitas tradicionais.

LA GARRIGA Gran Hotel Balneario Blancafort €€€€

Carrer Mina, 7, 08530 (Barcelona) ***Tel*** *93 860 56 00* ***Fax*** *93 861 23 90 Quartos: 312*

Este belo hotel do século 19 fica numa cidade-spa próxima de Barcelona. Recentemente passou por grandes reformas que deram ao local toda a comodidade de um cinco-estrelas. Os quartos exibem decoração clássica e algumas das excelentes estruturas daqui são o jardim e o spa. **www.balnearioblancafort.com**

LA SEU D'URGELL Parador de La Seu d'Urgell €€

Carrer Sant Domènec 6, 25700 (Lleida) ***Tel*** *973 25 30 00* ***Fax*** *973 35 23 09 Quartos: 80*

Do antigo mosteiro que havia aqui, próximo à Catedral de La Seu, do século 12, só sobrou o claustro, hoje transformado em sala de estar. Este *parador* moderno reúne boa estrutura, com piscina coberta, e é uma boa base para quem quer caminhar ou esquiar na região. **www.parador.es**

L'ESCALA El Roser €

Carrer L'Eglésia 7, 17130 (Girona) ***Tel*** *972 77 02 19* ***Fax*** *972 77 45 29 Quartos: 22*

Este antigo e charmoso hotel costeiro fica de frente para a praia, no centro histórico de L'Escala. O restaurante daqui é um dos melhores da região, e os quartos impecáveis têm decoração sóbria. Fechado em novembro. **www.elroserhostal.com**

L'ESPLUGA DEL FRANCOLÍ Hostal del Senglar €€

Plaça de Montserrat Canals 1, 43440 (Tarragona) ***Tel*** *977 87 01 21* ***Fax*** *977 87 01 27 Quartos: 34*

Hotel de três andares com decoração simples e quartos tradicionais, oferece acomodação para a família. Inclui um gracioso jardim no qual se pode fazer churrasco no verão. O restaurante da casa prepara deliciosos pratos tradicionais. **www.hostaldesenglar.com**

LLORET DE MAR Santa Marta €€

Platja Santa Cristina, 17310 (Girona) ***Tel*** *972 36 49 04* ***Fax*** *972 36 92 80 Quartos: 76*

Este edifício moderno e de poucos andares tem vistas para uma magnífica área na beira do badalado resort de Lloret de Mar. Uma ampla área de jardins e pinheiros estende-se até a praia. Os hóspedes podem usufruir da estrutura para a prática de esportes, como a quadra de tênis. Fecha de meados de dezembro a meados de fevereiro. **www.hstamarta.com**

MONTSENY Sant Bernat €€€

Finca El Clot, Ctra Sta Ma de Palautordera a Seva, km 20,8, 08460 (Barcelona) ***Tel*** *93 847 30 11 Quartos: 23*

Imensa residência rural situada na serra de Montseny, exibe antigas paredes de pedra recobertas de hera. Os quartos e as suítes, com decoração vistosa, têm móveis rústicos. Amplos jardins cercam a casa e levam a um lago. Há possibilidade de variada prática esportiva. **www.santbernat.com**

MONTSERRAT Abat Cisneros €€

Plaça del Monestir, 08199 (Barcelona) ***Tel*** *93 877 77 01* ***Fax*** *93 87 77 24 Quartos: 82*

Parte do famoso complexo do mosteiro de Montserrat, este hotel é muito procurado pelos recém-casados catalães, que buscam aqui a bênção de La Moreneta, milagrosa imagem da Virgem Maria. Os quartos são modestos, mas mais confortáveis do que aparentam à primeira vista.

PALS Lindos Huéspedes €€€

Carretera de Torroella de Montgrí a Pals km 10, 17256 (Girona) ***Tel*** *972 66 82 03* ***Fax*** *972 66 82 03 Quartos: 6*

Este hotel pequeno e elegante ocupa um antigo moinho próximo à cidade medieval de Pals. A cuidadosa reforma conferiu ao lugar quartos simpáticos, com decoração suave e móveis de cor clara. Não aceita crianças. Fechada em janeiro e fevereiro. **www.lindoshuespedes.com**

PERAMOLA Can Boix de Peramola €€

Carrer Afores s/n, 25790 (Lleida) ***Tel*** *973 47 02 66* ***Fax*** *973 47 02 81 Quartos: 41*

Este hotel tradicional tem bom preço e é administrado pela mesma família há dez gerações. Oferece quartos graciosos e apartamentos com vistas magníficas, além de localização conveniente para quem quer caminhar nos Pirineus. Fecha de janeiro a meados de fevereiro. **www.canboix.com**

REGENCÓS Hotel del Teatre €€€

Plaça Major s/n, 17214 (Girona) ***Tel*** *972 30 62 70* ***Fax*** *972 30 62 73 Quartos: 7*

Situado no coração de uma aldeia medieval, este hotel sofisticado ocupa algumas residências do século 18 muito bem reformadas. Na decoração dos quartos, uma combinação de minimalismo e charme original. O jardim abriga uma piscina. **www.hoteldelteatre.com**

SA TUNA (BEGUR) Hotel Sa Tuna €€

Platja Sa Tuna, 17255 (Girona) ***Tel*** *972 62 21 98* ***Fax*** *972 62 21 98 Quartos: 5*

Hotel pequeno e simples em um dos mais belos locais da Costa Brava. Reformas recentes feitas pelo neto do proprietário original ampliaram o charme da casa. Os quartos com terraço permitem apreciar a baía, e o restaurante tem boa fama na região. Aberto de abril a setembro. **www.hostalsatuna.com**

SADURNI D'ANOIA Sol I Vi €€

Ctra San Sadurni–Vilafranca km 4, Lavern, 08739 (Barcelona) ***Tel*** *938 99 32 04* ***Fax*** *938 99 34 35 Quartos: 25*

Hotel cuidadoso e tradicional situado na região dos vinhedos, esta é uma boa opção para quem quer explorar a região produtora de vinhos e de *cava*, a sudoeste de Barcelona. Oferece quartos simples e confortáveis, além de magnífico restaurante especializado em pratos catalães. **www.solivi.com**

S'AGARÓ Hostal de la Gavina €€€€€

Plaça de la Rosaleda, 17248 (Girona) ***Tel*** *972 32 11 00* ***Fax*** *972 32 15 73 Quartos: 74*

Esta elegante mansão praiana em estilo mediterrâneo ocupa uma área com lindos jardins e uma piscina de água salgada. Quartos com decoração impressionante, rica em antiguidades. Entre as várias atrações, um spa de luxo e um bom restaurante. **www.lagavina.com**

SANT PERE DE RIBES Els Sumidors €€

Carretera de Vilafranca km 2,4, 18810 (Barcelona) ***Tel*** *93 896 20 61* ***Fax*** *93 896 20 61 Quartos: 9*

Situado na encosta de uma montanha, com vista para a região vinícola de Penèd, esta rústica construção do século 18 esbanja charme, mas não tem luxo. Quase perdida em meio à vegetação, trata-se de um mundo de tranqüilidade bem diferente do agitado ambiente da cidade de Sitges, perto daqui. **www.sumidors.com**

SANTA CRISTINA D'ARO Mas Torrellas €€

Carretera Santa Cristina-Platja d'Aro, 17246 (Girona) ***Tel*** *972 83 75 26* ***Fax*** *972 83 75 27 Quartos: 17*

Simpático hotel instalado em casa rural que remonta ao século 18, ainda exibe parede de pedra e jardins cobertos de flores. O quarto mais confortável fica na torre amarela, construída posteriormente. Oferece piscina e quadra de tênis, além de passeio a cavalo. Restaurante excelente. Fechado de outubro a março.

SANTA PAU Cal Sastre €€

Carrer de les Cases Noves, 1, 17811 (Girona) ***Tel*** *972 68 01 32* ***Fax*** *972 68 04 81 Quartos: 11*

Hotel confortável, que resultou da reforma feita nesta construção rural do século 18. Situa-se no interior das muralhas que cercam a medieval Santa Pau e conta com belo jardim. Boa localização para quem quer fazer caminhadas ou explorar o vulcão. **www.calsastre.com**

SITGES Capri €€

Avinguda de Sofia 13–15, 08870 (Barcelona) ***Tel*** *93 811 02 67* ***Fax*** *93 894 51 88 Quartos: 26*

Este hotel foi erguido por volta de 1900. Combina charme antigo com estrutura moderna, como um spa e uma piscina aberta cercada por jardins. Fica a apenas 50m da praia e do centro da cidade, e também oferece suítes de luxo. **www.grup-carbonell.com**

SITGES Romàntic €€

Carrer Sant Isidre 33, 08870 (Barcelona) ***Tel*** *93 894 83 75* ***Fax*** *93 894 81 67 Quartos: 58*

Bastante conhecido na cidade, este hotel memorável faz jus ao nome. Tem quartos simples, mas com graciosa decoração que aposta em antiguidades e quadros. O simpático jardim com fontes é especial para o café-da-manhã e para coquetéis noturnos. **www.hotelromantic.com**

SOLDEU (ANDORRA) Sport Hotel Village €€€

Ctra General s/n, ***Tel*** *376 87 05 00* ***Fax*** *376 87 05 33 Quartos: 148*

Este é o hotel mais bem equipado no apreciado resort de esqui de Soldeu. Vários de seus confortáveis quartos dão vista para a encosta. A estrutura de quatro estrelas inclui piscina e jacuzzi, e, o que é melhor, um elevador que liga o hotel ao alto da colina. Fechado em outubro. **www.sporthotels.ad**

Legenda dos preços *pág.134* **Legenda dos símbolos** *orelha da quarta capa*

TARRAGONA Lauria €€

Rambla Nova 20, 43004 (Tarragona) ***Tel*** *977 23 67 12* ***Fax*** *977 23 67 00 Quartos: 72*

Hotel moderno e funcional, situado na cidade, perto do mar. Tem entrada elegante e notáveis escadarias de pedra. Os quartos são grandes, com decoração um tanto antiga, compensados pelas boas instalações do hotel, como a piscina e a estrutura para quem viaja a negócios. **www.hlauria.es**

TARRAGONA Imperial Tarraco €€

Passeig Les Palmeres s/n, 43003 (Tarragona) ***Tel*** *977 23 30 40* ***Fax*** *977 21 65 66 Quartos: 170*

Opção mais luxuosa de Tarragona, este grande e moderno hotel tem localização panorâmica, em pleno Balconi del Mediterrani. Diversos dos quartos e suítes, todos espaçosos e elegantes, oferecem varanda. O hotel localiza-se em área de fácil acesso ao centro histórico da cidade. **www.husa.es**

TAVÉRNOLES EL Banús €

El Banús, 08519 (Barcelona) ***Tel*** *93 812 20 91* ***Fax*** *93 888 70 12 Quartos: 12*

Este pequeno hotel situado numa casa rural exibe mobília que pertence à herança da família Banús. Conta com dois anexos próprios para estadas mais longas, equipados com cozinha. O preço considerado aqui refere-se à hospedagem de um final de semana para quatro pessoas. Fechado em janeiro e fevereiro. **www.elbanus.com**

TAVERTET EL Jufré €

Tavertet, 08511 (Barcelona) ***Tel*** *93 856 51 67* ***Fax*** *93 856 51 67 Quartos: 8*

Esta construção rural reformada hoje é uma graciosa casa, com lindas vistas para a montanha. Pertence à mesma família há oito séculos. Os quartos confortáveis ocupam os antigos estábulos. Base ideal para caminhar e explorar Osona. As tarifas incluem hospedagem, café-da-manhã e jantar.

TORRENT Mas de Torrent €€€€€

Afueras, 17123 (Girona) ***Tel*** *902 55 03 21* ***Fax*** *972 30 32 93 Quartos: 39*

Construção do século 18 muito bem reformada. Este hotel oferece acomodação confortável em um dos dez belos quartos da casa principal ou nos elegantes bangalôs distribuídos pelos amplos jardins. Quem preferir pode optar por suítes com piscinas privativas. **www.mastorrent.com**

TORTOSA Parador Castillo de la Zuda €€€

Castillo de la Zuda, 43500 (Tarragona) ***Tel*** *977 44 44 50* ***Fax*** *977 44 44 58 Quartos: 72*

Um antigo castelo mourisco foi transformado em magnífico *parador* situado no alto de uma colina, com vistas para a cidade e o vale do rio Ebro. O ótimo restaurante oferece refeições no terraço e, entre outras comodidades, destaca-se a piscina, aberta apenas no verão. **www.parador.es**

TOSSA DE MAR Diana €€

Plaça d'Espanya 6, 17320 (Girona) ***Tel*** *972 34 11 16* ***Fax*** *972 34 18 86 Quartos: 21*

Este delicioso hotel ocupa uma bela construção em estilo modernista. A partir do terraço e dos balcões dos melhores quartos pode-se ter lindas vistas do castelo. O elegante saguão preserva diversos detalhes originais e foi transformado numa confortável sala de estar.Fechado de meados de novembro a março. **www.diana-hotel.com**

TREDÒS Hotel de Tredòs €

Carretera a Baqueira-Beret km 177.5, 25598 (Lleida) ***Tel*** *973 64 40 14* ***Fax*** *973 64 43 00 Quartos: 45*

Este hotel em Val d'Aran é considerado de bom custo-benefício pelos praticantes de esqui e montanhistas. Erguido com a técnica local, com pedras, oferece belos quartos, além de uma aconchegante sala de estar com lareira, para o inverno, e piscina aberta, para o verão. Fechado em outubro, novembro, maio e junho. **www.hoteldetredos.com**

VIC Parador de Turismo de Vic €€€

Paratge Bac de Sau, 08500 (Barcelona) ***Tel*** *93 812 23 23* ***Fax*** *93 812 23 68 Quartos: 36*

Este confortável parador, construído com pedra e recentemente reformado, fica a 14km de Vic e oferece lindas vistas para a represa de Sau. Trata-se de um refúgio tranqüilo em meio a florestas de pinheiros e lindas formações rochosas. Tem quadra de tênis e piscina aberta no verão. **www.parador.es**

VIELHA (VIELLA) Parador Valle de Arán €€€

Carretera de túnel, 25530 (Lleida) ***Tel*** *973 64 01 00* ***Fax*** *973 64 11 00 Quartos: 118*

Este *parador* moderno destaca-se pela sala de estar panorâmica, em forma circular, com uma imensa janela que permite apreciar as montanhas. Inclui excelente spa e ótimo restaurante. Quartos espaçosos e bem distribuídos. **www.parador.es**

VILADRAU Hostal de la Glòria €€

Carrer Torreventosa 12, 17406 (Girona) ***Tel*** *938 84 90 34* ***Fax*** *938 84 94 65 Quartos: 26*

Hotel tradicional, com ambiente familiar, situado em uma típica residência catalã, no alto da Serra de Montseny. O ótimo restaurante serve criativas especialidades locais, e os jardins cercam a piscina aberta. Os hóspedes podem alugar bicicletas e solicitar passeios a cavalo. **www.hoteldelagloria.com**

VILANOVA I LA GELTRÚ César €€

Carrer Isaac Peral 4, 08800 (Barcelona) ***Tel*** *93 815 11 25* ***Fax*** *93 815 67 19 Quartos: 30*

Este hotel, perto da praia de Ribes Roges, ocupa magnífica construção do final do século 19. Pertence a duas irmãs que se destacam pela atenção dada aos detalhes, dos móveis e tecidos das roupas de cama até o afamado restaurante. Belos jardins, com piscina coberta no inverno. **www.hotelcesar.net**

RESTAURANTES, CAFÉS E BARES

Um dos prazeres de co-mer fora em Barcelona é observar o comportamento dos catalães. Eles se orgulham de sua cozinha regional e esperam comer bem nos restaurantes, não apenas em jantares de celebração, mas também no dia-a-dia. Barcelona tem um grande número de restaurantes. Desde os mais sofisticados até a mais simples casa de *tapes*, é co-mum a oferta de alimentos frescos, o que demonstra a preferência dos catalães por comidas saudáveis. Os restaurantes e cafés citados nas *págs. 146-53* foram selecionados com base na qualidade da comida e no ambiente. Nas *págs. 30-1 e 144-5* estão alguns dos melhores pratos oferecidos na Catalunha.

Azulejo de restaurante, Barcelona

***Bodegues* são bares de vinho que não servem comida**

RESTAURANTES E BARES

Em Barcelona e na Catalunha estão alguns dos melhores restaurantes da Espanha, evidenciando a qualidade da cozinha da região, mas os lugares mais baratos e mais rápidos para se alimentar são os bares e cafés que servem *tapes* (tira-gostos). Alguns bares, especialmente os *pubs*, abrem até mais tarde, mas não servem comida.

Os *bars i restaurants*, *hostals* e *fondes* –nomes tradicionais de diversos tipos de hospedaria– servem refeições baratas. *Xiringuitos* são bares à beira-mar que funcionam apenas no verão.

A maioria dos restaurantes fecha um dia por semana e durante férias anuais. O horário de funcionamento dos principais restaurantes e a época em que ficam fechados estão ao fim de cada entrada nas *págs. 126-31*. Fique atento aos horários e, em dúvida, telefone para confirmar.

HORÁRIOS

Os catalães, assim como os demais espanhóis, costumam tomar um café-da-manhã leve *(l'esmorzar)*, com biscoitos e torradas com azeite, manteiga ou geléia e café com leite *(cafè amb llet)*. Entre 10h e 11h, tomam um café mais reforçado, às vezes fora de casa, com croissant ou um sanduíche *(entrepà)* de linguiça, presunto ou queijo, ou então uma grossa fatia de omelete de batata *(truita de patates)*, acompanhados de suco de frutas, café ou cerveja.

A partir das 13h as pessoas começam a chegar aos bares para beber uma cerveja ou uma taça de vinho. Lá pelas 14h, os que almoçam em casa já terão chegado para *el almuerzo* (almoço), a principal refeição do dia dos espanhóis. Quem não almoça em casa procura um restaurante.

Decoração em bar, Barcelona

Os cafés, *salones de te* (salões de chá) e pastisseries (docerias) ficam lotados entre 17h30 e 18h, para *el berenar* (lanche), com sanduíches, doces e bolos com café, chá ou suco. Também se compram *xurros* (churros) em bancas nas calçadas.

Às 19h a maioria dos bares já está lotada. Na Catalunha, *el sopar* (jantar) começa por volta das 21h. Alguns restaurantes abrem mais cedo, para receber os turistas. No verão é comum encontrar grupos de famílias ou amigos que só comecem a jantar por volta de meia-noite. Nos fins-de-semana de verão os restaurantes ficam lotados.

O QUE VESTIR

Raramente se exige paletó e gravata, mas os catalães se vestem bem para ir aos restaurantes. Na praia as roupas são informais, mas não se anda de bermudas à noite.

Almoço na área externa do movimentado Port Olímpic de Barcelona

Cafeteria **com mesa na calçada em Cadaqués, Costa Brava**

COMO LER O CARDÁPIO

Depois das *tapes*, a opção mais barata nos restaurantes da Catalunha são os menus de preço fixo, os *plats combinats* e o *menú del dia*. Um *plat combinat* (carne ou peixe com legumes e, em geral, batata frita) é servido nas casas mais baratas. Muitos restaurantes –mas não todos– oferecem um *menú del día* a preço razoável, normalmente composto de três pratos, mas sem possibilidade de escolha. Restaurantes de alto padrão apresentam um *menú de degustació*, com seis ou sete especialidades.

O termo catalão para cardápio é *la carta*. Começa com *sopes* (sopas), *amanides* (saladas), *entremesos* (entradas), *outs i truites* (ovos e omeletes) e *verdures i llegums* (verduras e legumes). Os pratos principais são *peix i marisc* (peixes e mariscos) e *carns i aus* (carnes e aves). Os pratos do dia são escritos a giz em uma lousa ou em uma folha pregada no cardápio. Paella e outros pratos com arroz podem ser entrada ou prato principal. Uma dica é começar com *fuet* ou *secallona* (dois tipos de embutidos) e salada e, depois, pedir uma paella.

Sobremesas são *postres*. Todos os restaurantes oferecem frutas frescas –o mais comum–, mas as alternativas são limitadas. Boas opções são a famosa *crema catalana (crème brûlée)*, um *flam* (pudim) ou *natillas* (creme). Nos restaurantes finos há possibilidades mais criativas.

Os vegetarianos não têm muitas opções. Mesmo as saladas levam, às vezes, pedaços de presunto ou peixe.

Todos os restaurantes atendem crianças e servem porções menores sob encomenda.

Las Torres de Ávila *(pág. 163)*, um dos bares de Barcelona

VINHOS

Vinhos secos são perfeitos para acompanhar frutos-do-mar, presunto, azeitonas, sopas e outras entradas. Os pratos principais são acompanhados de vinhos de Penedès ou Terra Alta *(pág. 32)*, da Catalunha, ou de outras regiões, como Rioja, Ribera del Duero e Navarra. Vinhos *olorosos* geralmente são servidos como digestivos.

FUMO

Todos os restaurantes, bares e cafés com mais de $100\ m^2$ devem ter área para não fumantes. Locais menores têm placa na porta que indica se é proibido ou não fumar.

PREÇOS

Se o pedido for *la carta*, ou seja, escolhido no cardápio, a conta será muito mais alta do que a de um *menú del día*, especialmente no caso de pratos com peixes e frutos-do-mar frescos ou com o presunto ibérico. Se peixes caros, como linguado e peixe-espada, aparecerem no cardápio com preços baixos, é sinal de que eles devem ter sido congelados. Os peixes e frutos-do-mar mais comuns na Espanha, como camarão, lagosta e caranguejo, geralmente são cobrados pelo peso.

El compte (a conta) às vezes não inclui o serviço, mas um pequeno couvert. Os preços no cardápio não incluem o imposto (IVA), geralmente adicionado no final da conta. Os espanhóis nunca dão mais de 5% de gorjeta –em geral, apenas arredondam o total.

Cheques raramente são usados, mas cheques de viagem costumam ser aceitos, embora com câmbio desvantajoso. A maioria dos restaurantes aceita todos os cartões de crédito internacionais, mas o mesmo não acontece em lugares menores, como bares de *tapes*, cafés, *bodegues*, *pubs* ou hospedarias nas estradas.

CADEIRAS-DE-RODAS

Como os restaurantes raramente são adaptados para cadeiras-de-rodas, telefone antes para informar-se sobre acesso a mesas e toaletes.

Interior do Set Portes, restaurante de Barcelona

Pratos Típicos

Azeitonas

O melhor da cozinha catalã, com ingredientes frescos, é a chamada *cuina de mercat* (cozinha de mercado), e o lugar ideal para se iniciar é o mercado da Boqueria, em Barcelona *(pág. 155)*. Ali os pimentões e os peixes brilham, e nenhuma carne se perde –vende-se até crista de galo. Há inúmeras variedades de azeitonas, e a primavera traz cebolas *calçot* e favas. A partir da Páscoa comem-se morangos com *cava*. No outono encontram-se 30 variedades de cogumelos.

TAPES (TIRA-GOSTOS)

Ir de bar em bar em Barcelona é um jeito delicioso de passar a noite e um bom modo de experimentar os vários pratos locais expostos nos balcões.

Anxoves: anchovas.
Bunyols de bacallà: bolinhos de bacalhau.
Calamars a la romana: lulas fritas.
Escopinyes: amêijoas.
Pa amb tomàquet: pão com tomate, alho e azeite de oliva –algo muito substancioso.
Panadons d'espinacs: pequenas tortas de espinafre.
Patatas bravas: batatas em molho de tomate picante.
Pernil: pernil temperado e dependurado para secar.
Pescaditos: peixe frito.
Popets: polvo novo.
Truita: omelete.
Truita de patates: tradicional omelete de batata e cebola.

Pa amb tomàquet (pão com tomate), geralmente servido com presunto

ENTRANTS (ENTRADAS)

Há pratos pouco usuais, e dois deles dão para uma refeição. Podem ser o prato principal.

Amanida catalana: salada mista catalã.
Arròs negre: arroz-preto. Pode ser também servido como prato principal.

Produtos na Boqueria, o imenso mercado coberto em La Rambla, Barcelona

Cargols a la llauna: escargots em molho condimentado.
Empedrat: salada de feijão-branco e bacalhau.
Escalivada: berinjela grelhada ou assada com pimentões e regada com azeite de oliva.
Espinacs a la catalana: espinafre com pinhõezinhos, uva-passa e presunto; às vezes com acelga *(bledes)*.
Esqueixada: bacalhau cru em salada.
Faves a la catalana: cozido de favas com chouriço, bacon, cebola e alho.
Fideus: massa, em geral servida com peixe e carne.
Garotes: ouriço-marinho cru da Costa Brava, comido com pão, alho ou cebola.
Musclos: mexilhões.
Ous remenats amb camasecs: ovos mexidos com cogumelos silvestres.
Pa de fetge: patê de fígado.
Sardines escabetxades: sardinhas em escabeche.
Xató: salada de bacalhau e atum com molho *romesco*.

SOPES (SOPAS)

Caldereta de llagosta: sopa de lagosta.
Escudella i carn d'olla: o líquido do tradicional cozido da Catalunha; a carne com legumes *(carn i olla)* é servida como prato principal.
Gaspatxo: uma sopa fria, feita de vegetais crus.
Sopa de farigola: sopa de tomilho.
Sopa de bolets: sopa de cogumelo.

PRATOS PRINCIPAIS

As formas de cozinhar são: *a la brasa* (na brasa); *bullit* (cozido); *cremat* (frito ou caramelizado); *estofat* (guisado, cozido); *farcit* (estufado); *al forn* (ao forno); *a la graella/planxa* (na grelha, na chapa ou no espeto); *a la pedra* (na pedra).

PEIX I MARISCOS (PEIXE E MARISCOS)

Allipebre d'anguiles: enguias cozidas.
Anfós al forn: garoupa ao forno.
Calamars farcits: lulas refogadas com carne de porco, tomate e cebola.
Cassola de peix: panelada de peixe.
Congre amb pèsols: congro com ervilhas.
Escamarlans bullits: camarões cozidos.
Gambes a la planxa: camarões grelhados.
Graellada de peix: peixes variados grelhados.
Llagosta a la brasa: lagosta na brasa.
Llagostins amb maionesa: lagostim e maionese.
Llobarro al forn a rodanxes: fatias de robalo ao forno.
Lluç a la planxa: pescada grelhada.
Molls a la brasa: salmonete (trilha) na brasa.
Orada a la sal: dourada cozida no sal, removido ao servir.
Paella valenciana: paella com frango e frutos-do-mar.
Rap a l'all cremat: tamboril com alho na brasa.
Romesco de peix: mariscos com o famoso molho *romesco*. Os mestres desse molho em Tarragona fazem concursos no verão.
Sarsuela: peixe, mariscos e

molhos, num prato com o nome da opereta espanhola.
Sèpia amb pèsols: tipo de lula com ervilhas.
Suquet de peix: principal ensopado da Catalunha, feito com peixe, tomate, pimentão, batatas e amêndoas.
Verats a la brasa: cavalinha na brasa.

CARN (CARNES)

Ànec amb naps: pato com nabo, de preferência nabo "preto" da região de Empordà; às vezes servido com peras *(ànec amb peres)*.
Boles de picolat: bolinhos de carne ao molho de tomate. Com *sèpia*, um tipo de lula, são um clássico da comida *mar i muntanya*.
Botifarra amb mongetes: linguiça com feijão.
Bou a l'adoba: carne guisada.
Costelles a la brasa amb allioli: costela de cordeiro na brasa com molho *allioli*.
Costelles de cabrit rostides: costelas de cabrito assadas.
Cuixa de xai al forn: perna de cabrito assada.
Estofat de bou: cozido de carne, linguiça, batata, ervas e chocolate.
Estofat de quaresma: cozido de legumes, para a Quaresma.
Freginat: fígado de vitela com cebola.
Fricandó: vitela assada na panela com cogumelos silvestres.
Llom de porc: costeleta de porco.
Oca amb peres: ganso com peras –comida típica rural.
Niu: grande guisado de peixe e carne de Palafrugell, Costa Brava, com pombo, lula, tripa de bacalhau, pé de porco, ovo e molho *allioli*.
Peus de porc a la llauna: pé de porco em molho picante.
Pollastre amb samfaina: frango e *samfaina*.
Pota i tripa: pé e tripa de cordeiro.
Tripa a la catalana: tripa em *sofregit (pág. 26)* e vinho com pinhõezinhos e amêndoas.
Xai amb pèsols: cordeiro com ervilhas.

Berinjelas e pimentões, sempre em abundância

Mercado de mel e queijo de Barcelona (pág. 155), na Plaça del Pi

CAÇA (CAÇA)

A estação de caça vai de outubro a fevereiro. Encontra-se coelho durante o ano todo.
Becada amb coc: galinhola em rolinhos de pão.
Civet de llebre: lebre cozida.
Conill a la brasa amb allioli: coelho na brasa com molho *allioli*.
Conill amb cargols: coelho com escargots.
Conill amb xocolata: coelho com alho, fígado, amêndoas, pão frito, chocolate e vinho.
Estofat de porc senglar amb bolets: cozido de javali com cogumelos.
Guatlles amb salsa de magrana: codorna com molho de romã.
Perdiu: perdiz.
Perdius amb farcellets de col: perdiz com bolinhas de couve.

VERDURES I LLEGUMS (VERDURAS E LEGUMES)

Albergínies: berinjelas.
Bledes: acelga.
Bolets: cogumelos.
Calçots: cebolas verdes do tamanho do alho-poró, na brasa, com molho de tomate picante –especialidade da primavera em Tarragona.
Carbassó arrebossat: abobrinha refogada.
Carxofes: alcachofras.
Julivert: salsinha.
Mongetes tendres i patates: feijão verde e batatas.
Pastanagues: cenouras.
Pebrots: pimentões.

POSTRES (SOBREMESAS)

A *pastisseria* (confeitaria) e os *dolços* (doces) são muito populares na Catalunha, mas em restaurantes as sobremesas são pobres. A escolha fica entre sorvete e frutas: maçã *(poma)*, pêssego *(préssec)*, banana *(plàtan)*, laranja *(taronja)* ou uvas *(raïm)*.
Crema catalana: creme de ovos encorpado *(pág. 27)*.
Figues amb aniset: figos com anis.
Flam: pudim de caramelo.
Formatge: queijo. Há pouca variedade de queijos locais.
Gelat: sorvete.
Mel i mató: queijo fresco de cabra com mel.
Menjar blanc: manjar-branco de amêndoas.
Peres amb vi negre: peras no vinho tinto.
Postre de músic: tigela de nozes e frutas secas variadas, outrora dada como recompensa a músicos itinerantes.
Recuit: coalhada de leite de vaca ou de ovelha.

Mel i mató –sobremesa tradicional de queijo de cabra servido com mel

Como escolher um restaurante

Os restaurantes aqui citados foram selecionados por seu bom preço, pela qualidade e pela localização. A tabela relaciona os estabelecimentos por área de Barcelona, em ordem alfabética dentro de cada categoria de preço. A seção Fora do Centro está organizada por bairro; a relativa ao resto da Catalunha, por cidade.

CATEGORIAS DE PREÇO
Por pessoa, para um jantar de três pratos, com meia garrafa de vinho da casa, impostos e serviço.

€ até 20 euros
€€ 20–35 euros
€€€ 35–50 euros
€€€€ acima de 50 euros.

CIDADE VELHA

Bar Pinotxo — €
Mercat de la Boqueria (La Rambla 89), 08002 ***Tel*** *93 317 17 31* — **Mapa** 5 A1

Este é o bar mais famoso dos muitos que existem no Boqueria. As garrafas de *cava* são servidas em baldes de alumínio e são ideais para acompanhar os pratos preparados com os produtos frescos oriundos do próprio mercado. Fechado aos domingos e após 18h.

Can Culleretes — €
C/Quintana 5, 08002 ***Tel*** *93 317 30 22* — **Mapa** 5 A2

Restaurante mais antigo de Barcelona, remonta a 1786 e exibe sua história nas salas do local. As paredes ostentam afrescos originais e azulejos decorativos. O atendimento, um pouco rude, é eficiente. Pratos abundantes e saborosos. Prove o ganso com maçãs ou o pato com ameixas. Fechado às segundas, no jantar de domingo e no mês de julho.

Dim Sum House — €
C/Bergara 7, 08007 ***Tel*** *93 270 12 93* — **Mapa** 5 A1

Bem diferente dos típicos restaurantes chineses *kitsch* tão comuns na Espanha. Moderno, este apreciado restaurante serve combinados para o almoço a bom preço e uma considerável variedade de *dim sum*. Peça o camarão, os bolinhos quatro estações e o pão chashao. Fechado aos domingos.

Elisabets — €
C/Elisabets 2, 08001 ***Tel*** *93 317 58 26* — **Mapa** 2 F2

Uma instituição da região, este animado restaurante é especializado na cozinha típica catalã. É disputado por quem procura refeições caseiras vigorosas para o almoço e *tapas* nas noites de sexta-feira. O bar do Elisabets serve sanduíches e bebidas a qualquer hora do dia. Fechado três semanas em agosto e o restaurante aos domingos.

Mosquito — €
C/Carders 46, 08003 ***Tel*** *93 268 75 69* — **Mapa** 5 C2

Aqui a freqüência mistura catalães e estrangeiros. Som groove ao fundo, atendimento cortês, bebidas baratas e uma sólida variedade de pratos asiáticos como brochetes de frango, macarrão ao estilo Cingapura e gyoza, fazem daqui um agradável ponto de encontro. Fechado às segundas-feiras.

Organic — €
C/Junta de Comerç 11, 08001 ***Tel*** *93 301 09 02* — **Mapa** 2 F3

Amplo, despojado e iluminado, este vegetariano de bom custo-benefício oferece um criativo cardápio de pratos asiáticos, lasanhas, ensopados e um bufê de saladas a preço fixo. O destaque é o pão caseiro com nozes. A pequena loja vende produtos orgânicos.

El Salón — €€
C/Hostal d'en Sol 6–8, 08002 ***Tel*** *93 315 21 59* — **Mapa** 5 B3

O interior em estilo barroco, as cadeiras de veludo e os enormes candelabros dão a este estabelecimento a impressão de retorno ao século 18. O cardápio é alterado com freqüência, mas promete ingredientes de bom gosto e pratos criativos, em geral com especialidades catalãs e francesas. Fechado aos sábados no almoço e aos domingos.

Els Quatre Gats — €€
C/Montsió 3 bis, 08002 ***Tel*** *93 302 41 40* — **Mapa** 5 A1

Esta emblemática instituição da cidade foi o primeiro local a exibir obras de Picasso. A decoração fica por conta de trabalhos originais de artistas do início do século 20. A opulenta sala de jantar não prima pela beleza, mas os pratos mediterrâneos são de boa qualidade.

Euskal Etxea — €€
Placeta Montcada 1–3, 08003 ***Tel*** *93 310 21 85* — **Mapa** 5 B3

Sede do Instituto Cultural Basco, o Euskal Etxea é um dos melhores lugares na cidade para provar *pintxos* (pequenas fatias de pão com cobertura variada). Também serve refeições à la carte com qualidade acima da média. Fechado aos domingos e durante o almoço às segundas-feiras.

Legenda dos símbolos *orelha da quarta capa*

Mam i Teca — €€

C/Lluna 4, 08001 **Tel** *93 441 33 35* — **Mapa** *2 F2*

Minúsculo bar que prioriza jazz, blues e rock no som ambiente. Serve ótimas *tapas*, que incluem queijos da região, embutidos orgânicos e pratos com sotaque rural, como o presunto e os feijões. A carta de vinhos é excelente e, para quem preferir, há uísque escocês. Fechado às terças-feiras, no almoço aos sábados e duas semanas em agosto.

Pla de la Garsa — €€

C/Assaonadors 13, 08003 **Tel** *93 315 24 13* — **Mapa** *5 B2*

Instalado nos antigos estábulos de um palácio do século 17, este simpático restaurante tem ambiente acolhedor e é uma boa opção para um jantar romântico. Os pratos servidos no almoço têm ótimo preço. Quem aprecia queijos vai se deliciar aqui. A carta de vinhos tintos também não decepciona. Fechado para o almoço.

Taller de Tapas — €€

C/Argenteria 51, 08003 **Tel** *93 268 85 59* — **Mapa** *5 B2*

O aspecto contemporâneo deste restaurante fica por conta dos tijolos à vista e dos detalhes metálicos. Atendimento profissional e agradável. As *tapas* servidas são preparadas na hora, mas quem preferir pode optar por pratos regionais como os camarões da Costa Brava.

Agua — €€€

Passeig Marítim de la Barceloneta 30, 08003 **Tel** *93 225 12 72* — **Mapa** *6 D4*

Imponente restaurante de praia, com janelas imensas e esculturas de inspiração marinha. Apreciado pelo público mais jovem, serve excelentes *tapas*, pescados e opções à base de arroz. Entre os destaques estão os mexilhões ao vapor, as batatas butan, lagosta gratinada e peixe grelhado. O terraço é convidativo.

Biblioteca — €€€

C/Junta de Comerç 28, 08001 **Tel** *93 412 62 21* — **Mapa** *2 F3*

Elegante restaurante que combina loja especializada em culinária, exibe azulejos modernistas e cozinha aberta. A culinária de alto nível aposta nos ingredientes sazonais. Entre as especialidades estão o arroz com pombo e o espguete negro com *calçots* (cebolas à moda catalã). Fechado domingo, segunda-feira e duas semanas em agosto.

Café de l'Academia — €€€

C/Lledó 1, 08002 **Tel** *93 319 82 53* — **Mapa** *5 B3*

Situado no centro do Barri Gòtic, este restaurante acolhedor e de luz suave tem paredes com tijolos à vista e gracioso terraço para a Plaça Sant. O cardápio oferece pratos catalães, saladas criativas e massa caseira. As sobremesas são de dar água na boca. Fechado aos sábados e domingos.

Cal Pep — €€€

Plaça de les Olles 8, 08003 **Tel** *93 310 79 61* — **Mapa** *5 B3*

Quase todos concordam que este é o melhor lugar da cidade para apreciar frutos-do-mar e pescados. A oferta de *tapas* do Cal Pep é excelente. Nos horários de pico, o estabelecimento costuma lotar. Se quiser se acomodar em uma das cinco mesas externas, chegue cedo. Fechado aos domingos e às segundas-feiras no almoço.

Can Majó — €€€

C/Almirall Aixada 23, 08003 **Tel** *93 221 54 55* — **Mapa** *5 B5*

Comer uma paella aqui, num dia quente de verão e admirando o mar, pode ser inesquecível. Quem começa a refeição pedindo mariscos encarece a conta, mas o frescor e a qualidade dos produtos e o cuidado em seu preparo podem valer a pena. Fechado aos domingos no jantar e às segundas-feiras.

Comerç 24 — €€€

C/Comerç 24, 08003 **Tel** *93 319 21 02* — **Mapa** *5 C3*

Bar de *tapas* com paredes cinzentas e detalhes em cores primárias, oferece algumas das *tapas* mais criativas da cidade. Grupos com mais de seis pessoas podem optar pelo festival de *tapas*. Peça o *arròs a banda* (paella simplificada) ou a *tortilla de patatas*. Faça reserva. Fechado aos domingos e às segundas-feiras.

Set Portes — €€€

Passeig Isabel II, 14, 08003 **Tel** *93 319 30 33* — **Mapa** *5 B3*

Antiga instituição da cidade, funciona desde 1836 e orgulha-se de registrar os clientes famosos, entre eles Winston Churchill e Che Guevara. A sala de jantar destaca-se pelo revestimento de mármore e de madeira. As especialidades são as dez variedades de paella.

Taxidermista — €€€

Plaça Reial 8, 08002 **Tel** *93 412 45 36* — **Mapa** *5 A3*

Cores suaves e pé-direito alto conferem a este badalado restaurante alguns pontos de vantagem em relação à acirrada concorrência que caracteriza a Plaça Reial. Uma culinária criativa resulta na boa variedade de pratos de inspiração mediterrânea, incluindo babaganuch e confit de pato. Fechado às segundas-feiras.

Carballeira — €€€€

C/Reina Cristina 3, 08003 **Tel** *93 310 10 06* — **Mapa** *5 B3*

Primeiro restaurante galego de Barcelona, o Carballeira destaca-se pelos frutos-do-mar e peixes grelhados, pelas excelentes paellas e pela especialidade da casa, o *pulpo gallego* –polvo servido com molho de páprica. Fechado aos domingos no jantar e às segundas-feiras.

Hofmann €€€€
C/Argenteria 74–78, 08003 **Tel** *93 319 58 89* **Mapa** *5 B2*

Agraciado com uma estrela do Guia Michelin, este restaurante inclui uma escola de culinária e produz pratos de alta qualidade num ambiente sofisticado e com atendimento cortês. Os pratos do dia são boa pedida. Astros como Mel Gibson, Kevin Costner e John Travolta já comeram aqui. Fechado aos sábados e domingos, em agosto e na Páscoa.

EIXAMPLE

Crêperie Bretonne €
C/Balmes 274, 08006 **Tel** *93 217 30 48* **Mapa** *3 A1*

Esta creperia kitsch funciona há mais de 30 anos. No cardápio, 250 tipos de crepe, entre doces e salgadas, com opção de recheio de ampla variedade de queijos franceses. Vale pedir um dos chás da casa. Fechado às segundas-feiras.

Cata 1.81 €€
C/València 181, 08011 **Tel** *93 323 68 18* **Mapa** *3 A4*

Este moderno bar de *tapas* foi um dos pioneiros no estilo pós-modernista e conseguiu transformar clássicos como a salada-russa em deleites do paladar. A excelente carta de vinhos oferece boas opções. Boa sugestão para quem quer provar as maravilhas da nova cozinha catalã. Fechado diariamente no almoço e aos domingos.

Madrid-Barcelona €€
C/Aragó 282, 08007 **Tel** *93 215 70 27* **Mapa** *3 A4*

Este gracioso restaurante com balcões de ferro e madeira parece mais caro do que é na realidade. Bastante apreciado, costuma reunir grandes filas à porta, em geral formadas por fãs dos *pescaditos fritos* ao estilo de Málaga e outras *tapas* de bom custo-benefício.

Thai Lounge €€
C/València 205, 08007 **Tel** *93 454 90 32* **Mapa** *3 A4*

Típico restaurante tailandês, com abundantes imagens de Buda na decoração. O Thai Lounge, ao contrário de muitos outros, conseguiu trazer a Barcelona os sabores da Tailândia. Entre as especialidades estão os curries, mas há boas opções de pratos menos óbvios. O menu noturno, a E 24, é uma bagatela. Há também serviço de entrega.

Shibui €€€
C/Comte d'Urgell 272–274, 08036 **Tel** *93 321 90 04* **Mapa** *2 E1*

Com decoração em madeira clara, paredes de papelão em estilo japonês e equipe reservada, este excelente bar de sushi lembra Tóquio. A sala situada no térreo inclui áreas com tatame e portas deslizantes, o que resulta em uma excelente escolha para uma festa. Fechado aos domingos.

Alkimia €€€€
C/Indústria 79, 08025 **Tel** *93 207 61 15* **Mapa** *3 C2*

Uma das estrelas em ascensão, este restaurante de design revitalizou os tradicionais pratos catalães por meio de técnicas novas e sabores estrangeiros. Entre as exclusividades da casa estão arroz com pitu e pimentas tipo *nyora*, rabo de touro assado com creme de tangerina e espuma de *orchata*. Fechado aos sábados e domingos.

Casa Calvet €€€€
C/Casp 48, 08010 **Tel** *93 412 40 12* **Mapa** *3 B5*

Magnífico restaurante projetado originalmente por Gaudí para acomodar uma casa e escritórios de um rico comerciante de tecidos. As acomodações confortáveis, a disposição clássica e o serviço um pouco antigo remontam a outra era, mas a cozinha é moderna e executada com pretensão. Fechado aos domingos.

Cinc Sentits €€€€
C/Aribau 58, 08011 **Tel** *93 323 94 90* **Mapa** *2 F1*

Este restaurante acolhedor e simples oferece serviço impecável e um menu ao mesmo tempo incomum e acessível. Ingredientes bem selecionados são preparados com cuidado. Prove o *omasake*, menu definido pelo chefe. Durante a semana e no almoço as crianças são bem-vindas. Fecha aos domingos, no jantar segunda-feira, na Páscoa e 2 semanas em agosto.

El Principal del Tragaluz €€€€
C/Provença 286–288, 08008 **Tel** *93 272 08 45* **Mapa** *3 A3*

Mais gracioso de todos os restaurantes de Tragaluz, este estabelecimento de janelas enormes e terraço romântico é ideal para ocasiões especiais. No cardápio, delícias como vieira, *foie gras*, lagosta, trufa e outros itens de luxo. O serviço, porém, pode ser um tanto gélido. De junho a agosto, a casa oferece música ao vivo.

Moo €€€€
C/Rosselló 265, 08008 **Tel** *93 445 40 00* **Mapa** *3 A3*

No pouco tempo de existência, o Moo já reuniu grandes admiradores, graças à culinária inspirada dos irmãos Roca, que comandam o restaurante. O menu degustação acompanhado de vinhos é mágico. Camarões com rosa e alcaçuz e sobremesas com perfumes inspiradores. Fechado aos domingos.

Legenda dos preços *pág. 146* **Legenda dos símbolos** *orelha da quarta capa*

FORA DO CENTRO

GRÀCIA Chido One — €

C/Torrijos 30, 08012 ***Tel*** *93 285 03 35* — ***Mapa*** *3 C2*

Restaurante mexicano, animadamente decorado com adornos típicos do Dia dos Mortos e troféus, além de latas antigas de jalapeño, o divertido Chido One serve excelente culinária regional, com itens como enchilladas com molho de chilli, tacos e as imprescindíveis margaritas.

GRÀCIA Envalira — €€

Plaça del Sol 13, 08012 ***Tel*** *93 218 58 13* — ***Mapa*** *3 B1*

Tradicional estabelecimento de bairro na agitada Plaça del Sol, o Envalira é barulhento e divertido, com seu ambiente descontraído. Não é muito acolhedor, mas constitui ótima opção para provar os vigorosos pratos à base de arroz. Fechado aos domingos no jantar e às segundas-feiras.

GRÀCIA La Rosa del Desierto — €€€

Plaça Narcís Oller 7, 08006 ***Tel*** *93 237 45 90* — ***Mapa*** *3 A2*

Primeiro restaurante marroquino de Barcelona, ainda preserva a fama de ser o melhor. Com decoração inspirada, é um lugar agradável para se apreciar o cuscuz e deliciosos tagines. O cardápio oferece ainda interessantes opções de carnes, saladas e sopas. Prove um dos típicos chás árabes. Fechado aos domingos no jantar.

GRÀCIA Botafumeiro — €€€€

C/Gran de Gràcia 81, 08012 ***Tel*** *93 218 42 30* — ***Mapa*** *3 A2*

Famoso restaurante de frutos-do-mar, com peixes e mariscos exibidos na entrada. A frequência estrelada (que inclui clientes como Woody Allen e Madonna) fizeram daqui um reduto disputado, um pouco por causa do luxo do ambiente. Tente o macio *pulpo gallego*. Não vá sem reservas.

GRÀCIA Ot — €€€€

C/Córsega, 537, 08025 ***Tel*** *93 435 80 48* — ***Mapa*** *3 B2*

Pequeno e disputado, este restaurante não demorou para fazer fama. Não há opção de cardápio, mas entre as "surpresas" possíveis estão a espuma de alho com javali defumado e batatas ou o cozido de atum com gratinado e uva. O que define o que virá no prato do cliente é a oferta disponível no mercado local. Fechado no almoço às segundas-feiras e aos domingos.

GRÀCIA Roig Robí — €€€€

C/de Sèneca 20, 08006 ***Tel*** *93 218 92 22* — ***Mapa*** *3 A2*

Restaurante pequeno e acolhedor, com agradável pátio para refeições no verão. Aqui se pode provar a verdadeira culinária catalã. No cardápio, boa oferta de bacalhau, além de pratos típicos como alcachofras. Fechado aos sábados no almoço e aos domingos.

HORTA Can Travi Nou — €€€

C/Jorge Manrique, 08035 ***Tel*** *93 428 03 01*

Poucas pessoas se afastam tanto do centro para vir jantar aqui, mas esta casa rural do século 14 merece a viagem, com seu ambiente antigo e belos terraços, ideais para refeições a céu aberto. No cardápio, pratos à base de arroz e pescados. Fechado aos domingos no jantar.

POBLENOU Els Pescadors — €€€

Plaça Prim 1, 08005 ***Tel*** *93 225 20 18*

Restaurante com múltiplos espaços (um terraço, um salão tradicional e uma cafeteria ao estilo antigo), o local deve seu nome aos pescadores que costumavam vir aqui. É uma excelente opção para provar mexilhões frescos e outras delícias do mar. Peça as *anxoves*. Fechado na Páscoa e no Natal.

SANT GERVASI La Balsa — €€€

C/Infanta Isabel 4, 08060 ***Tel*** *93 211 50 48*

Astros do esporte, artistas, atores e políticos locais adoram este lugar de boa qualidade e preços elevados. Com serviço discreto, o La Balsa oferece terraços ideais para apreciar boa comida catalã, mediterrânea e basca, com lindas vistas da cidade. Música ao vivo terça-feira à noite. Fechado no jantar domingo e no almoço segunda-feira.

TIBIDABO El Asador de Aranda — €€€

Avinguda del Tibidabo 31, 08022 ***Tel*** *93 417 01 15*

Paraíso para quem gosta de carne, este restaurante instalado em uma casa grandiosa no alto de uma colina destaca-se pelos saborosos pratos à base de carne de porco e de carneiro, além de bifes, costelas e uma boa variedade de *burgos morcillas*. Na carta de vinhos, tintos oriundos de La Ribera.

TIBIDABO L'Orangerie — €€€€

Carretera de Vallvidrera 83–93, 08035 ***Tel*** *93 259 30 00*

Instalado no alto da montanha, acima de Barcelona e do mar, este magnífico restaurante oferece vistas maravilhosas e compensa a corrida de táxi, estimada em meia hora. Tanto para quem quer apenas provar chá com bolo no meio da tarde, um brunch dominical ou a experiência gastronômica completa. Música ao vivo em alguns dias da semana.

CATALUNHA

ALTAFULLA Faristol €€

C/Sant Martí 5 (Tarragona), 43893 ***Tel*** *977 65 00 77*

Vale experimentar os típicos pratos catalães nesta bela casa do século 18. O casal que administra o estabelecimento é simpático e proporciona uma opção romântica para o agito de Barcelona. Os clientes podem se hospedar aqui. Às sextas e aos sábados à noite costuma haver música. De outubro a maio, abre apenas de sexta a domingo.

ANDORRA LA VELLA Borda Estevet €€€

Carretera de la Comella 2, ***Tel*** *376 86 40 26*

Esta antiga residência rural ainda é usada para a secagem do tabaco das plantações próximas. No cardápio, pratos franceses e especialidades de Andorra e da Catalunha. O destaque são os pratos à base de carne, sobretudo a *carns a la llosa* (servida em pedra quente).

ARENYS DE MAR Hispania €€€€

C/Real 54, Carretera NII, 08350 ***Tel*** *93 791 04 57*

Famoso bistrô agraciado com diversos prêmios por sua culinária de alta qualidade. Há quem venha de longe para provar o *suquet* (ensopado) de mexilhões e a *crema catalana* (creme de ovos) caseira. Fechado aos domingos no jantar, às terças-feiras, na Páscoa e em outubro.

BERGA Sala €€€€

Passeig de la Pau 27, 08600 ***Tel*** *93 821 11 85*

Boa opção de vigorosos pratos de inverno, muitos baseados nos cogumelos colhidos nas florestas próximas daqui. Na temporada, serve carne de caça. Culinária bastante inovadora e possibilidade de menu degustação. Fechado aos domingos no jantar e às segundas-feiras.

BOLVIR DE CERDANYA Torre del Remei €€€€

Camí Reial (Girona), 17539 ***Tel*** *972 14 01 82*

Um dos hotéis e restaurantes mais elegantes da região, ocupa um antigo palácio de verão e está cercado de bela área verde. O chef aproveita produtos regionais para criar pratos como carne de caça com molho de frutas vermelhas, vieiras com molho Priorat e sobremesas.

CAMBRILS Can Bosch €€€€

Rambla Jaume I, 19, 43850 ***Tel*** *977 36 00 19*

Clássico restaurante, com cardápio que se destaca pelos excelentes pescados, frutos-do-mar e pratos à base de arroz. O arroz-negro (preparado com a tinta da lula) merece a fama que tem. Muitos garantem que a carta de vinhos da casa não fica atrás. Fechado aos domingos no jantar, às segundas-feiras e de 22 de dezembro a 1 de fevereiro.

FIGUERES Hotel Empordà €€€€

Hotel Empordà, Carretera NII, 17600 Tel 972 50 05 62

Lendário restaurante que desempenhou papel importante no processo de divulgação e valorização da culinária catalã. Inaugurado em 1961, ainda costuma reunir interessados em provar o legado do chef Jaime Subirá, que inclui pratos clássicos como o *mar y muntaña* (mar e montanha).

GIRONA EL Celler de Can Roca €€€€

Carretera Taialá 40, 17007 ***Tel*** *972 22 21 57*

O Celler de Can Roca oferece uma mistura da nouvelle cuisine francesa e catalã. Apreciados pelos conhecedores dos prazeres da comida, os irmãos Roca inovam e apresentam pratos tecnicamente brilhantes, a uma velocidade incrível. Fechado aos domingos, segundas-feiras, primeiras duas semanas de julho e Natal.

GRATALLOPS Cellers de Gratallops €€€

Piró 32 (Priorat), 43737 ***Tel*** *977 83 90 36*

Este pequeno restaurante de aldeia pertence ao Clos l'Obac, um dos pioneiros dos novos vinhos Priorat. Serve ampla variedade de vinhos com um menu bastante influenciado pelos sabores do Marrocos. Lugar a ser visitado por quem percorre a região vinícola. Abre somente de terça-feira a domingo para o almoço.

LA SEU D'URGELL El Castell €€€€

Carretera N260 km 229 (Lleida), 25700 ***Tel*** *973 35 07 04*

Situado aos pés do castelo La Seu d'Urgell e cercado por um cenário magnífico, este hotel e restaurante é idílico. Serve a moderna culinária catalã e vinhos de alta qualidade. Muitos pratos incluem diversos cogumelos da região dos Pirineus e carne local. Na mesas de fora, o menu é diferente.

LLEIDA Gardeny €€

C/ Salmerón 10, 25004 ***Tel*** *973 23 45 10*

Excelente culinária regional com um toque moderno, que inclui escargot ao estilo Gardeny (bem cozidas) As especialidade incluem cogumelos e bacalhau e *Esqueixada*, com bacalhau e filhotes de enguia. O antigo nome da casa era Le Punt del Gourmet. Fechado às quintas-feiras e às segundas-feiras à noite.

LLORET DE MAR El Trull €€€

Ronda Europa 1, Cala Canyelles, 17310 ***Tel*** *972 36 49 28*

Caso o visitante inclua em seu roteiro a simpática Lloret de Mar, este restaurante peculiar é uma boa opção. Aqui pode-se apreciar pescados, lagosta grelhada, *fideus* (macarrão ao estilo catalão) e *paella*. É grande a oferta de vinhos e espumantes. No verão, música ao vivo.

MANRESA Sibar €€

C/Carrasco i Formiguera 18 (Barcelona), 08242 ***Tel*** *93 874 81 71*

Este moderno estabelecimento oferece uma cafeteria no térreo para quem quer café e bolos, e um elegante restaurante no primeiro andar para refeições tradicionais. O *chuleton* (bisteca para no mínimo duas pessoas) é excelente, assim como os incríveis ovos fritos e batatas. Vale provar os vinhos da região. Fechado no Natal.

MARTINET Boix €€

Carretera N260 km 204,5 (Lleida), 25724 ***Tel*** *973 51 50 50*

Famoso restaurante catalão situado às margens do rio Segre. O destaque aqui é a perna de cordeiro assada, que, de tão macia, pode ser comida de colher. Para acompanhar, peça uma garrafa de vinho local, de Costers del Segre. Fechado aos domingos no jantar e às segundas-feiras.

MONT-RAS La Cuina de Can Pipes €€€€

Barri Canyelles (Girona), 17253 ***Tel*** *972 30 66 77*

Esta elegante residência rural do século 18 oferece excelentes pratos regionais. Algumas opções são as vieiras com gratin de algas e arroz com cogumelos selvagens. Vale a pena pedir sobremesas. A carta de vinhos inclui mais de 200 itens. É recomendável reservar. Fechado às segundas e terças-feiras, de 1 a 15 de outubro e em janeiro.

Peralada Castell de Peralada €€€€

Hotel Castell de Peralada, C/Sant Joan (Girona), 17491 Tel 972 53 81 25

O castelo medieval, faz daqui um lugar especial. A especialidade da casa é a cozinha tradicional Empordàn, enquanto o vinho vem das próprias bodegas do castelo. Como o local abriga também um cassino, só entram maiores de 18 anos. Entre julho e agosto, há mesas externas e as crianças são bem-vindas. Fechado às segundas e terças feiras de outubro a janeiro.

ROSES El Bulli €€€€

Cala Montjoi, Ap 30 (Girona), 17480 ***Tel*** *972 15 04 57* ***Tel*** *97 215 07 17*

Na opinião de muitos apreciadores e críticos, o El Bulli não é apenas o melhor restaurante da Espanha, mas um dos melhores do mundo. O chef Ferran Adrià destaca-se como um dos criadores mais radicais dos pratos com status de obra de arte. O local, à beira-mar, é belíssimo. Reservas com um ano de antecedência. Fechado de outubro a maio.

SANT CELONI El Racó de Can Fabes €€€€

C/ de Sant Joan 6 (Barcelona), 08470 ***Tel*** *93 867 28 51*

Santi Santamaría é um dos chefs mais emblemáticos da Espanha. Este restaurante funciona na casa em que ele nasceu e hoje é uma maravilha gastronômica. O cardápio sazonal inclui delícias como creme de erva-doce com caranguejos e pato no molho de cacau. Não vá sem reservar. Fechado no jantar aos domingos e às segundas-feiras.

SANT POL DE MAR Sant Pau €€€€

C/Nou 10 (Barcelona), 08395 ***Tel*** *93 760 06 62*

Este restaurante fica a uma hora de trem de Barcelona. O encontro do mar com a terra propicia alguns pratos maravilhosos criados a partir de ingredientes como pepino-do-mar e javali. Fechado às segundas-feiras, no jantar aos domingos, no almoço às quintas-feiras, por três semanas em maio e duas em novembro.

SITGES El Velero €€€

Passeig de la Ribera 38 (Barcelona), 08870 ***Tel*** *93 894 20 51*

Restaurante à beira-mar com criações inovadoras, oferece mais do que os tradicionais peixes grelhados e paella. Um dos destaques da casa é o linguado com cogumelos selvagens acompanhado de um peculiar molho de caranguejo. Fechado às segundas-feiras e aos domingos no jantar e de 22 de dezembro a 22 de janeiro.

TARRAGONA El Merlot €€€

C/Cavallers 6, 43003 ***Tel*** *977 22 06 52*

Situado na parte antiga da cidade, este restaurante serve pratos mediterrâneos clássicos. Entre as especialidades da casa estão carne de caça na estação, peixes frescos e maravilhosas sobremesas caseiras. Tente pedir o tartar com *foie gras* e o sorvete de anis. Fechado às segundas-feiras no almoço, aos domingos, no Natal e de 1 a 15 de fevereiro.

VALLS Masia Bou €€

Carretera Lleida km 21,5 (Tarragona), 43800 ***Tel*** *977 60 04 27*

Aqui a especialidade fica por conta dos *calçots*, uma espécie de cebola verde do tamanho do alho-poró, preparada na brasa e servida com molho de tomate picante, que faz o deleite de quem prova. Local divertido e bastante tradicional. Fechado às terças-feiras no verão.

VIC Cardona 7 €€

Cardona, 7, 08500 Vic (Barcelona) ***Tel*** *93 886 38 15*

Bem no meio do centro histórico de Vic, em um edifício restaurado do século 16, decorado com móveis modernos e arte contemporânea. O chef, Jordi Parramon, é localmente reconhecido por sua cozinha criativa baseada em produtos da estação. A carta de vinhos é extensa. Fecha duas semanas em setembro e fevereiro.

Cafés e Bares

Esta seção lista os melhores e mais graciosos cafés e bares de Barcelona, tanto os tradicionais como os novos, da moda. Em geral, os cafés oferecem uma pequena seleção de drinques, além de bebidas suaves, e a maioria também faz bons cafés. Assim, é quase certo que o visitante encontre algo de seu agrado.

CATEGORIAS DE PREÇO
Por pessoa, para um jantar de três pratos, com meia garrafa de vinho da casa, impostos e serviço.

€ até 20 euros
€€ 20–35 euros
€€€ 35–50 euros
€€€€ acima de 50 euros

CIDADE VELHA

Barcelona Rouge — €
C/Poeta Cabanyes 21, 08004 ***Tel*** *93 442 49 85* — **Mapa** *2 D3*

Poucas pessoas conhecem este bar, que funciona até tarde da noite. Mas quem conhece gosta daqui. Para entrar é preciso tocar a campainha. Uma pequena entrada conduz ao extenso corredor protegido por anjos até uma área repleta de sofás. Não serve comida. Fechado aos domingos e às segundas-feiras.

Boadas — €
C/dels Tallers 1, 08001 ***Tel*** *93 318 88 26* — **Mapa** *2 F1*

Sophia Loren e outros nomes famosos aprovaram este bar, como confirmam as fotos em branco e preto distribuídas nas paredes. O hábil bartender prepara os martinis mais regulares da cidade para uma clientela formada por catalães e turistas. Não serve comida. Fechado aos domingos.

Bodega La Palma — €
C/Palma de Sant Just 7, 08002 ***Tel*** *93 315 06 56* — **Mapa** *5 B3*

Antiga *bodega* (adega) situada no coração da Cidade Velha. Como manda a tradição, o vinho é extraído de enormes barris envelhecidos e servido em copos de cerâmica. As *tapes* também são boas. Fechado aos domingos, na Páscoa e em agosto.

Caelum — €
C/de la Palla 8, 08002 ***Tel*** *93 302 69 93* — **Mapa** *5 A2*

Este elegante salão de chá ocupa as antigas termas femininas do Bairro Judaico (El Call). A aconchegante e suave área de refeição oferece chás e capuccinos, além de boa variedade de doces típicos, como as *yemas* (gemas doces), *roscos* (biscoitos em forma de anel) e trufas de chocolate. Fechado às segundas-feiras de manhã.

El Bosc de les Fades — €
Passatge de la Banca 72, 08002 ***Tel*** *93 317 26 49* — **Mapa** *5 A3*

O ambiente feérico fica por conta da decoração com luzes oscilantes, troncos de árvores e som de água corrente. Está mais para bar do que para cafeteria. Relaxe e desfrute os coquetéis, vinhos e cervejas, bem como as deliciosas combinações de café.

El Café que Pone Muebles Navarro — €
C/Riera Alta 4-6, 08001 ***Tel*** *93 442 39 66* — **Mapa** *2 E2*

Neste café, que também vende móveis usados, a frequência é de boêmios da cidade. A parte interna destaca-se pela variedade, com uma mistura de sofás, cadeiras e mesas de fórmica. Bom lugar para ir em grupo, com tira-gostos criativos. Fechado às segundas-feiras.

El Xampanyet — €
C/Montcada 22, 08003 ***Tel*** *93 319 70 03* — **Mapa** *5 B3*

Este minúsculo bar é apreciado pelos barceloneses por causa dos bons preços cobrados pelo champanhe catalão, além dos excelentes *montaditos* (sanduíches) e *tapes*. Há poucos lugares para sentar, e a procura é imensa, mas nenhuma visita a Barcelona está completa sem vir aqui. Fechado aos domingos à noite, segundas-feiras e em agosto.

Escribà — €
La Rambla 83, 08002 ***Tel*** *93 301 60 27* — **Mapa** *5 A3*

Situado num multicolorido edifício modernista na extremidade sul do mercado Boqueria, este afamado café pode ser considerado uma instituição de Barcelona. É um excelente lugar para repor as energias –especialmente para quem passou a manhã explorando as bancas do mercado.

Ginger — €
C/Palma de Sant Just 1, 08002 ***Tel*** *93 310 53 09* — **Mapa** *5 B3*

Os donos do Ginger encontraram uma fórmula inspirada para definir os espaços da casa. Há um *wine bar* numa ponta, um bar de coquetéis na outra e, no meio, macias e acolhedoras poltronas. Combinando tudo isso a pouca luz, jazz suave e deliciosas *tapes*, fica fácil passar a noite toda por aqui. Fechado aos domingos e às segundas-feiras.

Legenda dos símbolos *orelha da quarta capa*

La Granja

€

C/Banys Nous 4, 08002 ***Tel*** *93 302 69 75* ***Mapa*** *5 A2*

Este templo boêmio também é chamado de La Vaca Lechera (vaca leiteira). É uma leiteria lindamente decorada, com paredes em cor creme, fotografias nas paredes e antigos equipamentos de laticínios. O cremoso chocolate quente é a especialidade da casa. Perfeito para as manhãs geladas de inverno.

Luz de Gas – Port Vell

€

Moll del Dipòsit s/n, 08039 ***Tel*** *93 484 23 26* ***Mapa*** *5 B4*

Este barco de dois andares costuma ser um dos pontos de encontro mais procurados no verão de Barcelona. Situado na ponta do atracadouro de Port Vell, ao lado de outros iates e embarcações de luxo, é fabuloso para ver e ser visto, tendo em mãos um copo de *cava* gelada. Também serve *tapes*. Aberto de junho a setembro.

Marsella

€

C/Sant Pau 65, 08001 ***Tel*** *93 442 72 63* ***Mapa*** *2 E3*

Um dos mais velhos bares do Barrio Chino, a parte baixa de El Raval, que já foi uma área de prostituição e ainda conserva um certo charme marginal. Candelabros empoeirados e velhas garrafas de vinho compõem uma atmosfera propícia a experimentar drinques fortes, como o absinto. Mas atenção: o local não serve comida.

Sandwich & Friends

€

Passeig del Born 27, 08003 ***Tel*** *93 310 07 86* ***Mapa*** *5 B3*

O bar é dominado por um gigantesco mural de *Friends*, pintado pelo conhecido designer gráfico catalão Jordi Labanda (cujo trabalho pode ser apreciado na revista *Wallpaper*). Os sanduíches daqui foram inventados pelos fregueses mais fiéis, e pode-se contribuir com novas idéias para ampliar a lista de recheios oferecidos pela casa.

Textil Café

€

C/Montcada 12, 08003 ***Tel*** *93 268 25 98* ***Mapa*** *5 B3*

Este acolhedor café estende-se pelo pátio de um dos muitos palácios de Montcada e oferece abrigo para o sol. Prepara uma boa variedade de bolos caseiros, quiches, saladas e sanduíches. Bom para um almoço leve, mas o serviço pode ser lento. Música ao vivo domingos às 21h. Fechado às segundas-feiras.

Va de Vi

€

C/Banys Vells 16, 08003 ***Tel*** *93 319 29 00* ***Mapa*** *5 B2*

Com seus arcos de pedra, chão de ladrilhos e mesas de jantar de madeira, este lugar tem uma atmosfera que combina com a da adega onde estão entesouradas mais de 4 mil garrafas de vinho, *cava* e outras bebidas. Bom para provar diferentes queijos e frios espanhóis –e perfeito para ceias na alta noite. Abre diariamente às 18h.

EIXAMPLE

Cacao Sampaka

€

C/Consell de Cent 292, 08007 ***Tel*** *93 272 08 33* ***Mapa*** *3 A4*

O empório de chocolate de Albert Adrià (irmão do chef Ferran Adrià) é parada obrigatória para os chocólatras. A escolha fica entre bombons que levam cacau de diferentes partes da América do Sul, flores, frutas e especiarias, além de ingredientes mais bizarros, como anchova e azeitona preta *(pág. 156)*. Fechado aos domingos (e segundas-feiras em agosto)

Laie Librería Café

€

C/Pau Claris 85, 08010 ***Tel*** *93 302 73 10* ***Mapa*** *3 B3*

Elegante misto de livraria e café, muito perto da Plaça de Catalunya. Trata-se de um bom lugar para degustar uma xícara do verdadeiro café de gourmet. Tem ainda um bonito terraço interno e oferece jantares leves, por vezes acompanhados de música ao vivo. Em fevereiro, grupo de jazz às terças-feiras. Fechado aos domingos.

FORA DO CENTRO

GRÀCIA Café del Sol

€

Plaça del Sol 16, 08012 ***Tel*** *93 415 56 63* ***Mapa*** *3 B1*

Um dos mais famosos cafés de Gràcia, em parte por ter sido administrado por um apaixonado pianista, o Señor Ramón, falecido há alguns anos. Seu piano ainda domina um canto do salão, embora nunca seja tocado. Em vez disso, o som ambiente traz uma eclética mistura de rock, punk, reggae e blues. Também serve *tapas*.

GRÀCIA Mirabé

€

C/Manuel Arnús 2, 08035 ***Tel*** *93 418 56 67*

Um elegante *lounge bar* situado no ponto de partida do funicular para Tibidabo. Enormes janelas do chão ao teto oferecem fantásticas vistas da cidade. No verão e na primavera, os jardins do terraço compõem um cenário idílico para quem vem tomar um drinque. They do not serve food.

COMPRAS EM BARCELONA

Barcelona é sofisticada, elegante e claramente dividida em diferentes distritos de compras –o Passeig de Gràcia, com lojas finas de estilistas famosos, o Barri Gòtic, com butiques e antiquários mais ecléticos, El Born, com as divas da alta-costura, e El Raval, com mercados e lojas de museu. Mas essa não é uma regra rígida: apenas fornece uma orientação e ajuda a definir a cidade quando o tempo é escasso. Há mercados de alimentos –44 ao todo– em cada *barrio* e uma profusão de mercados-de-pulgas como o Els Encants, de estilo parisiense, e a feira de antiguidades em Sant Cugat, de estilo mais provençal. Um jeito fácil de conhecer as lojas e os mercados de Barcelona é pegar um táxi ou o transporte público. Mesmo com muitos estacionamentos na cidade, não vale a pena alugar um carro. Lembre-se de que todas as lojas fecham aos domingos.

Vitrine modernista em loja

Doces em exposição na Escribà

COMIDAS E BEBIDAS

As lojas de doces de Barcelona são uma atração à parte, com suas vitrines de esculturas de chocolate, mas nenhuma *pastisseria* é mais espetacular do que a **Escribà**. Outras lojas se destacam por sua personalidade e, nesse quesito, nenhuma supera a **Colmado Quilez**, no Eixample. Essa linda e antiga loja oferece grande variedade de frios, queijos e conservas, além de bebidas e vinhos espanhóis e estrangeiros.

LOJAS DE DEPARTAMENTOS E SHOPPINGS

A filial da Plaça de Catalunya do **El Corte Inglés**, maior loja de departamentos da Espanha, é um marco da cidade e um lugar em que se encontra um pouco de tudo sob o mesmo teto, incluindo serviços como o de chaveiro. Há outras filiais espalhadas por Barcelona. Os hipermercados também vendem uma ampla seleção de produtos. A melhor maneira de chegar até eles é de carro, pois se localizam nos subúrbios da cidade. Para o sul, pegue a Gran Via, em direção ao aeroporto, e para o norte, a Avinguda Meridiana.

Os shopping centers, ou *galerías*, construídos nos prósperos anos 1980, também são muito procurados. O **Bulevard Rosa**, no Passeig de Gràcia, abriga centenas de lojas de roupas e acessórios. Na Avinguda Diagonal está o espaçoso e animado shopping center **L'Illa**.

MODA

No Passeig de Gràcia e em ruas adjacentes é possível encontrar conhecidas grifes internacionais lado a lado com peças de jovens talentos. **Adolfo Domínguez** vende roupas de corte clássico para homens e mulheres. **Armand Basi** vende boa roupa esporte. Na **Contribuciones** há moda de designers com descontos. Muitas lojas oferecem alfaiataria tradicional de alta qualidade, e a **Calzados E Solé**, na Cidade Velha, é especialista em botas e sapatos clássicos feitos à mão.

LOJAS ESPECIALIZADAS

Muitas lojas em Barcelona oferecem produção artesanal de artigos que, em outros lugares, já são industrializados. **La Caixa de Fang** conta com boa seleção de cerâmicas catalãs e espanholas, inclusive panelas tradicionais e azulejos coloridos. **L'Estanc** tem de tudo para o fumante, como, por exemplo, os melhores charutos Havana. **La Manual Alpargatera** é uma antiga sapataria especializada em alpargatas catalãs típicas, feitas no próprio local, em todas as cores. A **Cereria Subirà** *(págs. 140-1)*, a loja mais antiga da cidade, vende velas em todas as formas possíveis e imagináveis.

Seção de moda masculina da Adolfo Domínguez

DESIGN, ARTE E ANTIGUIDADES

Quem se interessa por design ou procura um presente diferente deve visitar a **Vinçon**, a mais famosa loja de design de Barcelona. Localizada no Passeig de Gràcia, ela tem de tudo para decorar a casa, incluindo tecidos e móveis. A **BD-Ediciones de Diseño**, com seu ambiente de galeria de arte, também é imperdível. Instalada em um edifício projetado por Domènech i Montaner, possui acessórios e móveis contemporâneos, além de peças baseadas em designs de Gaudí e de Charles Rennie Mackintosh. A maioria das galerias de arte e lojas de gravuras fica no Carrer Consell de Cent, no Eixample, enquanto o Barri Gòtic –especialmente o Carrer de la Palla e o Carrer del Pi– é o melhor lugar para explorar os pequenos e fascinantes antiquários.

Mobília exposta com elegância na Vinçon

Atraentes bancas de frutas no mercado de La Boqueria

L'Arca de l'Avia tem mobília fina, bonecas de época, sedas e rendas antigas, todas lindamente arranjadas.

LIVROS E JORNAIS

A maioria das bancas do centro e de Las Ramblas vende jornais de vários países, mas a melhor seleção de periódicos estrangeiros está na **Crisol**, onde também se encontram livros, vídeos, CDs e equipamento fotográfico.

MERCADOS

A visita a **La Boqueria**, um dos mais espetaculares mercados de toda a Europa, é obrigatória. Localizado em Las Ramblas, oferece todo tipo de alimento. Na Plaça del Pi acontece uma feira de antiguidades nos primeiros e terceiros sexta-feira, sábado e domingo do mês. Nas manhãs de domingo, colecionadores de livros, moedas e selos armam barracas na Plaça Reial. Tradicional mercado-de-pulgas da cidade, o **Encants Vells** *(pág. 99)* acontece às segundas, quartas, sextas e sábados, ao norte da Plaça de les Glòries Catalanes.

AGENDA

COMIDAS E BEBIDAS

Colmado Quílez
Rambla de Catalunya 63.
Mapa 3 A4.
Tel 93 215 23 56.

Escribà Pastisseries
La Rambla 83.
Mapa 2 F4.
Tel *93 301 60 27.*
Gran Via de les Corts Catalanes 546.
Mapa 2 E1.
Tel *93 454 75 35.*

LOJAS DE DEPARTAMENTOS E SHOPPINGS

Bulevard Rosa
Passeig de Gràcia 55.
Mapa 3 A4.
Tel *93 378 91 91.*

El Corte Inglés
Avinguda Diagonal 617–19.
Tel *93 366 71 00.*
Uma de várias filiais.

L'Illa
Avinguda Diagonal 545–57.
Tel *93 444 00 00.*

MODA

Adolfo Domínguez
P de Gràcia 89. **Mapa** 3 A3.
Tel *93 215 13 39.*

Armand Basi
Passeig de Gràcia 49.
Mapa 3 A3.
Tel *93 215 14 21.*

Calzados E Solé
Carrer Ample 7. **Mapa** 5 A3.
Tel *93 301 69 84*

Contribuciones
Riera de Sant Miquel 30.
Mapa 3 A2.
Tel *93 218 71 40.*

LOJAS ESPECIALIZADAS

La Caixa de Fang
C/ Freneria 1. **Mapa** 5 B2.
Tel *93 315 17 04.*

Cereria Subirà
Bajada Llibreteria 7. **Mapa** 5 B2. ***Tel*** *93 315 26 06.*

L'Estanc
Via Laietana 4. **Mapa** 5 B3.
Tel *93 310 10 34.*

La Manual Alpargatera
C/ d'Avinyó 7. **Mapa** 5 A3.
Tel *93 301 01 72.*

DESIGN, ARTE E ANTIGUIDADES

L'Arca de l'Avia
Carrer dels Banys Nous 20.
Mapa 5 A2.
Tel *93 302 15 98.*

BD-Ediciones de Diseño
Carrer de Mallorca 291.
Mapa 3 B4.
Tel *93 458 69 09.*

Vinçon
P de Gràcia 96. **Mapa** 3 B3.
Tel *93 215 60 50.*

LIVROS E JORNAIS

Crisol
Rambla de Catalunya 81.
Mapa 3 A4.
Tel *93 215 27 20.*

MERCADOS

La Boqueria
La Rambla 101. **Mapa** 5 A2.

Encants Vells
C/ Dos de Maig, P de les Glòries. **Mapa** 4 F5.

Comidas e bebidas

Os barceloneses se orgulham de sua tradição culinária –e com razão. A região produz frutas e verduras de excelente qualidade, carnes saborosas e uma incrível variedade de queijos. Do mar vem a ótima oferta de peixes e frutos-do-mar, e as áreas vinícolas de Penedès e Priorat oferecem bons vinhos a preços condizentes. Menos conhecidas são as docerias e as lojas de chocolate, que também contribuem para a formação de uma culinária completa e sofisticada, digna de causar inveja ao mundo.

EMBUTIDOS, QUEIJOS E ARTIGOS DE LUXO

Quem não conseguir provar essas delícias *in loco* tem o dever de, pelo menos, levá-las para casa. Barcelona possui maravilhosas lojas de comida, que vendem itens variados. O La Boqueria, famoso mercado de alimentos situado na Rambla, é um ponto de partida óbvio –mas quem prefere comprar com comodidade e sem muita disputa com outros clientes pode se dirigir a uma das muitas lojas especializadas existentes na cidade.

No bairro El Born, a loja **Origins 99.9%** comercializa apenas artigos catalães, como as pequenas azeitonas do tipo arbequina, sal com aroma de trufas, azeites, vinagres, conservas caseiras e embutidos artesanais. Logo após a esquina está **La Botifarrería de Santa María**, excelente para comprar embutidos e com variada oferta de salsichas caseiras com sabores incomuns, como carne suína e moluscos, carne bovina e beterraba, carneiro e cogumelo silvestre.

A **Casa Gispert** é o endereço ideal para quem procura frutas secas, nozes de boa qualidade e café, torrado no local. A fabulosa **Formatgeria La Seu** é a única casa de queijos do país que vende apenas produtos feitos na Espanha, e aqui os clientes podem escolher alguns tipos preparados sazonalmente por pequenos produtores. Algumas opções são o cremoso queijo de cabra catalão, os envelhecidos manchegos e os defumados San Simóns, que têm a forma de pião. Por 2,50 euros, o visitante pode degustar três queijos e uma taça de vinho. A proprietária da loja, Katherine McLaughlin, também reserva uma pequena variedade de óleos de oliva artesanais.

Para apreciar mais itens alimentícios e produtos espanhóis em lata (alguns em embalagens maravilhosas), a **Colmado Quílez** é uma boa dica, pois oferece de açafrão a presunto. Outra loja interessante em Eixample é a **Mantequeria Ravell**, primeira loja de *delicatessen* de Barcelona. As prateleiras não exibem apenas produtos nacionais (há oferta de artigos italianos e franceses), mas o que existe de melhor e mais caro está aqui –de sal do Himalaia a pimenta do tipo *guindilla*, original do País Basco. O restaurante que funciona no primeiro andar é caro, mas muito bom.

Sem constituir exatamente uma loja de alimentos, a **Herboristeria del Rei** vende ampla variedade de ervas, chás e mel. Inaugurada em 1823, foi escolhida pela rainha Isabel II como fornecedora da casa real. Na bela fonte de mármore, o destaque é o busto do Carlos Lineu, autor do sistema de classificação de animais e vegetais.

CHOCOLATES E DOCES

O Eixample é um bairro rico em lojas de chocolate e docerias, mas algumas, como a **Xocoa**, possui outros endereços na cidade, como as filiais do bairro El Born e a do Barri Gòtic. Esta é a marca mais badalada, com suas embalagens em estilo retrô e seus chocolates de formas inusitadas –como as de CDs e de chaves gigantes.

A **Escribà Pastisseries** se revela mais impressionante: esculpe bolos, doces e "sósias" de gente famosa, feitos de chocolate e em tamanho natural. Quem deseja algo de fato peculiar, porém, deve procurar **Enric Rovira** –vale se esforçar para conhecer suas curiosas recriações em chocolate dos *rajoles* (pedras de calçamento) de Gaudì, bem como os artigos para presente assinados por artistas catalães famosos. A **Cacao Sampaka** é a doceria que pertence a Albert Adrià (irmão do célebre *chef* Ferran Adrià), com ofertas que surpreendem pela inventividade, como os recheios de anchova, azeitona preta e queijo, além das alternativas convencionais (ervas e flores).

Quem quer levar para casa alguns dos doces espanhóis mais tradicionais pode recorrer à **Antiga Casa Mauri**, que vende *turrón* (doce catalão feito com amêndoas), e à **Caelum**, para delícias como as *yemas* (doce feito de gemas de ovos) e *mazapans* (marzipãs). A **Jauja** oferece uma experiência nostálgica, com seus doces ao estilo antigo. Uma novidade mais recente é **Papabubble**, uma impressionante loja com painéis de madeira que permite que os clientes vejam a fabricação dos quitutes.

PADARIAS E *PATISSERIES*

Em quase todas as ruas da cidade há uma *panadería*. Em geral abertas durante o dia, costumam ter maior movimento no início da manhã e por volta das 5 da tarde, hora do lanche na Espanha: não é raro ver no local mães agradando seus filhos com guloseimas.

Uma das melhores é a **Cusachs**, inaugurada em 1963

e na qual ainda se pode encontrar os tradicionais *cocas* catalãs. Doces ou salgados, são tradicionais no dia 23 de junho, véspera de São João *(pág. 35)* e dia mais longo do ano.

Outra *panadería* famosa é a **Foix de Sarriá**, no Major de Sarriá, local elogiado pela excelência dos quitutes que saem de seus fornos. Entre as especialidades da casa estão o bolo real, os bolos de marzipã (*sachertorte panellets*), os biscoitos de frutas (*pasta de té*) e os bolos cobertos com creme e amêndoas (*saras*).

O melhor pão da cidade é encontrado na **Bopan**, perto da Rambla de Catalunya. Este simpático café oferece versões próprias de diversos tipos de pão, entre eles especialidades africanas.

BEBIDAS E TABACO

No que se refere à variedade de oferta, nenhum endereço supera a **Lavinia**, a maior loja de vinhos da Espanha, com filiais em Madri e mais recentemente em Paris. Possui uma oferta de milhares de rótulos de todo o mundo. Tamanha diversidade, porém, tem seu preço. Quem quiser pagar menos deve se dirigir ao centro. Em El Born, a **Vila Viniteca** comercializa uma incrível variedade de vinhos espanhóis e da Catalunha, desde os rótulos de mesa, mais baratos (cerca de 3 euros a garrafa) até os valorizados Priorats e Riojas, que podem custar 300 euros.

Finalmente, visitar a Catalunha sem levar para casa uma garrafa da champanhe local (*cava*) é uma heresia. Apesar de ser um artigo disponível em quase todas as lojas, quem preferir safras especiais deve se dirigir a **Xampany**, especializada em *cavas* da região vinícola de Penedès. A **Gimeno** garante o deleite de quem aprecia cachimbos, charutos e cigarros –e não desaponta nem aos que procuram um legítimo "cubano".

AGENDA

EMBUTIDOS, QUEIJOS E ARTIGOS DE LUXO

La Botifarrería de Santa María
Carrer Santa María 4.
Tel *93 319 97 84.*

Casa Gispert
C/Sombrerers 23, Born.
Mapa 5 B3.
Tel *93 319 75 35.*

Colmado Quílez
Rambla de Catalunya 63, Eixample.
Mapa 3 A3.
Tel *93 215 23 56.*

Formatgeria La Seu
C/Dagueria 16, Barri Gòtic.
Tel *93 412 65 48.*

Herboristeria del Rei
C/ del Vidre 1, Barri Gòtic.
Tel *93 318 05 12.*

Mantequeria Ravell
C/Arago 313.
Mapa 3 A4.
Tel *93 457 51 14.*

Origins 99.9%
C/Vidrieria 6-8, Born.
Tel *93 310 75 31.*

CHOCOLATES E DOCES

Antiga Casa Mauri
C/Flassanders 32.
Mapa 5 C2.
Tel *93 310 04 58.*

Cacao Sampaka
C/Consell de Cent 292, Eixample.
Mapa 3 A4.
Tel *93 272 08 33.*

Caelum
C/Palla 8, Barri Gòtic.
Mapa 5 A2.
Tel *93 301 69 93.*

Enric Rovira
Avinguda Jose Tarradellas 113, Eixample.
Tel *93 419 25 47.*

Escribà Pastisseries
La Rambla 83, Barri Gòtic.
Mapa 5 A1.
Tel *93 301 60 27.*

Jauja
C/Santa Anna 27, Barri Gòtic.
Mapa 5 A1.
Tel *93 318 13 45.*

Papabubble
C/Ample 28, Barri Gòtic.
Mapa 5 A3.
Tel *93 268 86 25.*

Xocoa
C/Vidreria 4, Born.
Mapa 5 B2.
Tel *93 319 63 71.*
C/Princesa 10, Born.
Tel 93 319 66 40.
C/Petritxol 11-13.
Tel *93 301 11 97.*

PADARIAS E *PATISSERIES*

Bopan
Rambla de Catalunya, 119.
Mapa 3 A3.
Tel *93 237 35 23.*

Cusachs
Bailén, 223.
Mapa 3 C2.
Tel *93 213 77 29.*

Foix de Sarriá
Major de Sarriá, 57.
Tel *93 203 07 14.*
Fax *93 280 65 56.*

BEBIDAS E TABACO

Gimeno
La Rambla 100.
Mapa 5 A1.
Tel *93 318 49 47.*

Lavinia
Av. Diagonal 605, Eixample.
Mapa 3 A2.
Tel *93 363 44 45.*

Vila Viniteca
C/Agullers 7–9, Born.
Mapa 5 B3.
Tel *93 310 19 56.*

Xampany
C/Valencia 200.
Mapa 3 A4.
Tel *93 453 93 38.*

Roupas e acessórios

Nas ruas de Barcelona não faltam vitrines de roupas e quem acompanha as tendências da moda logo vê que a cidade não fica atrás de nenhum dos grandes centros, como Nova York, Londres e Paris. Com a contribuição dos modernos *designers* catalães, como Antonio Miró e Custo, da presença de redes sofisticadas como Mango e Zara e de milhares de lojas singulares, a moda espanhola é hoje uma das mais vibrantes do mundo.

JÓIAS, BOLSAS E ACESSÓRIOS

Barcelona tem uma infinidade de minúsculas lojas para quem quer caprichar no visual. A **New Born**, apesar de pequena, tem grande oferta de bijuterias artesanais e enfeitadas com flores de esmalte e borboletas. A designer alemã **Alexandra Steinforth** destaca-se na criação de vestidos para ocasiões especiais. O **Rafa Teja Atelier** produz casacos com pedrarias, lenços de *patchwork*, bolsas com *appliqués* e acessórios de seda pintados à mão e investe na beleza dos tecidos e na variedade de texturas e cores. O visitante pode levar para casa (literalmente) um pouco da vida de Barcelona ao comprar uma bolsa **Demano**, à venda por toda a cidade e também na **Vinçon** *(pág. 154)* e na **Casas**. O inovador *design* das peças é fruto da criatividade das *designers* Marcela Manrique, Liliana Andrade e Eleonora Parachini e de iniciativa da prefeitura, que propôs a reciclagem de materiais descartáveis (como PVC) das faixas e placas usadas para anunciar os eventos culturais da cidade.

A loja **0,925** ocupa os estábulos do Palau Cerbello, do século 13, que também integram o Museu Picasso. Aqui pode-se encontrar boa variedade de peculiares bijuterias feitas à mão com materiais como prata, ouro, titânio e paládio e assinadas por cerca de 20 *designers* espanhóis ou catalães. Outro lugar indicado para quem procura artigos incomuns é a **Hipòtesi**. Com 17 anos de atividade, a loja reúne peças de cerca de 650 criadores diferentes, sobretudo itens como bijuterias, lenços e bolsas feitos de materiais diversos, como botões, contas, zíperes, ouro branco, madeira e platina. O lugar também é indicado para conhecer as revelações da escola de arte de Massana.

MARCAS ESPANHOLAS E ESTRANGEIRAS

Criadores independentes como **Giménez & Zuazo** oferecem calças, saias e vestidos exclusivos para o público feminino. No bairro de El Born concentram-se lojas que vencem artigos de *designers* conhecidos, como a **M69** (moda masculina), com coleções sazonais das marcas Paul Smith, Bikkembergs e Vivienne Westwood, entre outros. A Avenida Diagonal e o Passeig de Gràcia, porém, reúnem os verdadeiros templos do mundo fashion, com todas as etiquetas mais disputadas, como **Chanel, Carolina Herrera**, **Gucci** e **Hermès**, além da loja de bagagens de luxo **Loewe** e da **Pelleteria La Sibèria**, na qual se pode encontrar artigos de *design prêt-a-porter* feitos com peles, napa e camurça.

BRECHÓS E ITENS DE SEGUNDA-MÃO

O pequeno Carrer Riera Baixa, situado em El Raval, é o similar catalão da londrina Carnaby Street: além de feira promovida aos sábados (com horários pouco rígidos), tem diversas lojas interessantes. O brechó com raízes teatrais **Lailo** vende de artigos de segunda mão saídos dos camarins da Ópera do Liceu a trajes de banho da década de 1950. Do outro lado da rua fica o **Mies & Felj**, especializado em anos mais recentes, como os anos de 1960 e 70: tem cortinas com padrões extravagantes, casacos de couro forrados, vestidos chineses e moda esporte.

MODA E ESPORTE

As redes espanholas **Zara** e **Mango** contam com filiais por toda a cidade, mas as lojas principais de ambas situam-se no Passeig de Gràcia. São boas opções em matéria de peças básicas a preço razoável e roupas de festa. As duas também têm boa oferta de moda masculina, mas quem está em busca de trajes mais sofisticados pode preferir as marcas **Massimo Dutti** e **Adolfo Domínguez**, com oferta de itens mais clássicos, moda casual descontraída e acessórios como gravatas e cintos.

Uma série de pequenas lojas alternativas se espalha por El Born e pelo Barri Gòtic. O Carrer d'Avinyo, na Cidade Velha, que serviu de inspiração para o jovem Picasso, hoje se destaca pela animação e pelo clima de feira: a rua é indicada para quem procura grifes independentes e marcas esportivas conhecidas, como Adidas, Puma e Nike.

A **Overales & Bluyines**, um dos primeiros endereços da moda a se estabelecer em El Born, é sugestão para quem procura marcas criativas de todos os tipos de acessórios. A **Desigual** se destaca em moda casual, enquanto a **Doshaburi** tem a maior oferta de roupas Levis do país, ao lado de algumas marcas japonesas. A grife espanhola **Custo**, o mais famoso entre os nomes locais da moda, tem dois endereços na Cidade Velha, ambos com grande variedade de camisetas estampadas, saias e casacos.

Os fãs do futebol podem vasculhar as lojas oficiais do Barcelona, chamadas de **Botiga del Barca**: as prateleiras acomodam tudo o que é relacionado ao esporte, como bolas, chuteiras e camisetas.

CHAPÉUS E SAPATOS

A marca maiorquina de sapatos de couro **Camper** pode custar até 25% menos em Barcelona do que no resto do país. Outro nome clássico na área é **La Manual Apargatera**, procurada pelos dançarinos da *sardana* (dança típica catalã) e por celebridades: vende as tradicionais alpargatas feitas à mão e chapéus de palha. Nas filiais que a **Casas Sabaters** tem pela cidade, pode-se encontrar as principais marcas de calçados espanhóis –não perca as liquidações de final de estação e as ofertas especiais dessa rede. A **Muxart** é uma marca local que vende somente em suas próprias lojas. Vende alguns dos sapatos mais incríveis, originais e baratos, feitos à mão, a partir dos melhores materiais e com muitas variações de cores. O melhor lugar para comprar sapatos espanhóis da estação passada (marcas como Camper, Vialis, Jocomomola, Dorotea e Yanko) a preços com desconto é a **Tascón Outlet**. Na antiga chapelaria **Sombrereria Obach** não falta variedade: aqui pode-se comprar de boinas bascas a chapéus de caubói e panamás feitos à mão.

AGENDA

JÓIAS, BOLSAS E ACESSÓRIOS

0,925
C/ Montcada 25, Born.
Mapa 5 B3.
Tel *93 319 43 18.*

Demano
Pallars 94, 7, 1a.
Mapa 6 E2.
Tel *93 300 4807.*

Hipòtesi
Rambla de Catalunya 105, Eixample.
Mapa 3 A3.
Tel *93 215 02 98.*

New Born
C/Princesa 24, Born.
Mapa 5 B2.
Tel *93 511 31 25.*

Rafa Teja Atelier
C/Sta. Maria 18, Born.
Tel *93 310 27 85.*
Fax *93 289 28 05.*

MARCAS ESPANHOLAS E ESTRANGEIRAS

M69
C/Rec 28.
Mapa 5 C3.
Tel *93 310 42 36.*

Carolina Herrera
Passeig de Gràcia 87, Eixample.
Mapa 3 A3.
Tel *93 272 15 84.*

Chanel
Passeig de Gràcia, Eixample.
Mapa 3 A2–A5.
Tel *93 488 29 23.*

Giménez & Zuazo
C/Elisabets 20, El Raval.
Mapa 2 F2.
Tel *93 412 33 81.*

Gucci
Avenida Diagonal 415, Eixample.
Mapa 3 A2.
Tel *93 416 06 20.*

Hermès
Passeig de Gràcia 33.
Mapa 3 A5.
Tel *93 272 15 27.*

Loewe
Passeig de Gràcia, 35.
Mapa 3 A4.
Tel *93 216 04 00.*

Pelleteria La Sibèria
Rambla de Catalunya 15, Eixample.
Mapa 3 A3.
Tel *93 317 05 83.*

BRECHÓS E OBJETOS DE SEGUNDA MÃO

Lailo
C/Riera Baixa 20, El Raval.
Mapa 2 F2.
Tel *93 441 37 49.*

Mies & Felj
C/Riera Baixa 4, El Raval.
Mapa 2 F2.
Tel *93 442 07 55.*

MODA E ESPORTE

Adolfo Dominguez
Passeg de Gràcia 89, Eixample.
Mapa 3 A3.
Tel *93 215 13 39.*

Botiga del Barca
Maremàgnum (Moll d'Espanya).
Mapa 5 A4.
Tel *93 225 80 45.*

Custo
Plaça de les Olles 7.
Mapa 5 B3.
Tel *93 268 78 93.*

Desigual
C/Argenteria 65, Born.
Mapa 5 B2.
Tel *93 310 30 15.*

Doshaburi
C/Lledó 4-6, Barri Gòtic.
Mapa 2 F2.
Tel *93 319 96 29.*
www.doshaburi.com

Mango
Passeig de Gràcia, 65.
Mapa 3 A4.
Tel *93 215 75 30.*

Massimo Dutti
Passeig de Gràcia (esquina com Gran Via), Eixample.
Mapa 3 A5.
Tel *93 412 01 05.*

Overales & Bluyines
Rec 65, Born.
Mapa 5 C3.
Tel *93 319 29 76.*

Zara
Passeig de Gràcia 16, Eixample.
Mapa 3 A5.
Tel *93 318 76 75.*

CHAPÉUS E SAPATOS

Camper
Plaça Àngels con C/Elizabets, El Raval.
Mapa 2 F2.
Tel *93 342 41 41.*

Casas Sabaters
C/Portaferrissa 25.
Mapa 5 A2.
Tel *93 302 11 32.*

I12
C/Laforja 105, Gràcia.
Mapa 3 A1.
Tel *93 414 55 13.*

La Manual Apargatera
C/D'Avinyó 7, Barri Gòtic.
Mapa 5 A3.
Tel *93 301 01 72.*

Muxart
Rambla de Catalunya, 47.
Mapa 3 A5.
Tel *93 467 74 23.*

Sombrereria Obach
Carrer del Call 2, Barri Gòtic.
Mapa 5 A2.
Tel *93 318 40 94.*

Tascón Outlet
Avenida Diagonal, 251, Eixample.
Mapa 4 E4.
Tel *93 244 40 21.*

Presentes e suvenires

Parte da diversão de conhecer Barcelona reside em embrenhar-se no emaranhado de ruas da Cidade Velha ou em explorar os grandes bulevares de Eixample. Ambas as áreas têm uma maravilhosa gama de lojas que vendem desde artesanato tradicional até artigos feitos à mão –que resistem aqui, mas deram lugar a similares industrializados em muitas outras partes do mundo. Essas lojas são uma atração em si mesmas. Mesmo quem só quer espiar as vitrines, porém, deve ficar atento: às vezes, há ofertas realmente tentadoras.

ARTES E ANTIGUIDADES

Aficionados e colecionadores de antiguidades se deliciam com o que Barcelona lhes oferece. Equivalente a um shopping center da área, o **Bulevard dels Antiquaris** abriga 70 lojas recheadas de relíquias do passado: de moedas antigas e estátuas de alabastro a tambores de estanho, candelabros e bricabraques. O Carrer del Call, a velha área judaica no Barri Gòtic, é outro reduto de colecionadores com lojas como **L'Arca de l'Àvia**, que vende peças de renda e linho, velhas bonecas e mobília fina; **Heritage**, que oferece jóias de pedras semipreciosas, antigos itens de seda e tecido e estola de mink; e **Gemma Povo**, com antiguidades decorativas feitas de ferro. Vale conferir ainda as lojas pertencentes a **Artur Ramón** no Carrer de la Palla (todas ostentam seu nome) para peças de vidro e cerâmica dos séculos 18 e 19 e para pinturas até o século 14. A **Tandem** é especializada: tem uma bela variedade de velhos globos terrestres.

A mais antiga e prestigiada galeria de arte de Barcelona é a **Sala Parés**, que exibe obras de artistas catalães do passado e do presente. Para compras que embelezem as paredes sem grandes rombos nas economias, experimente a **Boutique Galería Picasso**, que tem gravuras, litogravuras, pôsteres e cartões-postais de grandes mestres espanhóis, como Miró, Picasso e Dalí. A **Metrònom**, mais contemporânea, é o espaço para as obras de multimídia e outras manifestações artísticas do século 21, como performance, vídeo e instalações.

LIVROS, MÚSICA, DVDs E PAPELARIA

Barcelona é uma cidade maravilhosa para se achar badulaques intrigantes e únicos, que podem se transformar em presentes inesquecíveis. A **Papirvm** é uma papelaria do velho estilo, onde, além de belas canetas-tinteiro, pode-se encontrar penas de escrever. Por sua vez, a **Altaïr** é indiscutivelmente a mais refinada loja de livros de viagem da Espanha: seu abrangente estoque inclui mapas, guias de turismo e *coffe-table books* para agradar qualquer leitor que goste de viajar. Mas, se você quer apenas algo para ler no tempo livre, vá à **Casa del Llibre**. É a maior livraria de Barcelona para títulos em inglês: romances, revistas, guias de viagem, mapas e luxuosos *coffee-table books*.

Graças à forte influência do festival anual de música eletrônica de Barcelona, o Sonár *(pág. 163)*, a cidade se tornou uma referência para os aficionados da e-music. **Wah Wah Records** e El Raval são pontos certos para comprar velhos vinis ou ouvir o que há de mais novo na área. Por sua vez, a **Herrera Guitars** é uma aposta segura para quem está à procura de uma boa guitarra espanhola clássica, feita à mão.

PRESENTES INCOMUNS E BADULAQUES

As áreas de El Born e Barri Gòtic propiciam compras no mínimo inusitadas. A **Brasil Style** tem uma variedade de exóticos objetos para a casa, como galinhas de cerâmica e maravilhosos faqueiros feitos à mão. A **Natura** é ideal para presentes baratos e transados, como meias listradas e ultracoloridas, chinelos acolchoados e brinquedos e quinquilharias orientais. Por sua vez, **La Condonería** (o "empório da camisinha") tem no estoque preservativos de todos os tamanhos, cores e sabores imagináveis. Na bela **Cereria Subirà** –a mais antiga loja da cidade ainda em operação, fundada em 1761– encontra-se uma fenomenal quantidade de velas votivas e decorativas em numerosos tamanhos e formas, incluindo algumas bem altas, de efeito impactante. Outra loja decana, aberta em 1881, é **El Rei de la Màgica**, que tem de tudo para quem gosta de truques de mágica. Perto, a **Arlequí Màscares** cria e vende máscaras folclóricas de papel machê. O estoque inclui máscaras da Commedia dell'arte italiana, luxuosas máscaras de baile francesas, *gigantes* catalães (cabeças enormes usadas nas festas), além de exemplares inspirados na tragédia grega e no teatro nô japonês.

LINGERIE E PERFUMES

A rede francesa **Sephora** oferece uma variedade de perfumes e cosméticos de marcas famosas, muitas vezes a preços inferiores aos cobrados no aeroporto. Mas, para algo de fato especial, confira os perfumes de Ricardo Ramos –Agua de Barcelona nº 7 *para ella*; nº 21 *para el*; e nº 69 unisex– disponíveis na **R Que R Rec**. A **Regia** tem fama de ser uma das melhores perfumarias da cidade, com marcas clássicas, produtos locais e tudo o que há de mais atualizado no mundo em termos de fragrâncias.

Quem sonha com um ninho romântico ao estilo do século 18 encontra tudo no **Le Boudoir**: cama de bronze, espelhos adornados, cortinas de veludo e poemas de amor inscritos nas paredes. Esta é também a loja mais sexy da cidade, com suas lingeries de seda e de renda, camisolas, algemas, brinquedos eróticos e afrodisíacos. Para roupa íntima mais convencional, a rede espanhola **Women's Secret** tem boas e variadas opções de produtos.

DECORAÇÃO

Na prática, o **Pile 43** é mais café-bar do que loja, mas vende tudo o que está à vista, dos cinzeiros às poltronas de couro. Com preços imbatíveis, a **Ici et Là** é boa para se encontrar peças avulsas e clássicos do design. Por sua vez, a **Dom** é mais moderna, oferecendo sofás infláveis com neón e cortinas de contas metálicas –há diversas lojas da rede na cidade. Fãs de utilitários vão adorar a **Vinçon**, a meca das lojas de design de Barcelona. Instalada num apartamento de alto padrão, tem seu vasto espaço preenchido com praticamente tudo: das panelas francesas Le Creuset aos bascos *chiquitos* (copos de vidro), de sacolas de seda a futons de inspiração japonesa. A clientela mais tradicional, contudo, deve preferir a **Coses de Casa**. É um local soberbo para comprar peças em *patchwork* feitas à mão e itens de design no estilo floral de Laura Ashley, para os amantes da chita.

AGENDA

ARTES E ANTIGUIDADES

L'Arca de L'Asvia
C/Banys Nous 20, Barri Gòtic.
Mapa 5 A2.
Tel *93 302 15 98.*

Artur Ramón Col.leccionisme
C/Palla 23, Barri Gòtic.
Mapa 5 A2.
Tel *93 302 59 70.*

Artur Ramón Antiquari
C/Palla 25, Barri Gòtic.
Mapa 5 A2.
Tel *93 302 59 70.*

Artur Ramón Mestres Antics
C/Palla 10, Barri Gòtic.
Mapa 5 A2.
Tel *93 301 16 48.*

Boutique Galería Picasso
Tapineira, 10.
Mapa 5 B2.
Tel *93 310 49 57.*

Bulevard dels Antiquaris
Passeig de Gràcia.
Mapa 3 A2–A5.
Tel *93 310 30 15/ 93 215 44 99.*

Gemma Povo
C/Banys Nous 5, Barri Gòtic.
Mapa 5 A2.
Tel *93 301 34 76.*

Heritage
C/Banys Nous 14, Barri Gòtic.
Mapa 5 A2.
Tel *93 317 85 15.*

Metrònom
C/Fusina 9, Born.
Mapa 5 C2.
Tel *93 268 42 98.*

Sala Parés
C/Petritxol 5, Barri Gòtic.
Mapa 5 A2.
Tel *93 318 70 08.*

Tandem
C/Banys Nous 19, Barri Gòtic.
Mapa 5 A2.
Tel *93 317 44 91.*

LIVROS, MÚSICA, DVDS E PAPELARIA

Altaïr
Gran Via 616, Eixample.
Tel *93 342 71 71.*
Fax *93 342 71 78.*
www.altair.es

Casa del Llibre
Passeig de Gràcia, 62.
Mapa 3 A2–A5.
Tel *90 202 64 07.*

Herrera Guitars
C/Marlet 6, Barri Gòtic.
Mapa 5 A2.
Tel *93 302 66 66.*
www.herreraguitars.com

Papirvm
C/Baixada de la Llibreteria 2, Barri Gòtic.
Mapa 5 A2.
Tel *93 310 52 42.*
www.papirum-bcn.com

Wah Wah Records
Riera Baixa 14, El Raval.
Mapa 2 F2.
Tel *93 442 37 03.*

PRESENTES INCOMUNS E BADULAQUES

Arlequí Màscares
C/ Princesa 7.
Mapa 5 B2.
Tel *93 268 27 52.*
www.arlequimask.com

Brasil Style
Pl. Comercial 3, Born.
Mapa 5 C3.
Tel *93 268 86 30.*
Fax *93 268 86 31.*

Cereria Subirà
Baixada Llibreteria 7.
Mapa 5 A2.
Tel *93 315 26 06.*

La Condonería
Placa Sant Josep Oriol 7, Barri Gòtic.
Mapa 5 A2.
Tel *93 302 77 21.*

Natura
C/Argenteria 78, Born.
Mapa 5 B2.
Tel *93 268 25 25.*

El Rei de la Màgica
Carrer de la Princessa 11.
Mapa 5 B2.
Tel *93 319 73 93.*

LINGERIE E PERFUMES

Le Boudoir
C/Canuda 21.
Mapa 5 A1.
Tel *93 302 52 81.*
www.leboudoir.net

R Que R Rec
C/Rec 75, Born.
Mapa 5 C3.
Tel *93 315 23 91.*

Regia
Passeig de Gracia 39.
Mapa 3 A2–A5.
Tel *93 216 01 21.*

Women's Secret
C/Portaferrissa 7, Barri Gòtic.
Mapa 5 A2.
Tel *93 318 13 66.*

DECORAÇÃO

Coses de Casa
Plaça Sant Josep Oriol 5, Barri Gòtic.
Mapa 2 F2.
Tel *93 315 26 06.*

Dom
Aviayó 7, Barri Gótic.
Mapa 5 A3.
Tel *93 268 11 67.*

Ici et Là
Plaça de Santa María del Mar 2.
Mapa 5 B3.
Tel *93 268 11 67.*

Pilé 43
C/d'Aglà 4.
Mapa 5 A3.
Tel *93 317 34 02.*

Vinçon
Passeig de Gràcia 96.
Mapa 3 A2–A5.
Tel *93 215 60 50.*

DIVERSÃO EM BARCELONA

Barcelona tem um dos cenários culturais e alternativos mais animados da Europa, com atrações que abrangem da ópera da cidade (Liceu) e do Palau de la Música Catalana, espetacular criação modernista, a pequenos teatros independentes nos quais são encenadas comédias de autores locais menos conhecidos e peças teatrais nacionais. Mas basta uma caminhada pela cidade para apreciar a atmosfera cultural, que inclui das performances de rua realizadas em La Rambla a excelentes apresentações clássicas, de jazz ou ragtime montadas nas *plazas*. Além disso, durante o ano todo não faltam festivais de música e de arte, em geral promovidos nos finais de semana, muitos deles prestigiados por uma platéia vinda de toda a Europa.

Músico no Barri Gòtic

O magnífico ambiente interno do Palau de la Música Catalana

PROGRAMAÇÃO

O guia cultural mais completo da cidade é o semanal *Guía del Ocio*, que sai às quintas-feiras e inclui a programação dos cinemas. Na sexta-feira, o jornal *La Vanguardia* também traz um bom suplemento de lazer.

TEMPORADAS

A temporada de teatro e shows das principais casas vai de setembro a junho, com menos oferta nos outros meses.
O menu da cidade reflete a riqueza de sua tradição artística multicultural. No verão, a capital catalã sedia o Festival del Grec (*pág. 35*), com eventos internacionais de música, teatro e dança, ao ar livre. A escolha de espetáculos também é grande durante a Festa de la Mercè (*pág. 36*), em setembro. O melhor modo de conseguir ingressos é a compra na bilheteria dos teatros, mas alguns espetáculos têm entradas à venda nas agências da Caixa de Catalunya e do banco La Caixa, além das máquinas automáticas da Servi Caixa (*pág. 178*). Os ingressos para o Festival del Grec podem ser comprados nos centros de informação turística.

TEATRO E DANÇA

O **Mercat de les Flors** (*pág. 165*), antigo mercado de flores e hoje um belo teatro, tem boa programação, com peças clássicas e modernas encenadas em catalão. O novo **Teatre Nacional de Catalunya** (*pág. 99*), próximo ao Auditori de Barcelona, é outro endereço para apreciadores da dramaturgia catalã. O principal palco para o balé clássico é o Liceu, mas muitas companhias de dança contemporânea se exibem no Mercat de les Flors.

MÚSICA

O modernista **Palau de la Música Catalana** (*pág. 62*) é uma das salas de espetáculos mais bonitas do mundo, com acústica impecável e magnífica decoração interna. Outro local de destaque é o **Auditori de Barcelona** (*pág. 167*), inaugurado em 1999 com o objetivo de presentear a cidade com mais duas salas para grandes espetáculos e para concertos de câmara. A boa fama do lugar se multiplicou desde que passou a sediar a Orquestra Sinfònica de Barcelona.

O cenário musical barcelonês foi bastante afetado com o incêndio do Liceu, em 1994. No entanto, a tradição operística da cidade não se perdeu e, em 1999, a prestigiada sala de espetáculos voltou à ativa.

Artistas de projeção internacional como David Byrne e Paul McCartney já se exibiram no **Razzmatazz** (*pág.167*). Adeptos do jazz podem apreciar a programação do **Harlem Jazz Club** (*pág.167*) e do **Jamboree** (*pág. 167*). Já quem prefere a salsa tem diversão garantida no **Antilla Barcelona**.

Espetáculos de dança e música são a atração de vários clubes de Barcelona

Auditório do Teatre Nacional de Catalunya

BARES E CLUBES

Alguns bares de Barcelona se destacam pelo design, como o **Mirablau**, construído na década de 1980 e que permite apreciar a vista da cidade. O **Torres de Ávila**, no Poble Espanyol (*pág. 89*), é pós-modernista. No **Otto Zutz** o ponto alto são os DJs. Já no menos sofisticado **Apolo** há música ao vivo. No **La Paloma**, com ambiente que remonta a 1904, dança-se ao som da orquestra da casa. Dois dos bares mais famosos da cidade são da Cidade Velha: o **Boadas**, com bons coquetéis, e o **El Xampanyet** (*pág. 152*), que serve *tapas* e champanhe. O **El Bosc de les Fades**, situado no museu de cera, tem decoração inspirada no mundo das fadas.

FESTIVAIS

No verão, as ruas são tomadas por apresentações e eventos ao ar livre. O **Festival del Sónar**, em junho, que começou como palco para os jovens talentos musicais do sul da Europa, hoje aposta nas novas tendências da música eletrônica. O **Classics als Parcs**, promovido entre junho e julho, oferece diversão mais tranqüila.

PARQUE DE DIVERSÕES

O imenso parque de diversões da cidade, situado no alto do monte **Tibidabo** (*pág. 98*), fica lotado no verão. A diversão já começa com o trajeto até lá, que pode ser feito de bonde, funicular ou teleférico.

ESPORTES

Neste quesito, o grande destaque é o **Barcelona FC**, o popular Barça, dono do maior estádio da Europa, o Camp Nou (*pág. 95*). O clube, mais conhecido pelo futebol, também tem um prestigiado time de basquete.

O gigantesco estádio Camp Nou, "casa" dos torcedores do Barça

AGENDA

TEATRO E DANÇA

Liceu
La Rambla 51–59.
Mapa 2 F3.
Tel *93 485 99 00.*

Teatre Nacional de Catalunya
Plaça de les Arts 1.
Map 4 F5.
Tel *93 306 57 00.*

MÚSICA

Auditori de Barcelona
Carrer de Lepant 150.
Mapa 6 E1.
Tel *93 247 93 00.*

Antilla Barcelona
Carrer de Aragó 141–143.
Tel *93 451 45 64.*
www.antillasalsa.com

Palau de la Música Catalana
Carrer de Sant Francesc de Paula 2. **Mapa** 5 B1.
Tel *90 244 28 82.*

BARES E CLUBES

Apolo
Carrer Nou de la Rambla 113. **Mapa** 2 E3.
Tel *93 441 40 01.*

Boadas
Carrer dels Tallers 1.
Mapa 5 A1.
Tel *93 318 88 26.*

El Bosc de les Fades
Pasatge de la Banca.
Tel *93 317 26 49.*

Mirablau
Plaça Doctor Andreu.
Tel *93 418 58 79.*

Otto Zutz
Carrer de Lincoln 15.
Mapa 3 A1.
Tel *93 238 07 22.*

La Paloma
Carrer del Tigre 27.
Mapa 2 F1.
Tel *93 301 68 97.*

Torres de Ávila
Poble Espanyol, Avinguda del Marqués de Comillas.
Mapa 1 A1.
Tel *93 424 93 09.*

El Xampanyet
Carrer Montcada 22.
Mapa 5 B2.
Tel *93 319 70 03.*

FESTIVAIS

Barcelona Metropolitan
www.barcelona-metropolitan.com

Classics als Parcs
Information Parcs i Jardins
Tel *93 413 24 00.*
www.bcn.es/parcsijardins

Festival del Sónar
Palau de la Virreina.
Tel *90 288 89 02.*
www.sonar.es

Servi Caixa
Tel *90 233 22 11.*
www.servicaixa.com

Telentrada
Tel *90 210 12 12.*
www.telentrada.com

PARQUE

Tibidabo
Tel *93 211 79 42.*

ESPORTES

FC Barcelona
Camp Nou, Avinguda Aristides Maillol.
Tel *93 496 36 00.*

Cinema e Teatro

Grandes complexos de salas com telas gigantes, ao lado de pequenos cinemas, oferecem ampla variedade de filmes, garantindo satisfação para todos os gostos. Por isso, hoje Barcelona sedia festivais de cinema durante todo o ano. A tradição teatral, por outro lado, remonta ao período medieval e as produções locais se destacam entre a vanguarda espanhola. Apesar da possível limitação proporcionada pelo idioma, vale a pena assistir a uma peça em catalão –mas quem preferir pode apreciar um espetáculo de dança.

CINEMA

Nos últimos anos, diretores como Alejandro Amenábar (*Os Outros*), Isabel Coixet (*Minha Vida sem Você*) e, é claro, o *enfant terrible* Pedro Almodóvar (*A Má Educação, Tudo sobre Minha Mãe, Volver*) revitalizaram o cinema espanhol. Hoje Barcelona destaca-se como palco de festivais de cinema independente: o maior evento é o **Festival Internacional de Cinema de Catalunya**, em outubro.

Nos cinemas espanhóis é comum encontrar cópias dubladas (para o espanhol ou, no caso, para o catalão), mas cada vez mais salas exibem versões originais –e não apenas das produções hollywoodianas, mas também de filmes *noir* e de arte. Desde sua inauguração em 1995, o **Centre de Cultura Contemporània** (CCCB) destaca a face moderna de Barcelona, desempenhando papel essencial na recuperação de El Raval. O CCCB funciona como entroncamento da cultura contemporânea, promovendo exposições de arte de vanguarda, eventos e exibições de filmes.

Construído em estilo norte-americano, o **Icària Yelmo Cineplex** é o maior complexo multitelas da cidade. Tem cara e tamanho de shopping center, com praça de alimentação no térreo e lojas no primeiro andar. Mas o maior cinema de Barcelona é o **Urgel**, com capacidade para 1.832 espectadores. Com uma das maiores telas da Europa (cerca de 200m2), é indicado para quem quer assistir aos últimos lançamentos. Um pouco mais arriscado é o **Renoir Floridablanca**, sala relativamente nova situada na fronteira entre El Raval e Eixample. Aqui entra em cartaz uma variedade de filmes internacionais e europeus (em geral com legendas em espanhol ou catalão). Em Gràcia, os cinemas **Verdi I** e **II** também são boas indicações para quem aprecia produções independentes ou está à procura de uma interessante seleção de filmes estrangeiros. O local costuma promover pequenos festivais temáticos, incluindo curtas assinados por cineastas catalães. No verão, tanto o **Castell de Montjuïc** *(pág. 89)* quanto o **Piscina Bernat Picornell** (na verdade a piscina dos jogos olímpicos) acomodam telões para sessões ao ar livre.

O órgão catalão dedicado à sétima arte, a **Filmoteca de la Generalitat de Catalunya**, oferece excelente variedade de produções por um período de duas ou três semanas antes da saída de cartaz. Aqui pode-se apreciar desde obscuros épicos do cinema do Leste Europeu até musicais modernos, como o filme *Moulin Rouge*, de Baz Luhrmann. As duas salas do **Méliès** projetam de produções artísticas locais e clássicos de Hollywood a filmes de terror, Fellini e Alfred Hitchcock. **Casablanca** é um pequeno cinema em Passeig de Grécia que passa filmes independentes novos do mundo todo na língua original e é um dos favoritos dos cinéfilos locais.

Não param de surgir novos "cinemas-bares", nos quais pode-se assistir a um filme em uma tela pequena pelo preço de uma cerveja. O **Void** talvez não seja o mais confortável, mas é o melhor local para encontrar os cinéfilos locais. A programação costuma ser um pouco mais confusa do que a dos cinemas convencionais.

Para as crianças, a grande pedida é o **IMAX Port Vell**, que exibe os conhecidos filmes em três dimensões com imagens de montanha-russa, expedições ao Everest e viagens ao fundo do mar. Vale a pena lembrar que nas noites de segunda-feira e nas matinês os ingressos custam menos. Muitos cinemas promovem sessões à meia-noite ou bem cedo.

TEATRO E DANÇA

Vale a pena tentar assistir a uma produção teatral local encenada em catalão, mesmo com a restrição idiomática. Os grupos **Els Comediants** e **La Cubana**, em específico, oferecem uma ousada proposta que combina teatro, música, mímica e elementos extraídos das tradicionais *fiestas* mediterrâneas.

Em El Raval, o minúsculo **Llantiol** altera semanalmente sua programação de shows, comédias, apresentações de mágica e outras performances pouco usuais, a fim de atrair uma platéia variada, da qual fazem parte a crescente comunidade de estrangeiros residentes na cidade e os amantes locais de arte. Na mesma linha, o **L'Antic Teatre**, situado no outro lado da cidade, é um centro cultural e bar, com agradável terraço e um pequeno restaurante vegetariano: funciona como palco para diversas companhias alternativas, como a argentina 4D Òptic.

Igualmente indicado para música e apresentações de vanguarda é o **Mercat de les Flors**, antigo mercado de flores situado em Montjuïc que hoje funciona como casa de espetáculos. É aqui que se realizam diversos festivais temáticos, como o que homenageia o cinema asiático (promovido no outono).

La Rambla e Paral.lel constituem os principais pontos de concentração dos teatros tradicionais da cidade. O **Teatre Tivoli** é imenso e abriga produções musicais e de dança de alta qualidade, às vezes com a presença de astros espanhóis e catalães. O **Teatre Poliorama**, na Rambla, costuma sediar musicais, algumas óperas e apresentações de companhias de flamenco contemporâneo.

Os verdadeiros amantes do teatro não podem deixar de visitar o **Teatre Nacional de Catalunya (TNC)**, em imponente edifício projetado pelo arquiteto catalão Ricard Bofill. O **Teatre Apolo** é ideal para musicais de grande impacto, como *We Will Rock You*, do Queen, ou *Mama Mia*, do Abba. Em Barcelona é grande o apreço pela dança moderna e não faltam opções de bons espetáculos, com frequencia abrigados nas principais salas de teatro da cidade. O **Teatre Victòria**, situado na Avinguda del Paral.lel, costuma ser uma alternativa segura para balés e espetáculos clássicos, assim como o **Liceu** (*pág. 166*).

Quem quer aproveitar a visita a Barcelona para assistir a um espetáculo de flamenco (*pág. 167*) pode encontrar na cidade uma reconstituição quase autêntica das *peñas* da Andaluzia. O turista que passar pela cidade na mesma época em que a cantora catalã de flamenco Mayte Martín estiver em cartaz deve garantir os ingressos quanto antes.

Existem muitas casas que oferecem um jantar razoável acompanhado de show, como o **El Tablao de Carmen** (*pág. 167*). A **Flamenco Barcelona** é um escola de flamenco excelente com aulas de todos os tipos e uma loja. Além disso, a escola tem uma programação variada de concertos e outros eventos apresentados pelos melhores músicos, bailarinos e cantores de flamenco locais.

Salsa, merengue e outros ritmos caribenhos têm grande número de apreciadores nos diversos clubes locais, que sediam apresentações de bandas respeitáveis vindas de Nova York, Porto Rico e Cuba. Quem não sabe dançar pode tomar algumas aulas grátis no **Antilla BCN Latin Club** ou no **Buenavista Salsa Club**, em Eixample.

AGENDA

CINEMA

Casablanca
Passeig de Grecia, 115, Eixample. **Mapa** 3 A3.
Tel *93 218 43 45.*

CCCB
C/Montalegre 5.
Mapa 2 F2.
Tel *93 306 41 00.*
www.cccb.org

Festival Internacional de Cinema de Catalunya
Sitges.
Tel *200 85 98.*
www.cinemasitges.com

Filmoteca de la Generalitat de Catalunya
Avda Sarrià 31-33, Eixample.
Tel *93 410 75 90.*

Icària Yelmo Cineplex
C/Salvador Espriu 61, vila Olímpica.
Mapa 6 E4.
Tel *93 221 75 85.*
www.yelmocineplex.es

IMAX Port Vell
Moll d'Espanya, Port Vell.
Mapa 5 A4.
Tel *93 225 11 11.*

Méliès
C/Villarroel 102, Eixample.
Mapa 2 E1.
Tel *93 451 00 51.*

Piscina Bernat Picornell
Av. de l'Estadi 30-38.
Mapa 1 A3.
Tel *93 423 40 41.*
www.picornell.cat

Renoir Floridablanca
C/Floridablanca 135, Eixample.
Mapa 1 C1.
Tel *93 228 93 93.*
www.cinesrenoir.es

Urgel
Comte d'Urgell 29.
Mapa 2 E1.
Tel *90 242 42 43.*

Verdi I
C/Verdi 32, Gràcia.
Mapa 3 B1.
Tel *93 238 79 90.*
www.cines-verdi.com

Verdi II
C/Torrijos 49, Gràcia.
Mapa 3 C2.
Tel *93 238 79 90.*

Void
C/Ferlandina 51.
Mapa 2 E1.
Tel *93 443 42 03.*
www.void-bcn.com

TEATRO E DANÇA

L'Antic Teatre
C/Verdaguer i Callís 12, La Ribera. **Mapa** 5 A1.
Tel *93 315 23 54.*

Antilla BCN Latin Club
C/Aragó 141, Eixample.
Mapa 3 A4.
Tel *93 451 45 64.*
www.antillasalsa.com

Buenavista Salsa Club
C/Roselló 217, Eixample.
Mapa 3 A3.
Tel *93 237 65 28.*
www.salsabuenavista.com

Flamenco Barcelona
C/Marqués de Barbera 6, El Raval. **Mapa** 2 F3.
Tel *670 437 577.*
www.flamencobarcelona.com

Gran Teatre del Liceu
La Rambla 51-59.
Mapa 5 A1.
Tel *93 485 99 00.*
www.liceubarcelona.com

Llantiol
C/Riereta 7, El Raval.
Mapa 2 E2.
Tel *93 329 90 09.*

Los Tarantos
Plaça Reial 17.
Mapa 5 A3.
Tel *93 318 30 67.*

Mercat de les Flors
C/de Lleida 59.
Mapa 1 B2.
Tel *93 426 18 75.*

Soniquete
C/Milans 5, Barri Gòtic.
Mapa 5 A3.

Teatre Apolo
Av del Paral.lel 57.
Mapa 1 B1.
Tel *93 441 90 07.*

Teatre Nacional de Catalunya (TNC)
Plaça de les Arts 1.
Tel *93 306 57 06.*

Teatre Poliorama
La Rambla 115, Barri Gòtic. **Mapa** 5 A1.
Tel *93 317 75 99.*
www.teatrepoliorama.com

Teatre Tivoli
C/Casp 10-12, Eixample.
Mapa 3 B5.
Tel *93 412 20 63.*

Teatre Victòria
Av del Paral.lel 67-69.
Mapa 1 B1.
Tel *93 443 29 29.*

Música

Poucas cidades no mundo conseguem oferecer uma variedade tão eclética na cena musical quanto Barcelona. Salas de concerto sensacionais, como o Palau de la Música e L'Auditori, recebem as grandes estrelas, enquanto pequenas casas de jazz são o refúgio dos adeptos do ritmo. A capital catalã conta ainda com templos *underground* para a música eletrônica experimental e também com típicos tablados de flamenco, que costumam atrair muita gente.

ÓPERA E MÚSICA CLÁSSICA

Tanto a música clássica quanto a ópera são muito apreciadas pelos catalães, que dedicam ao assunto devoção quase religiosa: muitos artistas importantes do século 20 nasceram aqui, como o instrumentista Pablo Casals e os cantores líricos José Carreras e Montserrat Caballé.

A cidade abriga algumas das casas de espetáculos mais impressionantes do mundo, como o glamouroso **Gran Teatre del Liceu**, em atividade desde 1847. Esta ópera, reduto das artes catalãs há mais de 150 anos, tem uma dramática história, rica em incêndios e ataques de bombas. O local pegou fogo pela terceira vez em 1994, mas graças a uma restauração cuidadosa recuperou a antiga glória. Apesar das tragédias, abrigou uma constelação de grandes compositores mundiais, como Puccini, Tchaikovsky e os Balés Russos de Diaghilev, além de mestres locais como Pedrell, Vives e Enric Granados.

O notável **Palau de la Música** constitui outro triunfo arquitetônico de Barcelona. Resultado da inspiração do mestre modernista Lluís Domènech i Montaner, esta impressionante sala de espetáculos conta com público cativo e seus palcos são disputados por artistas de todas as modalidades. O Palau é o principal palco dos festivais de violão e de jazz promovidos na cidade, e orquestras sinfônicas nacionais e internacionais costumam se apresentar aqui. É possível conhecer a parte interna do Palau durante o dia por meio de visitas guiadas, mas comprar o ingresso para assistir a um espetáculo é o melhor modo de vivenciar o ambiente.

Em estilo moderno, mas sem ficar atrás em importância para o cenário artístico catalão, o **L'Auditori de Barcelona** foi construído para dar conta da demanda por melhores instalações e para atrair um número ainda maior de artistas. No início, o local destinava-se a espetáculos clássicos e apresentações de orquestra, mas não tardou a acomodar também estrelas do jazz, do rock e do pop. Vale a pena se informar sobre os corais que se exibem nas igrejas e catedrais de Barcelona, em especial na Iglesia Santa Maria del Pi, na Plaça del Pi, e na Iglesia Santa Maria del Mar –sobretudo na época de Natal.

MÚSICA AO VIVO: ROCK, JAZZ E BLUES

Quando o assunto é música popular, Barcelona pode não ter uma oferta infindável de clubes, bares e casas de espetáculo, mas oferece uma combinação de diversidade e qualidade considerável, considerando-se o porte da cidade. Artistas estrelados do universo pop, como Kylie Minogue e Madonna, bem como prodígios do jazz, como o Brad Mehldau Quartet, além de nomes quentes da música eletrônica, rap e hip-hop, se revezam ao longo do ano pelos palcos da cidade.

Em 2004, dois dos redutos de jazz mais celebrados da cidade –La Boite e La Cova del Drac– fecharam as portas, para espanto e tristeza dos barceloneses. Ainda não se sabe o que irá preencher o espaço vago deixado pelas duas tradicionais casas, mas ainda restaram alguns locais minúsculos e acolhedores, disputados pelos apreciadores do ritmo.

O **Jamboree**, que funciona numa espécie de porão na Plaça Reial, atrai nomes importantes do jazz, além de sediar apresentações mais experimentais e artistas-solo como o saxofonista Billy McHenry. Outra aposta certa é o **Jazz Sí Club**, um destino menos conhecido mas muito apreciado pelos seguidores do gênero, que abre espaço para *jam sessions* reunindo estudantes da escola de música próxima daqui. Não raro, as apresentações musicais são gratuitas ou têm ingressos a preços bastante razoáveis. O **Harlem Jazz Club** é um lugar pequeno e frequentemente lotado, destacando-se como um dos clubes mais antigos da cidade: é a casa dos shows alternativos e dos nomes menos conhecidos do jazz. Por sua vez, o **Little Italy** é um deleite para quem aprecia o som de um piano após o jantar, assim como o **Nao Colón**, outro restaurante com belo cardápio musical após as refeições. No entanto, o local mais tradicional para apreciar jazz –e sem pagar nada– é o **Teatre Lliure**, em Montjuïc, excelente espaço para mestres contemporâneos, orquestras modernas e shows experimentais. Aqui já se apresentaram nomes que variam de Eric Mingus à The Sun Ra Arkestra, regida por Marshall Allen. Para os amantes do gênero, não há nada comparável.

Um dos dois principais locais para shows de pop e rock na cidade é o **Bikini**, uma espécie de Studio 54 de Barcelona. Inagurado em 1953 (portanto, um ano antes do ícone nova-iorquino da era disco), entra em atividade após a meia-noite. O outro destaque é o **Razzmatazz**, tido como o mais importante da cidade e que já cedeu seu palco para grandes nomes da cena *indie* dos anos 1990, como Blur e Pulp. A animação continua até o amanhecer no Razz Club, ao lado, clube que também promove shows de rock e de jazz várias noites por semana

Os sedentos por nostalgia devem se dirigir ao **Luz de Gas**, um luminoso salão de bailes com atmosfera antiga. As mesas recebem iluminação tímida e as atrações da casa compartilham uma característica: viveram seu apogeu nas décadas de 1970 e 80. Sem ser exatamente um cabaré, mas sem ficar muito longe disso, o **El Cangrejo** apresenta *drag queens* produzidíssimas imitando a *sex symbol* espanhola Sara Montiel. Mais acolhedor e bem mais sutil é o **Bar Pastis**, minúsculo e decorado com garrafas cobertas de poeira e antigos pôsteres de musicais franceses. Na maioria das noites da semana os frequentadores são brindados com cantores entoando baladas românticas francesas.

FLAMENCO

Embora o flamenco seja uma expressão tipicamente andaluza, criada pelos ciganos do sul do país para representar as dificuldades e sofrimentos de seu povo, nos últimos anos está presente na noite das principais cidades da Espanha. Um dos melhores lugares de Barcelona para apreciar uma apresentação do gênero é **El Tablao de Carmen**, elegante restaurante situado no Poble Espanyol que serve pratos catalães e andaluzes. O nome do local homenageia Carmen Amaya, famosa dançarina que se apresentou para o rei Alfonso XIII em 1929 exatamente no espaço onde hoje funciona o restaurante. Informe-se sobre os preços para jantares seguidos de show.

Com um ambiente menos tradicional, o **Los Tarantos**, situado na Plaça Reial, é um vibrante palco para a música latina e flamenca, todas as noites da semana. Quem quer se arriscar nos passos desse apaixonante bailado deve se dirigir ao **La Paloma** (*págs. 168-9*), lindo salão que remonta ao início do século 20. O público mais jovem costuma chegar ao local depois da meia-noite.

AGENDA

ÓPERA E MÚSICA CLÁSSICA

L'Auditori de Barcelona
C/de Lepant 150,
Eixample.
Mapa 4 E1.
Tel *93 247 93 00.*
www.auditori.org

Gran Teatre del Liceu
La Rambla 51,
Barri Gòtic.
Mapa 5 A1.
Tel *93 485 99 13.*
www.liceubarcelona.com

Palau de la Música Catalana
C/Sant Francesc de Paula 2, La Ribera.
Mapa 5 B1.
Tel *902 442 882.*
www.palaumusica.org

MÚSICA AO VIVO: ROCK, JAZZ E BLUES

Bar Pastis
C/Santa Mònica 4,
El Raval. **Mapa** 2 F4.
Tel *93 318 79 80.*

Bikini
Deu I Mata 105,
Les Corts.
Tel *93 322 08 00.*
www.bikinibcn.com

El Cangrejo
C/Montserrat 9,
El Raval.
Mapa 2 F4.
Tel *93 301 29 78.*

Harlem Jazz Club
C/Comtessa de Sobradiel 8,
Barri Gòtic.
Tel *93 310 07 55.*

Jamboree
Plaça Reial 17,
Barri Gòtic.
Mapa 5 A3.
Tel *93 319 17 89.*
www.masimas.com

Jazz Sí Club
C/Requesens 2,
El Raval.
Tel *93 329 00 20.*
www.tallerdemusics.com

Little Italy
C/Rec 30,
Born.
Mapa 5 C3.
Tel *93 319 79 73.*

Luz de Gas
C/Muntaner 246,
Eixample.
Mapa 2 F1.
Tel *93 209 77 11.*
www.luzdegas.com

Nao Colón
Av. Marquès de l'Argentera 19,
Born.
Mapa 5 B3.
Tel *93 268 76 33.*

Razzmatazz
C/Pamplona 88,
Poblenou.
Mapa 4 F5.
Tel *93 272 09 10.*
www.salarazzmatazz.com

Teatre Lliure
Plaça Margarida Xirgu 1
Tel *93 289 27 70.*
www.teatrelliure.com

FLAMENCO

El Tablao de Carmen
Arcs, 9.
Poble Espanyol.
Mapa 1 B1.
Tel *933 25 68 95.*
www.tablaodecarmen.com

Los Tarantos
Plaça Reial 17.
Mapa 5 A3.
Tel *933 18 30 67.*

AUDITÓRIOS

L'Auditori
C/Lepant 150.
Tel *93 247 93 00.*
www.auditori.com

Espai Lliure
Plaça Margarida Xirgu 1,
Montjuïc.
Tel *93 289 27 70.*

Sala Fabià Puigserver
Passeig Santa Madrona 40-46, Montjuïc.
Mapa 1 B3.
Tel *93 228 97 47.*

Vida Noturna

Se Nova York é a cidade que nunca dorme, Barcelona é a metrópole onde a noite não tem hora para acabar. Quem dispõe de bastante energia pode virar as madrugadas a semana toda, sem descanso. Além da intensidade, há variedade e satisfação para todos os gostos. Salões de dança ao estilo antigo convivem com clubes *undergrounds* e casas onde predomina o som *tecno*. Cada *barrio* tem sua particularidade.

VIDA NOTURNA

No verão, as praias ganham ar de festa com a reabertura dos *chiringuitos* (bares de praia), fechados no inverno. Um passeio na Platja de Sant Sebastià, na Barceloneta, rumo a Bogatell (alguns quilômetros atrás do Hotel Arts), basta para encontrar gente dançando descalça na areia, ao som dos DJs. Seguindo além da Diagonal, os terraços mais glamourosos da cidade se transformam em pontos de agito, enquanto no Barri Gòtic predomina a atmosfera de festa constante. Quem quer frequentar os lugares disputados pelos moradores pode se dirigir ao El Raval, bairro hoje tido como seguro. Seu clima *underground*, porém, permanece intocado, com minúsculos bares funcionando à toda até as primeiras horas do dia. Do mesmo modo, o bairro de Gràcia também oferece um ambiente boêmio e jovial. Já os que preferem uma cena mais alternativa vão gostar do estilo que predomina em Poble Sec, com sua diversidade de lugares de acesso restrito e o único clube de *drum and bass* legítimo da cidade, o Plataforma. Barcelona tem um vibrante universo gay, em especial no Eixample Esquerra, também conhecido como Gay Eixample, com boa oferta de discos, saunas e cabarés.

BARRI GÒTIC

Na Plaça Reial não faltam turistas agitando tambores e fazendo alvoroço, mas se você está em busca de diversão mais consistente vale a pena dar uma passada no **Café Royal**, situado do outro lado da praça. A frequência inclui barceloneses acomodados em sofás de couro, apreciando coquetéis ou as batidas de *funk*, *soul* e *acid jazz* que tocam aqui.

Underground e cosmopolita são as palavras que melhor descrevem a atmosfera e a clientela do Club Fellini, onde excentricidade se mistura com originalidade maluca. Cada um dos três ambientes tem música e decoração diferente. O **New York**, por outro lado, ressurgiu após uma reforma recente e hoje oferece uma trilha mais previsível: o que agita a turma é o som *disco*.

EL RAVAL

Os clubes de design estão cada vez mais numerosos em Barcelona, mas vale a pena conhecer um dos mais peculiares, o **La Paloma**, que proporciona quase uma viagem no tempo no ambiente, pois abriga o salão de dança mais antigo da cidade (remonta a 1904). Nesta casa ainda predominam os clássicos, como *cha-cha-cha*, tango, salsa até valsas, ao som de banda própria, mas só até a meia-noite. Nesta hora entram em cena os DJs e o som *house* –e o público também se renova.O **Gurú** se transforma em club de quinta a sábado depois da meia noite, e é um espaço muito cool freqüentado por um público cosmopolita. Para os mais aventureiros, o **Moog** é mais extremo, com som techno pesado para os aficionados. O interior industrial marcante lembra os clubs nova-iorquinos de meados dos anos 1990. O sistema de som de última geração garante uma balada boa e ensurdecedora.

PORT VELL E PORT OLÌMPIC

Sem considerar as festas à beira-mar, esta região ainda assim destaca-se como refúgio de quem curte a noite. O Port Olìmpic pode ser definido como uma reunião de barcos e bares, enquanto o complexo de diversão e compras **Maremagnum** reúne clubes elegantes. O **Sugar Club** é a grande novidade e esbanja sofisticação, sem falar na frequência "estrelada". Em frente ao Hotel Arts situa-se o **C.D.L.C.**, que se orgulha de atrair as celebridades de passagem pela cidade.

EIXAMPLE

Uma das discos mais badaladas de Barcelona, a **City Hall** é um espaço múltiplo, com ofertas de ambientes e sons para todos os gostos. As noites são temáticas e a animação varia. No **Buda Barcelona**, frequentado por modelos e sua turma, não faltam brilho e glamour. Aqui tudo pode acontecer, inclusive dançar com uma beldade. Para quem procura outro tipo de brilho, o **Astoria**, instalado em um antigo cinema, garante o título de melhores projeções da cidade. O **Dow Jones** tem um sistema de "bolsa de valores" para os preços dos drinques, que aumentam e diminuem dependendo da demanda. Para os fãs de esportes há tv a cabo com canais Sky.

POBLE SEC

Foi na "aldeia seca", tradução literal do nome catalão Poble Sec, que a vida noturna mais alternativa de Barcelona vem se destacando. Apesar do que sugere o nome, aqui não faltam bares agitados nem música variada. Um dos destaques é o **Apolo**, outra instituição à moda antiga e similar ao La Paloma, mas um pólo de DJs e atrações mais independentes. Quem vem aqui pode esperar de tudo, desde sons típicos ciganos a música *funk*. Ainda em Poble Sec, o **Mau Mau** destaca-se como clube alternativo e centro cultural e pela sintonia com o que há de novo. O resultado é a possibilidade de encontrar aqui desde DJs locais a músicos japoneses, cinema alternativo e instalações multimídia. Já para quem prefere mais agito a pedida é o **Plataforma**, principal clube da cidade dedicado ao *drum and base* e que se orgulha de receber DJs de todos os lugares em suas imensas instalações de concreto.

GRÀCIA E TIBIDABO

Minúsculo e sempre lotado, o **Mond Bar** atrai amantes da música sedentos por ouvir sucessos do passado. O DJ residente Mr. Stream delicia o público de trintões com sessões que remetem aos anos 1970, com muito *soul* ao estilo Motown. Pairando acima da concorrência a **Danzatoria** traz o melhor em *house music* em seus *lounges* e diversas pistas de dança, além de bares, amplos terraços e preços em sintonia com a altitude local.

FORA DO CENTRO

Os megaclubes ficam longe do centro da cidade e das pessoas que acham que a noite foi feita para dormir. A diversão se concentra no Poble Espanyol, onde os notívagos caem na farra até o sol nascer. A elegante **Discothèque** tem o principal para animar a noitada –luzes estroboscópicas e os maiores DJs do circuito internacional. A **La Terrrazza** ocupa um gigantesco terraço, que é a sede de verão para festas *rave* sob as estrelas. Perto da Plaça Espanya, depois de muitos boatos, o **Space**, casa no estilo de Ibiza, finalmente abriu em 2004. Nem pense em ir se não estiver com a aparência apropriadamente glamourosa.

Ainda mais longe do centro da cidade é possível se esbaldar no *nightclub* mais famoso do mundo, o **Pacha**. A maioria das pessoas, contudo, ainda não se deu conta de que esta casa nascida em Barcelona oferece sensacional diversão noturna. Alternativamente, o **Liquid** é o único clube noturno da cidade com piscina. Mas há um problema: quem quer ir embora antes do fim da festa enfrenta dificuldade para achar táxi.

AGENDA

BARRI GÒTIC

Café Royal
C/Nou de Zurbano 3,
Barri Gòtic.
Tel *93 412 14 33.*

Club Fellini
La Rambla 27,
Barri Gòtic.
Mapa 2 F3.
Tel *93 272 49 80.*
www.clubfellini.com

New York
C/Escudellers 5.
Barri Gòtic.
Mapa 5 A3.
Tel *93 318 87 30.*

EL RAVAL

Gurú
Nou de la Rambla 22.
Mapa 2 D4.
Tel *93 318 08 40.*

La Paloma
C/Tigre 27,
El Raval.
Mapa 2 E1.
Tel *93 301 68 97.*
www.lapaloma-bcn.com

Moog
C/Arc del Teatre 3,
El Raval.
Mapa 2 F4.
Tel *93 301 72 82.*
www.masimas.com

PORT VELL E PORT OLÌMPIC

C.D.L.C.
Passeig Marítim 32,
Port Olìmpic.
Mapa 6 E4.
Tel *93 224 04 70.*
www.cdlcbarcelona.com

Sugar Club
Moll de Barcelona s/nº,
Port Vell.
Tel *93 508 83 25.*

EIXAMPLE

Astoria
C/Paris 193,
Eixample.
Tel *93 414 63 62.*
www.grupocostaeste.com

Buda Barcelona
C/Pau Claris 92,
Eixample.
Mapa 3 B3.
Tel *93 318 42 52.*
www.budarestaurante.com

City Hall
Rambla Catalunya 2-4,
Eixample.
Mapa 3 A3.
Tel *93 317 21 77.*
www.cityhall-bcn.com

Dow Jones
Bruc 97,
Eixample.
Mapa 3 B4.
Tel *93 207 62 75.*

POBLE SEC

Apolo
C/Nou de la Rambla 113,
Poble Sec.
Mapa 2 D4.
Tel *93 441 40 01.*
www.sala-apolo.com

Mau Mau
C/Fontrodona 33,
Poble Sec.
Mapa 2 D3.
Tel *93 441 80 15.*
www.maumauunderground.com

Plataforma
C/Nou de la Rambla 145,
Poble Sec.
Mapa 2 D4.
Tel *93 329 00 29.*

GRÀCIA E TIBIDABO

Danzatoria
Av Tibidabo 61,
Tibidabo.
Tel *93 211 62 61.*
www.danzatoria.gruposalsitas.com

Mond Bar
Plaza del Sol 21, Gràcia.
Mapa 3 B1.
www.mondclub.com

FORA DO CENTRO

Discothèque/ La Terrrazza
Poble Espanyol, Avda Marquès de Comillas.
Mapa 1 B1.
Tel *93 423 12 85*
www.danzatoria-barcelona.com

Liquid
Complex Esportiu
Hospitalet Nord,
C/Manuel Azaña;
Hospitalet.
Tel *65 009 14 79.*
www.liquidbcn.com

Pacha
Avda. Gregorio
Marañon 17.
Tel *93 334 32 33.*
www.clubpachabcn.com

Space
C/Tarragona 141-147.
Tel *93 426 84 44.*
www.spacebarcelona.com

Esportes e Atividades ao Ar Livre

Da montanha ao mar, a Catalunha tem muitas opções de lazer ao ar livre. Pode-se passar os meses de verão em atividades aquáticas, da pesca à descida em corredeiras, enquanto os esquiadores vão às montanhas com as primeiras neves do inverno. Os amantes da natureza encontram hàbitats espetaculares, e Barcelona oferece praias e muito esporte.

INSTALAÇÕES NA CIDADE

Barcelona tem cerca de 30 piscinas municipais, como as **Piscines Bernat Picornell**, junto ao **Estadi Olímpic** e ao ginásio **Palau Sant Jordi**, em Montjuïc, que foram palco das provas de natação na Olimpíada de 1992. O Estadi Olímpic é usado para atletismo e shows; o Palau Sant Jordi, para esportes indoor e eventos musicais. Os fãs do tênis estão bem servidos, e o **Centre Municipal de Tennis Vall d'Hebron** atende jogadores mais novos. Pode-se esquiar no gelo na **Pista de Gel del FC Barcelona**, que aluga patins e tem uma escola de hóquei sobre o gelo. O golfe pode ser praticado na **Golf Sant Cugat e na Golf El Prat**. Há pistas de equitação, e a **Escola Hípica** de Sant Cugat oferece passeios diurnos pela serra de Collserola. Algumas lojas alugam bicicletas por hora, por meio dia ou para o dia inteiro. A **Un Cotxe Menys** organiza passeios de bicicleta por Barcelona.

ATIVIDADES AÉREAS

A Catalunha tem vários aeroportos em que se pode alugar aeroplanos e saltar de pára-quedas. Os aeroclubes mais conhecidos são o **Aero-club de Sabadell** e o **Grup Aeri** do aeroporto de Girona, em La Selva. O paragliding é popular, e a **Free Evolució** oferece esportes radicais, como bungee jumping e balonismo, como uma excitante alternativa para grupos de 10 a 12 pessoas.

Abutre, Pirineus

OBSERVAÇÃO DE AVES

As aves são uma grande atração na Catalunha. Os europeus do Norte ficam particularmente impressionados ao ver abelheiros, poupas, papa-figos-dourados e perdizes-do-mar. Duas grandes áreas de aves migratórias são o **Delta de l'Ebre** *(pág. 129)*, ao sul de Tarragona, com um centro para visitas em Deltebre, e **Aiguamolls de l'Empordà**, perto de Sant Pere Pescador, na baía de Rosas. Ambos são de fácil acesso, e seus centros fornecem binóculos e guias. Os melhores horários de visita são de manhã cedo e ao anoitecer. Os Pirineus têm muitas aves de rapina, entre elas águias-douradas, abutres-egípcios e grifos.

O **Parc Natural del Cadí-Moixeró** *(pág. 114)*, localizado ao pé dos Pirineus, tem um centro de visitas em Bagà. Você verá gralhas-alpinas e falcões-peregrinos, além de pica-paus-pretos, na área dos bosques.

Voando de paraglide sobre o Vall d'Aran, nos Pirineus orientais

O paraíso de um pescador: trutas em meio a um cenário espetacular

ESPORTES NO CAMPO

A pesca no mar é liberada, mas exige-se uma licença *(un permís)* para pescar nos rios. Ela pode ser obtida nos escritórios de turismo locais.

O Noguera Pallaresa e o Segre são rios excelentes para pescar trutas, e a estação vai do meio de março até o final de agosto. A estação de caça vai geralmente de outubro a março. Arrendamentos e licenças podem ser obtidos no **Patrimonio Natural** em Barcelona ou em alguma associação de caça local *(associació de caça)*. Agentes de viagem especializados em caça e pesca também podem providenciar licenças.

CAMINHADAS

Todos os parques nacionais e reservas publicam mapas e sugerem caminhadas. Boas alternativas perto de Barcelona são a serra de Collserola e os bosques de castanheiros de Montseny. Caminhadas longas, GR *(Gran Recorrido)*, atravessam a Catalunha, e as

De balsa, nas corredeiras de águas claras do rio Noguera Pallaresa

possibilidades de caminhadas no **Parc Nacional d'Aigüestortes** *(pág. 113)* e nos Pirineus são muito boas, com refúgios na montanha *(pág. 133)* para quem leva a atividade a sério. Podem-se obter informações no **Centre Excursionista de Catalunya** *(pág. 53)*. A **Llibrería Quera**, no Carrer de Petritxol (nº 2), no Barri Gòtic de Barcelona, é a melhor livraria para mapas e guias.

Todas as regras usuais se aplicam àqueles que partem para explorar a vida selvagem –levar água e comida, usar roupa adequada e deixar alguém avisado do destino.

ESPORTES AQUÁTICOS

Existem cerca de 40 marinas ao longo dos 580km da costa catalã, com amplo leque de esportes e atividades. Na própria Barcelona, o **Centre Municipal de Vela Port Olímpic** dá aulas de vela e oferece vários tipos de embarcação. A Costa Brava há muito tempo é um bom ponto para a prática de mergulho. O melhor local fica perto das protegidas Illes Medes *(pág. 121)*, no balneário de L'Estartit. Também há escolas de mergulho em Cadaqués e Cap Begur, especialmente em Calella de Palafrugell, ponto de partida para as Illes Ullastres.

A cidade de Sort no rio Noguera Pallaresa é um centro de esportes radicais como rafting, canoagem e mergulho em cavernas. Para agendar essas e outras atividades conta-te **Yetiemotions** ou **Esport Esquí Parc**.

ESPORTES DE INVERNO

Os Pirineus têm bons locais para esquiar a apenas três horas de carro de Barcelona, e eles lotam de gente da cidade nos fins de semana. Há cerca de vinte áreas para esqui. La Molina é boa para iniciantes, e Baqueira-Beret *(pág. 113)* é a preferida pela família real espanhola. Na Cerdanya, Puigcerdà *(pág. 114)*, base para esqui downhill e esqui nórdico, fica perto de quinze estações de esqui na Catalunha, Andorra e França. A **Associació Catalana d'Estacions d'Esquí i Activitats de Muntanya (ACEM)** informa sobre resorts, e a **Teletiempo** indica as condições do tempo. Em Barcelona há uma pista seca de esqui nas **Piscines Bernat Picornell** (Montjuïc).

Esqui numa das muitas estações dos Pirineus, a poucas horas de Barcelona

AGENDA

Aeroclub de Sabadell
Tel 93 710 19 52.
www.aeroclub.es

Aiguamolls de l'Empordà
Tel 972 45 42 22.
www.aiguamolls.org

ACEM (Associació Catalana d'Estacions d'Esquí i Activitats de Muntanya)
Tel 93 416 01 94.
www.catski.net

Centre Excursionista de Catalunya
Tel 93 315 23 11.

Centre Municipal de Tennis Vall d'Hebron
Tel 93 427 65 00.

Centre Municipal de Vela Port Olímpic
Tel 93 225 79 40.
www.vela-barcelona.com

Un Cotxe Menys
Tel 93 268 21 05.
www.bicicletabarcelona.com

Delta de l'Ebre
Tel 977 48 96 79.

Escola Hípica
Tel 93 589 89 89.

Esport Esquí Parc
Tel 97 362 4058.

Estadi Olímpic/ Palau Sant Jordi
Tel 93 426 20 89.

Free Evolució
Tel 93 454 91 41.

Golf El Prat
Tel 93 728 1000.

Golf Sant Cugat
Tel 93 674 39 08.

Llibrería Quera
Tel 93 318 07 43.

Parc Nacional d'Aigüestortes
Tel 973 62 40 36.

Parc Natural del Cadí-Moixeró
Tel 93 824 41 51.

Patrimonio Natural
Tel 93 567 42 00.

Piscines Bernat Picornell
Tel 93 423 40 41.
www.picornell.cat

Pista de Gel del FC Barcelona
Tel 93 496 36 30.

Teletiempo
Tel 807 17 03 08 (Barcelona); 807 17 03 65 (Spain).

Yetiemotions
Tel 97 362 22 01 (office); or 63 082 75 36.
www.yetiemotions.com

MANUAL DE SOBREVIVÊNCIA

INFORMAÇÕES ÚTEIS

A Catalunha tem uma ótima infra-estrutura de turismo, e Barcelona é particularmente bem organizada nessa área. Em cada cidade há centros de informação que ajudam a encontrar acomodação, atividades e restaurantes. Centros maiores distribuem folhetos em diferentes línguas. Agosto é o principal mês de férias na Espanha. Diversos estabelecimentos fecham o mês inteiro, e as estradas ficam cheias no início e no final desse período. Em qualquer época do ano, verifique antes se a sua visita coincidirá com os *festes* (feriados). Embora sejam uma atração, quase tudo fecha nesses dias. É bom deixar o almoço para mais tarde, pois a maior parte da Catalunha pára entre 14h e 16h.

Centro de informação

Placa indicando o "Ajuntament"

Placa de "Fechado"

IDIOMA

Embora o catalão seja a língua local, a Catalunha é um país bilíngue, onde as pessoas falam também *castellano* (espanhol). Se você responder em espanhol a um cumprimento feito em catalão, a pessoa passará na hora para o espanhol. Placas e documentos oficiais estão nas duas línguas. Mas como Barcelona se considera cosmopolita, a maior parte da literatura de turismo vem também em inglês e francês.

Proibido estacionar

ETIQUETA

Os catalães saúdam estranhos em pontos de ônibus, elevadores, lojas e outros locais públicos. Apertam-se as mãos quando se encontram ou se conhecem. As mulheres dão dois beijinhos no rosto ao se encontrar, e amigos de ambos os sexos também se beijam e se abraçam.

VISTOS E PASSAPORTES

Não se exige visto de turistas do Brasil, da União Européia, Austrália, Liechtenstein, Islândia, Noruega, Estados Unidos, Canadá e Nova Zelândia. Todavia é melhor checar antes de viajar. As embaixadas espanholas dão uma lista dos demais países isentos de visto. Turistas desses países podem permanecer na Espanha por 90 dias; para períodos maiores exige-se o visto. A *Oficina d'Estrangers de Barcelona* (uma repartição do governo) cuida da ampliação do visto. Para conseguir permissão para uma estada maior, a pessoa precisa provar que está empregada, estudando ou que possui dinheiro suficiente.

IMPOSTOS E ALFÂNDEGA

Quem não é da União Européia pode pedir reembolso do IVA para itens isolados com valor acima de 90 euros, comprados em lojas com a placa "Tax-free for Tourists" (comida, bebida, motos, carros, tabaco e remédios são isentos). Você paga o preço integral e pede ao vendedor um *formulari* (para isenção de imposto), que a alfândega carimba na saída da Espanha (até seis meses a partir da compra). O reembolso vem pelo correio ou na conta do cartão de crédito. Filiais do Banco Exterior no aeroporto de Barcelona reembolsam os *formularis* preenchidos.

INFORMAÇÃO TURÍSTICA

Barcelona tem três *oficines de turisme* principais, que informam sobre atrações, transporte e lugares para ficar e comer, tudo sob orientação do **Turisme de Barcelona**.

Um quarto centro, no Passeig de Gràcia, coordenado pelo **Turisme de Catalunya**, um departamento da Generalitat (governo da Catalunha), dá informações sobre a região. Outras cidades grandes têm centros de informação com material publicado pela Generalitat e pela administração provincial local *(patronat)*.

O Escritório Nacional Espanhol de Turismo possui centros em cidades como São Paulo *(pág. 115)*, Nova York, Miami, Los Angeles e Londres.

Em Barcelona, no verão, duplas de funcionários do governo, os "jaquetas vermelhas", que geralmente falam inglês, dão informações nas ruas do Barri Gòtic, em Las Ramblas e no Passeig de Gràcia.

Escritório do Turisme de Catalunya

HORÁRIOS

A maioria dos museus e dos monumentos fecha às segundas. Nos demais dias, em geral abre das 10h às 14h, e alguns reabrem das 16h ou 17h até as 20h. As igrejas podem abrir apenas para a missa. Em cidades menores é comum fecharem igrejas, castelos e outros locais.

◁ Barcos no Port Olímpic de Barcelona, com a montanha de Montjuïc ao fundo

Estudantes têm desconto no ingresso em vários museus e galerias

A chave *(la clau)* pode ser solicitada e fica com alguém na prefeitura *(ajuntament)* ou às vezes no bar local. Cobra-se ingresso na maioria dos museus e monumentos, mas no primeiro domingo do mês a entrada na maioria dos museus costuma ser gratuita.

SERVIÇOS DE APOIO A DEFICIENTES FÍSICOS

A associação catalã para os deficientes, chamada de Federació ECOM *(pág. 115)*, fornece listas de hotéis e dicas de viagem para toda a região da Catalunha, relacionando as instalações existentes. A associação nacional espanhola de apoio aos deficientes, a COCEMFE, mantém uma agência de viagens, a **Servi-COCEMFE**, que publica guias sobre as instalações na Espanha e ajuda a planejar as férias de deficientes. Centros de turismo e o serviço social das prefeituras informam sobre instalações locais. A **Viajes 2000** é uma agência especializada em programas de férias para deficientes.

Placa de acesso para deficientes

FUSO HORÁRIO

A Espanha está uma hora à frente do Greenwich Mean Time (GMT) no inverno *(l'hivern)* e duas horas no verão *(l'estiu)*. A diferença de fuso horário para o Brasil é de 3 horas (no nosso horário de verão) ou 5 horas (no horário de verão espanhol). *La matinada* é a madrugada, *el matí* (manhã) vai até 13h, e o *migdia* (meio-dia), das 13h às 16h. *La tarda* é a tarde, *el vespre*, o anoitecer e *la nit*, a noite.

ESTUDANTES

Quem possui o International Student Identity Card (ISIC), a carteira internacional de estudante, goza de descontos em viagens e entradas em museus e galerias. No Brasil a carteira pode ser fornecida pela União Nacional dos Estudantes (UNE), para universitários, ou pela União Brasileira dos Estudantes Secundaristas (UBES), para o Ensino Médio ou Ensino Fundamental. Na Espanha, podem-se obter informações nas organizações nacionais de estudantes e, em Barcelona, na **Viatgeteca**, que vende a carteira internacional de estudante e carteiras para hospedagem.

A **Unlimited Youth Student Travel** é especialista em programar viagens para estudantes.

APARELHOS ELÉTRICOS

Na Espanha a corrente elétrica é de 220 volts, mas o velho sistema de 125 volts ainda é usado em alguns prédios antigos. Em ambos os sistemas as tomadas têm dois pinos redondos. Um conversor padrão de viagem permite usar as duas voltagens.

AGENDA

CONSULADOS

Do Brasil em Barcelona
Carrer Consell de Cent 357-1
Edifício Brasília
080007 Barcelona.
Tel 93 488 22 88.

Da Espanha em São Paulo
Av. Bernardino de Campos, 98, 1° andar, CEP 04004-040.
Tel 11 3059-1800.

Da Espanha no Rio de Janeiro
Shopping Center Rio Sul, 16° andar, CEP 22190-160.
Tel 21 543-3200.

EMBAIXADAS

Do Brasil em Madri
Calle Fernando El Santo 6
28010 Madri.
Tel 91 308 04 59.

Da Espanha em Brasília
SES - Av. das Nações, qd. 801, lote 44, CEP 70429-900.
Tel 61 244-2121.

CENTROS DE TURISMO

Turisme de Barcelona
Plaça de Catalunya 17, subterrani, 08002. ***Tel*** 93 285 38 34.

Ajuntament, Plaça Sant Jaume 1, 08002. ***Tel*** 906 30 12 82.

Estació Sants, Pl Països Catalans, 08014. ***Tel*** 93 285 38 34.

Turisme de Catalunya
Palau Robert, Pg de Gràcia 107, 08008 Barcelona.
Tel 93 238 40 00

DEFICIENTES FÍSICOS

Servi-COCEMFE
Calle Eugenio Salazar 2, 28002 Madri. ***Tel*** 91 413 80 01.

Viajes 2000
Paseo de la Castellana 228-230, 28046 Madri. ***Tel*** 91 323 10 29.

JOVENS/ESTUDANTES

Unlimited Youth Student Travel & Viatgeteca
Carrer Rocafort 116-122, 08015 Barcelona. ***Tel*** 93 483 83 41.

Segurança e Saúde

Na Catalunha, e na Europa Ocidental em geral, as áreas rurais são seguras, mas as cidades exigem cuidado. Leve cartões e dinheiro numa pochete, não deixe valores no carro e à noite evite áreas pouco iluminadas. Se adoecer, sempre haverá uma *farmàcia* aberta, e os farmacêuticos também prescrevem. Se perder documentos, avise o consulado *(pág. 175)* e a *Policia Nacional* na *comissaria* (delegacia). Veja os telefones de emergência na página ao lado.

Fachada de uma *farmàcia* (farmácia) na Catalunha

EMERGÊNCIAS

O novo número de telefone para todos os serviços de emergência na Espanha é 112. Depois de discar, peça *policia* (polícia), *bombers* (bombeiros) ou *ambulància* (ambulância). Os números locais para emergências (página oposta) continuam válidos. Fora de Barcelona, a *Creu Roja* (Cruz Vermelha) em geral atende a pedidos feitos pelo 112 (ou outro número) para ambulâncias e encaminha a pessoa aos serviços de *urgències* (pronto-socorro) dos hospitais.

Símbolo da Cruz Vermelha

Placa do serviço de pronto-socorro

ASSISTÊNCIA MÉDICA

O Brasil e a Espanha mantêm um convênio que dá aos brasileiros direito aos serviços públicos naquele país. Em caso de necessidade o turista precisa apresentar o passaporte e o Certificado de Assistência Médica, que deve ser obtido, antes da viagem, nos escritórios de representação do Ministério da Saúde existentes nas capitais brasileiras. Em São Paulo, os telefones são (11) 256-9288 e 256-9837 e, no Rio de Janeiro, (21) 533-0074 e 533-2492. Para obter o documento é preciso levar ao ministério o passaporte, a passagem aérea e um comprovante de que é contribuinte da Previdência como empregador, empregado, autônomo ou pensionista. Outra possibilidade é fazer um seguro de viagem que cubra serviços de assistência médica no exterior. Se você já possui seguro-saúde, confira se ele reembolsa essas despesas. A embaixada do Brasil na Espanha *(pág. 175)* também deve orientar o turista sobre as providências relativas a emergências médicas. Em casos mais simples, pode-se consultar o *farmacèutic* (farmacêutico), que é autorizado a prescrever sem receita médica. O sinal de *farmàcia* é uma cruz verde ou vermelha iluminada. Os endereços das que ficam de plantão são afixados na porta das farmácias.

SEGURANÇA

Como na maioria das cidades européias, o furto de carteiras em Barcelona está aumentando, por isso é bom tomar medidas sensatas ao circular, sobretudo se você está viajando na alta temporada. Fique sempre atento à bolsa, carteira e máquina fotográfica quando estiver em aglomerações, pontos turísticos, cafés e bares. Fique de olho na sua bolsa em cafés ao ar livre, pois ela pode sumir. Um dos truques mais comuns é alguém distrair sua atenção avisando sobre uma "mancha" em sua roupa (isso acontece com frequência no metrô) ou vendedores de flores que habilmente esvaziam sua carteira enquanto você tenta pagá-los. Nunca deixe objetos de valor no carro e preste atenção em pessoas rondando os caixas automáticos, pois as fraudes a cartões de crédito também estão aumentando, principalmente no litoral. É seguro caminhar pela cidade, mas convém evitar a área do Barri Xinès à noite. Porém é bom lembrar que os crimes violentos e assaltos são raros em Barcelona.

Policia Nacional

Mosso d'Esquadra

Guàrdia Urbana

POLÍCIA NA CATALUNHA

Na Espanha, o serviço policial é organizado em três forças: a *Guàrdia Civil* (paramilitar), de verde-oliva, atua nas fronteiras, aeroportos e áreas rurais; a *Policía Nacional*, de azul, lida com crimes em cidades maiores, segurança nacional e imigração; e a *Guàrdia Urbana*, também de azul, cuida do policiamento de trânsito e das comunidades locais.

Em Barcelona e outras cidades principais a *Guàrdia Civil* e a *Policía Nacional* estão sendo substituídas por uma força autônoma catalã, os *Mossos d'Esquadra*. Entretanto, muitos turistas são orientados pela *Guàrdia Urbana*, que, durante os picos de estação, atua em furtos e crimes menores. A maioria de seus postos na cidade velha providenciam os formulários necessários para denunciar um crime.

ASSISTÊNCIA LEGAL

Alguns seguros de viagem cobrem despesas jurídicas na Espanha. Em caso de prisão, você tem o direito de ligar para o seu consulado *(pág. 175)* e pedir um advogado bilíngue. O *Col.legi d'Advocats* (Associação de Advogados) pode ajudar o turista que precisa obter orientação e representação legal. Se precisar de um intérprete, peça ao seu consulado ou procure nas *Pàgines Grogues* (Páginas Amarelas), na seção *Traductors* (Tradutores) ou *Intèrprets* (Intérpretes). *Traductors oficials* ou *jurats* estão qualificados para fazer transcrições de documentos legais ou oficiais.

O modelo atual de viatura de polícia da *Guàrdia Urbana*

Um veículo de patrulha da *Policía Nacional*

Carro de bombeiros de Barcelona, mostrando o número de emergência

OBJETOS PESSOAIS

Notifique na hora qualquer perda ou roubo à *Guàrdia Urbana* local, pois muitas companhias de seguros dão apenas 24 horas de prazo para isso. Você deve fazer uma *denúncia* (por escrito) à polícia e ficar com uma cópia pa-ra a seguradora. O consulado pode repor um passaporte perdido, mas não lhe dará apoio financeiro.

BANHEIROS PÚBLICOS

Banheiros públicos são raros na Catalunha. Em geral as pessoas entram num bar, café, loja ou hotel e perguntam onde ficam *els serveis* ou *el lavabo* (catalão), ou *los servicios ou aseos* (espanhol). Na estrada, os postos de gasolina têm banheiros. As mulheres podem precisar pedir *la clau* (a chave). Leve sempre papel higiênico, pois muitos banheiros não têm.

Ambulância ostentando o 061, telefone de emergência local de Barcelona

PERIGOS NO CAMPO

Os verões quentes da Catalunha são ideais para incêndios florestais; apague cigarros e leve embora as garrafas vazias. Ao andar em montanhas, vá bem equipado e deixe alguém sabendo de seu destino. Não invada um *vedat de caça* (reserva de caça) ou *camí particular* (área particular).

AGENDA

EMERGÊNCIAS

Polícia *(Policia)*
Bombeiros *(Bombers)*
Ambulância *(Ambulància)*
Tel *112 (número nacional).*

Polícia *(números locais)*
Tel *091 – Policía Nacional*
092 – Guàrdia Urbana (Barcelona, Lleida, Girona, Tarragona).
Tel *93 344 13 00 – Tourist Guàrdia Urbana office in La Rambla, Barcelona.*

Bombeiros *(números locais)*
Tel *080 (Barcelona), 085 (Lleida, Girona, Tarragona).*

Ambulância *(números locais)*
Tel *061 (Barcelona), em outros lugares, use o 112 (nacional).*

Banco e Moedas Locais

Pode-se entrar na Espanha com qualquer quantia de dinheiro, mas quem quiser sair do país com mais de 6 mil euros precisa fazer uma declaração. Traveller's cheques podem ser trocados em bancos, casas de câmbio (*canvi* em catalão, *cambio* em espanhol), alguns hotéis e lojas. Os bancos costumam oferecer as melhores taxas. As menores são as do cartão de crédito, que pode ser usado em caixas automáticos identificados pelo sinal correspondente.

EXPEDIENTE BANCÁRIO

Em geral, os bancos da Catalunha abrem das 8h às 14h nos dias úteis. Alguns atendem até as 13h aos sábados, mas a maioria fecha nesse dia durante o mês de agosto. Filiais dos maiores bancos no centro de Barcelona começam a ampliar o expediente nos dias úteis, mas isso ainda não constitui uma prática generalizada.

CÂMBIO

A maioria dos bancos disponibiliza um guichê especial para câmbio, em geral com a indicação de *Canvi/Cambio* ou *moneda estrangera/extranjera*. Para trocar dinheiro, tenha sempre em mãos o seu passaporte ou outro documento de identificação.

Em geral, quem tem cartão de crédito pode fazer saques de até 450 euros nas agências bancárias associadas. O Banco do Brasil tem agência apenas em Madri (a de Barcelona foi desativada).

As casas de câmbio (identificadas pelas placas Canvi/Cambio ou ainda Change) cobram taxas mais altas do que os bancos para trocar dinheiro, mas oferecem a vantagem de operar em horários mais amplos do que o expediente bancário. As caixes d'estalvi/cajas de ahorros (bancos de poupança) também operam com câmbios de moeda estrangeira. Em geral, funcionam das 8h30 às 14h durante a semana, mas nas quintas-feiras abrem também das 16h30 às 19h45. Essas instituições têm marcante presença no patrocínio às artes e iniciativas culturais.

CARTÕES DE CRÉDITO E TRAVELLER'S CHEQUES

Quem prefere viajar levando traveller's cheques (em geral, bastante aceitos na Espanha) pode adquiri-los no próprio banco em que tem conta ou na **American Express**. Neste caso, vale a pena fazer o câmbio nas agências da instituição para ficar isento do pagamento das habituais taxas de conversão. Ao comprar os cheques de viagem prefira euros a dólares (basta informar a preferência na hora da compra).

O cartão de crédito com mais difusão na Espanha é o **Visa**, embora o **MasterCard** (Access)/Eurocard e o American Express também sejam bastante aceitos. A comodidade adicional dos cartões, além de possibilidade de pagamento de contas, está na retirada de dinheiro em espécie nas principais agências bancárias das cidades maiores. Em geral isso ocorre sem dificuldade, mas vale a pena confirmar com o seu banco qual a taxa cobrada para esses saques. Principalmente na Cidade Velha, cada vez menos caixas eletrônicos funcionam à noite (informe-se no seu hotel sobre os horários).

Ao fazer o pagamento de uma compra ou serviço com cartão de crédito, o mais comum é apenas passar o cartão na máquina e depois digitar a senha. Alguns estabelecimentos, porém, podem pedir um documento de identificação com foto. Como muitos bares e restaurantes (sobretudo os menores) não operam com essa modalidade de pagamento, sempre convém se certificar antes.

Caixa eletrônico 24 horas *(pág. 162)*

CAIXAS AUTOMÁTICOS

Na Espanha pode-se sacar dinheiro nos caixas eletrônicos sem medo –mas sempre convém estar atento. Observe as placas que identificam as operadoras, em geral Visa ou MasterCard.

Ao digitar a senha, a tela irá exibir instruções em catalão, espanhol, inglês, francês e alemão (o idioma português é raro). Como ocorre no Brasil, muitos caixas automáticos estão instalados dentro de edifícios ou de cabines fechadas. Para entrar, basta passar o cartão no local indicado e abrir a porta.

AGENDA

BANCO DO BRASIL

Madri
Calle Jose Ortega y Gasset 29 1A, 28006.
Tel *91 423 25 00.*

PERDA DE CARTÕES E TRAVELLER'S CHEQUES

American Express
Tel *902 10 07 55.*

Diners Club
Tel *91 701 59 00.*

MasterCard
Tel *900 97 12 31 (gratuito).*

VISA
Tel *900 99 12 24 (gratuito).*

O EURO

O euro, moeda única da Comunidade Européia, está em uso em 13 dos 27 países-membros (Áustria, Bélgica, Finlândia, França, Alemanha, Grécia, Irlanda, Luxemburgo, Holanda, Itália, Portugal e Espanha, Eslovênia). O Reino Unido, a Dinamarca e a Suécia ficaram de fora, com a opção de rever a decisão. As notas e moedas de euro entraram em circulação no dia 1 de janeiro de 2002. Depois de um período de transição que permitia o uso das duas moedas nacionais e do euro, a moeda da Espanha, a peseta, foi completamente desativada em março de 2002. Todas as notas e moedas de euro podem ser usadas em qualquer um dos 13 países participantes.

Cédulas

As cédulas de euros têm sete valores. A nota de 5 euros (de cor cinza) é a mais baixa, seguida da de 10 euros (rosada); de 20 euros (em tom azul); de 50 euros (laranja), de 100 euros (verde); de 200 euros (amarela) e de 500 euros, de cor lilás. As cédulas também diferem em tamanho.

5 euros

10 euros

20 euros

50 euros

100 euros

200 euros

500 euros

2 euros

1 euro

50 centavos

20 centavos

10 centavos

Moedas

Existem oito moedas de euro em circulação: 2 euros e 1 euro (prateada e dourada); 50, 20 e 10 centavos (douradas); e moedas de 5, 2 e 1 centavo (cor de bronze). O lado da coroa é igual em toda a zona do euro, mas a cara varia nos diversos países.

5 centavos

2 centavos

1 centavos

Telefones e Correios

Selo padrão de postagem

Os telefones públicos, da empresa espanhola Telefónica, são fáceis de encontrar e operam com moedas ou cartão, mas as ligações internacionais são caras. O correio, *Correos*, é identificado por uma coroa em azul ou branco sobre fundo amarelo. Cartas e telegramas podem ser enviados de qualquer agência. Os selos são vendidos nas agências, mas é mais usual e mais rápido comprá-los em *estancs* (tabacarias). Não há telefones públicos nas agências dos *Correos*.

COMO USAR UM TELEFONE DE MOEDAS OU CARTÃO

1 Levante o fone. Aguarde o sinal de discar e a mensagem *Inserte monedas* o *tarjeta* no visor.

2 Insira moedas *(monedas)* ou o cartão *(tarjeta)*.

3 Digite os números devagar: nos telefones espanhóis é melhor fazer uma pausa entre os números.

4 À medida que se digitam os números, eles aparecerão no visor. O visor também informa quanto dinheiro ainda lhe sobra e quando deverá colocar mais moedas.

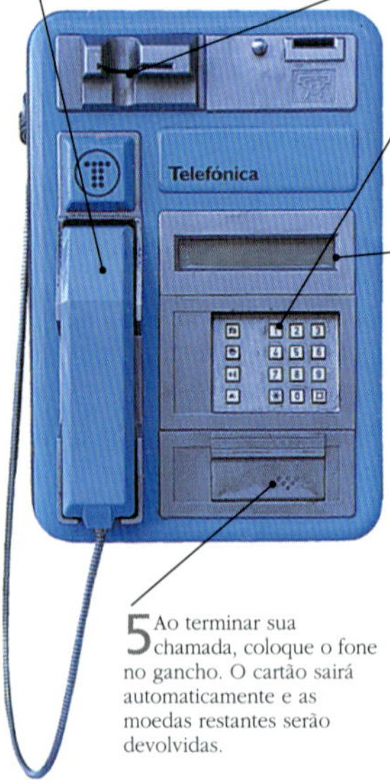

5 Ao terminar sua chamada, coloque o fone no gancho. O cartão sairá automaticamente e as moedas restantes serão devolvidas.

Cartão telefônico

Logotipo do sistema telefônico

TELEFONES, CARTÕES E CHAMADAS

Além das cabines *(cabines)*, os bares em geral têm telefones públicos. Todos utilizam moedas. Pode existir uma tarifa mínima bastante elevada, especialmente para ligações internacionais. Por isso verifique se possui moedas suficientes. Cartões telefônicos são mais práticos e podem ser comprados em *estancs* (tabacarias) e bancas de jornal. Alguns telefones mostram no visor instruções em diversos idiomas.

Existem algumas agências telefônicas denominadas *locutoris*, onde se pode pagar ao concluir a chamada. As agências mais baratas são as mais distantes do centro da cidade. As demais, quase sempre localizadas em lojas, são mais caras.

Com exceção das chamadas locais, utilizar o sistema telefônico pode ficar caro para o turista, especialmente quando se liga de um hotel, que pode acrescentar uma taxa de serviço. Uma ligação feita de uma *cabina* ou *locutori* custa 35% mais do que aquela feita de um telefone particular da casa de alguém. Chamadas a cobrar

CÓDIGOS TELEFÔNICOS ÚTEIS

- Para fazer ligações na mesma cidade ou província, ou para ligar para outra província, disque o número inteiro. A província é indicada pelos primeiros dígitos: os números de Barcelona começam com 93, os de Lleida com 973, os de Girona com 972 e os de Tarragona com 977.
- Para fazer uma ligação internacional, disque 00, seguindo-se o código do país, o código de área e o número.
- O código do Brasil é 55. Disque a seguir o código da cidade (sem o zero) e o número.
- Para auxílio à lista telefônica, disque 11818.
- Para fazer uma chamada a cobrar para o Brasil, disque 900 99 00 55 e fale diretamente com a operadora brasileira. Os números para outros países podem ser encontrados nas primeiras páginas da lista telefônica A-K, sob o título *Comunicaciones Internacionales*.
- Para problemas técnicos, disque 1002.
- Para saber a hora, disque 093; para informações sobre o tempo e, para o serviço de despertador, 096.

para o Brasil podem ser feitas diretamente, discando 0755 seguidos do código DDD da cidade e do número desejado, ou com o auxílio da telefonista brasileira, discando 900 99 00 55.

A Espanha aboliu os códigos provinciais de área em 1998; portanto, deve-se sempre discar o número inteiro, começando pelo 9 inicial.

CORREIOS

O serviço dos *Correos* melhorou muito nos últimos anos. Uma carta enviada para um endereço na mesma cidade leva geralmente um dia para chegar. Entregas entre cidades levam dois a três dias. Postagens urgentes ou importantes podem ser enviadas por *correo urgente* (expresso) ou *certificado* (registrado). Se quiser maior rapidez na entrega, procure uma empresa de courier.

A correspondência pode ser registrada em qualquer agência dos *Correos*, onde também se enviam telegramas. No entanto é melhor comprar selos para as cartas e cartões-postais em *estancos* (tabacarias). Os pacotes devem ser pesados e selados pelos *Correos*, mas bem amarrados com barbante pelo remetente. As agências grandes abrem das 8h às 21h, de segunda a sexta, e das 9h às 19h aos sábados. As de periferia e interior abrem das 9h às 14h durante a semana e até as 13h aos sábados.

Caixa de correio catalã

ENDEREÇOS

Como no Brasil, na Espanha os endereços constam do nome da rua, número da casa e, em caso de prédio, um hífen seguido do número ou letra do andar. Por exemplo, C/ Mir 7, 5º-A quer dizer apartamento A, no quinto andar do prédio de número 7 do Carrer Mir. Carrer costuma ser escrito C/. Os andares são: *Baixos* (térreo), *Entresol, Principal*, 1^r, 2^n etc., o que quer dizer que 2^n é, na verdade, o quarto nível. Prédios novos usam a designação mais simples: *Baixos*, seguido por 1^r, 2^n etc. Os códigos postais têm cinco dígitos (os dois primeiros indicando a província).

Jornais catalães

Revistas catalãs

TELEVISÃO E RÁDIO

Os catalães podem escolher entre a TV3, em catalão, que é do governo regional, e a TVE1 e TVE2, os dois canais de estatais da Espanha. Existe um canal catalão, o Canal 33, e sete canais espanhóis independentes: Antena 3, Tele-5, Canal+ (Canal Plus), Cuatro, La Sexta, NetTV e VeoTV. Um serviço regular de notícias em língua estrangeira é fornecido pela Barcelona Televisió (BTV). Quase todos os filmes estrangeiros na televisão (e no cinema) são dublados. Os legendados são os *V.O. (versión original)*. Canais de satélite, como CNN, Cinemanía e Eurosport e muitos canais europeus também podem ser sintonizados.

As principais estações de rádio são a Catalunya Ràdio, a COM Ràdio, a estatal Nacional de España. As independentes são a Radio 2, de música clássica, e a Ser, de assuntos gerais, em espanhol.

JORNAIS E REVISTAS

Algumas bancas do Centro têm jornais de outros países, vendidos no mesmo dia de sua publicação. O jornal *The European* e revistas semanais populares como *Time, Newsweek* e *The Economist* também são fáceis de encontrar. *Catalonia Today*, um jornal gratuito em inglês, pode ser encontrado em La Rambla e na Plaza Cataluya. Jornais e revistas brasileiros não têm distribuição oficial, mas podem ser encontrados eventualmente em bancas de aeroportos ou nas lojas da Varig. O site www.radiobras.gov.br/sinopses oferece resumo dos principais jornais do Brasil.

Os principais jornais em catalão são o *Avui* e o *El Periódico. La Vanguardia*, em espanhol, publicado em Barcelona, é muito respeitado. Os jornais espanhóis *El País, El Mundo* e *ABC* também são confiáveis. O melhor guia semanal de Barcelona é o *Guia del Ócio*, publicado em espanhol. O *Metropolitan*, mensal e gratuito e o *BCN Week*, semanal e gratuito também, são publicados em inglês e facilmente encontrados nos pubs, cinemas e bares da cidade.

Uma banca de jornais em La Rambla, Barcelona

INFORMAÇÃO DE VIAGEM

Os três principais aeroportos da Catalunha –El Prat, Reus e Girona– recebem vôos internacionais do mundo todo. O El Prat de Barcelona opera mais com vôos regulares, enquanto Reus e Girona recebem vôos charter. Redes de trens e estradas com pedágio ligam Barcelona às principais cidades da região. Barcelona tem um bom anel viário *(ronda)* e um túnel que cruza a serra de Collserola, ligando o interior à cidade. As conexões de metrô e de trens de subúrbio são excelentes, mas como a Catalunha é montanhosa, a única maneira de ver algumas paisagens rurais é ir de ônibus ou carro.

A empresa aérea espanhola

Free shop no aeroporto de El Prat, em Barcelona

VOÔS PARA A CATALUNHA

Barcelona é servida por várias companhias aéreas internacionais. A espanhola **Iberia** oferece pelo menos um vôo diário ligando São Paulo e Rio de Janeiro a **Barcelona**. A duração dos vôos é de cerca de 12h40.

Outra opção é voar para a capital Madri e de lá fazer uma conexão para Barcelona pela Spanair, TAP, dentre outras. A American tem vôos diários para Madri fazendo escalas em Nova York.

Há ainda várias companhias que trabalham com vôos para Barcelona com escalas nos países de origem, entre as quais a **Lan Chile**, a **Alitália**, a **Airfrance** e a **Lufthansa**.

Os dois outros aeroportos da Catalunha operam com vôos charter: Girona serve a Costa Brava, e Reus, perto de Tarragona, possibilita viajar para a Costa Daurada.

Para quem chega à Catalunha partindo de Madri ou de outras cidades espanholas, a maior parte dos vôos domésticos da Espanha é operada pela Iberia e suas associadas **Air Nostrum**, **Air Europa** e **Spanair**. As companhias aéreas **Click** e **Vueling** são as novidades nos vôos de baixo custo.

O mais frequente serviço de ponte aérea entre Madri e Barcelona é o Pont Aeri (Puente Aéreo) da Iberia. Os aviões saem a cada quinze minutos nos horários de pico e pode-se comprar o bilhete até quinze minutos antes, numa máquina automática.

Se um vôo estiver lotado, é oferecido aos passageiros em fila de espera um lugar no próximo avião. A viagem é feita em cerca de 50 minutos. Outros vôos entre Madri e Barcelona são menos regulares, mas em geral o preço é mais baixo.

Símbolo do serviço de ponte aérea entre Barcelona e Madri

As empresas internacionais de aluguel de carro *(pág. 187)* possuem agências nos três terminais do aeroporto de El Prat. No aeroporto de Girona também funcionam essas empresas, e os carros podem ser liberados para Reus a partir de Tarrago-

AGENDA

INFORMAÇÕES EM AEROPORTOS

Barcelona El Prat
Tel 902 40 47 04.

Girona
Tel 972 18 66 00.

Reus
Tel 977 77 98 32.

IBERIA, AIR NOSTRUM

Vôos domésticos e internacionais
Tel 902 400 500 (Espanha).

Iberia
Tel 11 3218 7140 (São Paulo).
Tel 21 2282-1336 (Rio de Janeiro).
Tel 91 587 47 47 (Madri).
www.iberia.com.br

OUTRAS COMPANHIAS

Air Europa
Tel 902 401 501 (Espanha).

Click
Tel 902 25 42 52 (Espanha).
www.clickair.com

Continental
www.continental.com

Vueling
Tel 902 33 39 33 (Espanha).
www.vueling.com

Spanair
Tel 11 255-8343 (São Paulo).
Tel 21 544-6779 (Rio de Janeiro).

Ryanair
Tel 807 220 032 (Espanha).
www.ryanair.com

VIAGENS MARITIMAS

Costa Cruises
Tel 93 487 56 85 (Espanha).

Grimaldi Group
Tel 93 443 98 98 (Espanha).

VIAGENS PARA AS ILHAS BALEARES

Buquebus
Tel 902 414 242 (Espanha).

Trasmediterránea
Tel 902 45 46 45 (Espanha).

AEROPORTO DE EL PRAT, BARCELONA

O aeroporto de Barcelona fica a 12km do centro da cidade. No terminal A chegam vôos internacionais e partem vôos das companhias estrangeiras. Os terminais B e C são para partidas de empresas espanholas e chegadas dos países da União Européia. Trens para o Passeig de Grácia partem com frequência (para a Plaça de Catalunya troque de trem na Estació de Sants). Para conexões com outras cidades, desça na estação de Sants. A cada 12 minutos sai um ônibus, o Aerobus, até a Plaça de Catalunya. Um táxi levará cerca de 15 minutos e custará por volta de 20 euros.

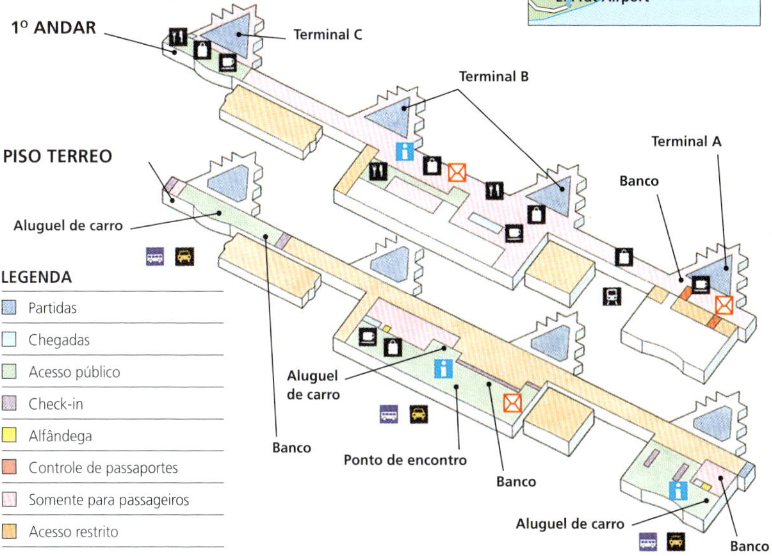

na. Empresas locais oferecem negócios tentadores para os turistas, mas é bom ler o contrato de serviços com bastante atenção.

TARIFAS AÉREAS

As tarifas para Barcelona e os balneários litorâneos variam ao longo do ano, conforme a demanda. Em geral, são mais caras nos meses de verão. Promoções especiais, quase sempre para fins-de-semana prolongados em Barcelona, costumam ser oferecidas no inverno e podem incluir hospedagem. Vôos no Natal e na Páscoa devem ser reservados com bastante antecedência.

Vôos charter para Girona e Reus são baratos, mas podem ser menos confiáveis e em horários pouco convenientes.

Voar de Barcelona para outras cidades da Espanha sai relativamente mais caro do que outras opções.

CHEGADA PELO MAR

Em 1998, o **Grimaldi Group** criou um novo serviço de barco regular entre Gênova e Barcelona. A **Atlas Cruises and Tours** oferece cruzeiros dos Estados Unidos até Barcelona e pelo Mediterrâneo. A **Costa Cruises** promove cruzeiros pelo Mediterrâneo, saindo de Barcelona, e a **Thomson Cruises**, no Reino Unido, tem cruzeiros que passam por Barcelona, saindo de Maiorca.

VIAGENS PARA AS ILHAS BALEARES

Barcelona é a principal cidade do continente da qual se pode chegar às Ilhas Baleares. Há vôos da Iberia, Air Europa e Spanair e um serviço de hidrofólio (espécie de catamarã), que leva três horas, da **Buquebus**; e pode-se colocar o carro num ferryboat da **Trasmediterránea**, que leva oito horas. É bom fazer a reserva com antecedência, principalmente no verão.

Ferryboat da Trasmediterránea para as Ilhas Baleares, porto de Barcelona

Como Viajar de Trem e Metrô

Símbolos do Metro e da FGC

Existem dois provedores de serviços ferroviários na Catalunha. A empresa nacional espanhola **RENFE** *(Red Nacional de Ferrocarriles Españoles)* opera linhas intermunicipais, incluindo os trens de luxo Talgo e AVE, e alguns trens de subúrbio de Barcelona *(rodalies)*. A empresa do governo catalão **FGC** *(Ferrocarrils de la Generalitat de Catalunya)* opera trens suburbanos em Barcelona e alguns serviços especiais nas províncias catalãs. Barcelona tem também o Metro, uma eficiente e ampla rede de metrô subterrâneo.

Escada rolante para a plataforma (*andana*), na estação de trens de Sants, em Barcelona

CHEGADA DE TREM

Há diversas rotas de trens para Barcelona, saindo de várias cidades européias, como Paris, Montpellier, Genebra, Zurique e Milão. As longas viagens ficam mais amenas quando se reserva um compartimento com leito num trem noturno. Essa opção só é disponível em linhas diretas. Todos os trens que entram na Espanha pela França passam por Port Bou/Cerbère ou La Tour de Carol, na fronteira entre França e Espanha. Viajar para Barcelona de locais que não ofereçam linha direta pode implicar uma conexão nesse ponto. Os trens internacionais chegam à estação de Sants, no centro de Barcelona.

Há duas companhias de trens noturnos que partem para Barcelona das cidades espanholas de Madri, Sevilha, Málaga, La Coruña e Vigo: a **Estrella** (serviço básico) e a **Trenhotel** (com serviço mais sofisticado).

VIAGENS DE TREM PELA CATALUNHA

A Catalunha tem uma rede de trens regionais *(regionals)* que cobre toda a região, gerenciada pela RENFE. São três tipos: o *Catalunya Exprés*, que liga as maiores cidades com poucas paradas, e os trens *Regional* e *Delta*, bem mais lentos. Há uma linha, a Euromed, de alta velocidade, entre Barcelona e Tarragona (e seguindo para o sul até Castelló, València e Alacant/Alicante), que sai da estação de Sants e da estação de França.

A FGC *(Ferrocarrils de la Generalitat de Catalunya)* é uma rede de trens suburbanos do governo catalão que serve Barcelona e a periferia. A FGC também controla linhas especiais, como a única ferrovia espanhola de cremalheira, de Ribes de Freser *(veja o verso da contracapa, ao final do guia)* a Núria, nos Pirineus. E os bondinhos e funiculares do mosteiro de Montserrat *(págs. 122-3)* e de Vallvidrera, vários trens históricos a vapor e um trem elétrico para turistas. Mais detalhes dessas linhas podem ser obtidos na estação da FGC, na Plaça de Catalunya, ou ligando para a FGC, no número acima.

RENFE

Logo da ferrovia nacional espanhola

AGENDA

TRANSPORTE PÚBLICO

Informações (Conselho Local de Barcelona)
Tel *010.*

RENFE Informações e Reservas por Cartão
Tel *902 24 02 02 (national).*
Tel *902 24 34 02 (international).*
www.renfe.es

Secretaria General de Juventud
Centro de Turismo para Jovens
Carrer de Calàbria, 147.
Tel *93 483 83 83.*

FGC Informações
Tel *93 205 15 15.*

TMB Informações
Tel *93 298 70 00 ou 012.*

COMPRA DE BILHETES

Bilhetes para os trens Talgo e AVE e outros de *llarg recorregut* (longa distância) são comprados em qualquer *taquilla* (bilheteria) das principais estações da RENFE ou em agências de viagem da Espanha e de outros países europeus, com pagamento de comissão. Os bilhetes podem ser comprados antecipadamente no website da RENFE. No período de pico (julho a setembro) muitas das rotas mais populares, especialmente as pela costa, são reservadas com semanas de antecedência, portanto vale a pena planejar antes. Você também pode fazer reserva por telefone. Neste caso, os bilhetes serão segurados por 48 horas (até 2 horas antes da partida). Você

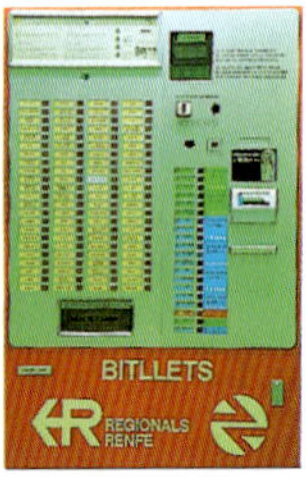

Máquina de bilhetes para os *regionals*

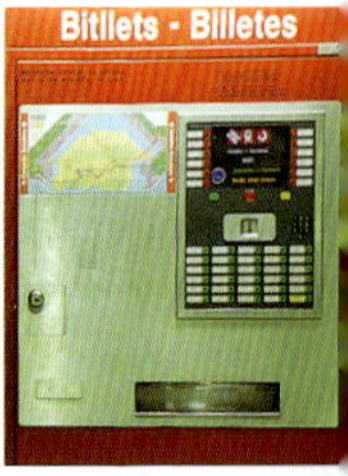

Máquina de bilhetes para os *rodalies*

Catracas automáticas numa estação de metrô de Barcelona

pode pegar os bilhetes reservados nas estações centrais.

Os bilhetes para trens locais ou regionais são comprados na *taquilla* ou em máquinas automáticas. Bilhetes para *rodalies* (subúrbios) não podem ser reservados. Para viagem só de ida, solicite *anada*, e para um bilhete com retorno, peça *anada i tornada*.

Placa de interconexão do metrô, indicando onde pegar outra linha

TARIFAS

Bilhetes para trens Talgo e AVE são mais caros que para os locais ou regionais. A RENFE dá desconto para crianças e pessoas acima de 60 anos, grupos de dez pessoas ou para cartões de viagem para trens locais, regionais e de longa distância. Turistas podem comprar um passe especial, que permite viagens sem limite nos trens da RENFE.

Bilhetes interferrovias, para pessoas com menos de 26 anos e bilhetes Eurodomino, para quem tem mais de 26, estão disponíveis para pessoas de Estados-membros da União Européia e dez outros países europeus. Eles têm um bom desconto e podem ser comprados nas estações de Sants e Estació de França, em Barcelona. Cartões de viagem, disponíveis por meio da **Secretaría General de Juventud**, destinam-se a menores de 26 anos, de qualquer nacionalidade, e dão desconto de até 40% em viagens da Espanha para outros países da Europa. Exige-se a apresentação de documento que comprove a idade e a identidade do turista.

METRÔ DE BARCELONA

Existem seis linhas subterrâneas de metrô em Barcelona, identificadas por número e cor. Placas na plataforma indicam os trens e sua direção, mostrando a última estação da linha. Na rua, é fácil encontrar uma estação de metrô –procure uma placa com uma letra "M" vermelha estampada num losango branco. O metrô é, em geral, o meio mais rápido de se deslocar pela cidade, especialmente agora que alguns bilhetes valem para o metrô e para algumas linhas FGC. Uma placa da RENFE ou da FGC nas estações indica conexão com essas linhas. O metrô opera das 5h às 24h de segunda a quinta, das 6h à meia-noite aos domingos e feriados, das 5h às 2h às sextas, sábados e vésperas de feriados.

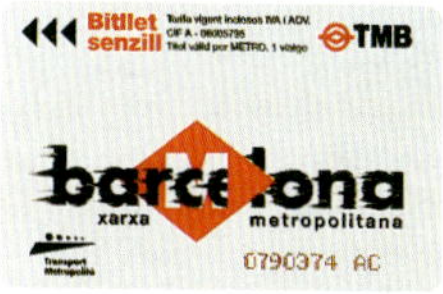

Bilhete de ida do metrô subterrâneo de Barcelona

BILHETES E PASSES DE VIAGEM EM BARCELONA

Existe ampla oferta de bilhetes e cartões de viagem com desconto, para adaptar seus itinerários e tempo de estada. Alguns cobrem trem, ônibus e metrô. Os bilhetes combinados permitem fazer uma conexão dos trens do metrô para os da FGC sem ter de deixar a estação para pagar outra passagem. Os bilhetes são: *T-dia* e *T-mes* para viagens diárias e mensais sem limite; o bilhete *senzill*, para uma viagem, serve para metrô, ônibus e FGC; o *T-10*, para dez viagens, permite andar de metrô, ônibus e FGC (o limite de horário é de uma hora e meia); o *T-50/30* é para 50 viagens no prazo de 30 dias, no metrô, ônibus e FGC. Detalhes sobre cartões especiais para turistas podem ser encontrados no verso da contracapa, ao final do guia.

COMO USAR A MÁQUINA AUTOMÁTICA DO METRÔ

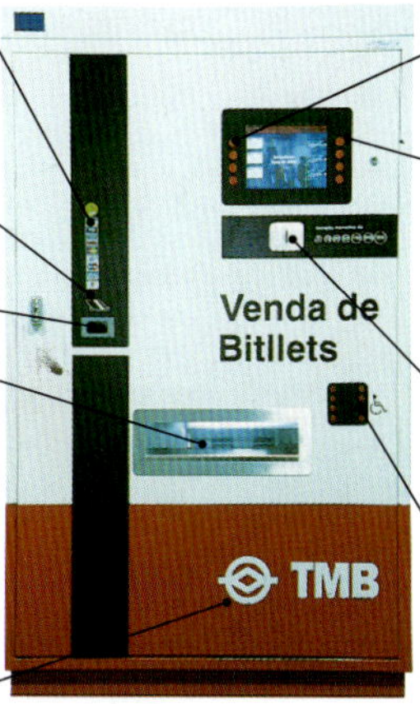

Os cartões de crédito aceitos aparecem aqui.

3b Insira o cartão aqui.

3c Insira as cédulas.

4 Pegue seu bilhete e o troco, se houver.

Logotipo da **Transports Metropolitans Urbans (TMB)**, que faz integração dos serviços.

1 Selecione o idioma: catalão/espanhol, inglês ou francês.

2 Selecione o bilhete: *senzill* (ida), *T-10* (10 viagens), *T-50/30* (50 viagens em 30 dias), e a quantidade.

3a Insira as moedas: as que são aceitas são listadas ao lado.

Botões de fácil acesso para idioma e bilhete para usuários em cadeira-de-rodas.

Como Viajar por Rodovias

Sinalização em Barcelona

As estradas da Catalunha variam bastante, desde a densa rede de estradas e do tráfego pesado de Barcelona e arredores até as quase desertas vias do interior, onde cidades e postos de gasolina ficam bem distantes entre si. As auto-estradas com pedágio *(autopistes)* fluem bem, mas as rodovias principais do litoral costumam ficar cheias a qualquer hora. Para turistas sem carro particular, sugere-se um passeio em ônibus especial, para visitar locais de interesse, mais afastados.interest.

Canvi de sentit **(acesso ou retorno) a 300m**

CHEGADA DE CARRO

Muitas pessoas chegam à Espanha de carro pelas estradas francesas. As rotas diretas que cruzam os Pirineus passam por Hendaye a oeste e La Jonquera a leste. Port Bou fica numa estrada do litoral com bela vista, e há outras estradas que serpenteiam pelo topo, entrando na Catalunha pelo Vall d'Aran, Andorra e Puigcerdà, na Cerdanya. Do Reino Unido, ferry-boats levam os carros de Plymouth a Santander e de Portsmouth a Bilbao.

Logotipo da principal empresa de aluguel de carros da Espanha

ALUGUEL DE CARRO

Empresas internacionais de locação, como **Hertz**, **Avis** e **Europcar**, e algumas espanholas, como a **National ATESA**, operam em toda a Catalunha. É mais barato alugar um carro de uma empresa internacional para quem vem da Europa com ele. Um carro de aluguel é *un cotxe de lloguer*. Os três aeroportos principais da Catalunha *(pág. 182)* possuem agências de aluguel. Mas os de Girona e Reus têm horários irregulares; se precisar de um carro nesses locais, faça reserva. A Avis aluga carros com motorista nas grandes cidades.

DIRIGIR NA ESPANHA

Para andar de carro na Espanha você precisa de um Greencard e uma carta de fiança de uma seguradora. Recomenda-se ao turista que, antes de deixar o Brasil, informe-se em sua seguradora se há cobertura no exterior.

Os documentos do carro, da seguradora e a carteira de habilitação devem ficar o tempo todo com você. Quem não é da União Européia deve ter carteira internacional; no Brasil, ela é obtida nos órgãos de trânsito. Às vezes pede-se também o passaporte ou documento de identidade.

Veículos registrados em outros países devem ter um adesivo de identificação afixado na traseira e carregar triângulo, lâmpadas sobressalentes e kit de primeiros socorros.

Velocidade máxima: 60km/h

DIRIGIR NA CATALUNHA

Num cruzamento, quem vem da direita tem a preferência, a não ser que haja indicação diferente. Conversões à esquerda cortando o fluxo de tráfego são indicadas por uma placa de *canvi de sentit*. Os limites atuais de velocidade são de 120km/h em *autopistes*, 100km/h em *autovies* (auto-estradas com ou sem pedágio); 90km/h nas *carreteres nacionals* (estradas principais) e *carreteres comarcals* (secundárias); 40 ou 50km/h em áreas urbanas –procure as placas de indicação. A multa por excesso de velocidade é de 450 euros. O limite legal de álcool no sangue é de 0,5g por litro (0,25mg no bafômetro) –os comandos são comuns, e quem passa do limite é multado. O cinto é obrigatório. Gasolina comum *(benzina)*, sem chumbo *(benzina sense plom)* e diesel são vendidos por litro nos postos.

AUTO-ESTRADAS

Nas auto-estradas com pedágio *(autopistes)* cobra-se por quilômetro. Em alguns trechos perto das cidades existe um pedágio fixo. Há três tipos de cobrança no *peatge* (cabine do pedágio): o *Automàtic* tem máquinas para cartão de crédito ou moedas; no

Posto de gasolina de uma grande rede, com filiais em toda a Espanha

Manual, um frentista pega o bilhete ou o dinheiro; para o *Teletac*, você precisa ter um cartão eletrônico grudado no pára-brisa. As *autopistes* têm um telefone de emergência a cada 2km e postos de serviço a cada 40km.

TÁXIS

Os táxis de Barcelona são pintados de amarelo e preto e acendem uma luz verde quando estão livres. Todos têm taxímetro que mostra a bandeirada no início da corrida. O preço aumenta depois das 22h e nos finais de semana, embora o valor da bandeirada seja igual. Em táxis sem taxímetro, como os do interior, é melhor acertar antes o preço da corrida. Cobra-se um adicional para ir e voltar do aeroporto e para a bagagem. Os **Radio Taxis** têm veículos adaptados para deficientes, que devem ser reservados um dia antes. Há carros para até sete pessoas.

Um táxi de Barcelona

ESTACIONAMENTO

O centro de Barcelona tem estacionamentos que cobram das 9h às 14h e das 16h às 20h, de segunda a sexta, e aos sábados durante todo o dia. Há zonas azuis, que cobram 1-2 euros por hora. Os cartões valem por duas horas e podem ser renovados. Em estacionamentos subterrâneos, *lliure* significa que há vagas e *complet* quer dizer "lotado". A maioria tem atendentes, mas nos automáticos você paga antes de pegar o carro. Não estacione na guia amarela ou rebaixada *(gual)*. Nos lados onde houver placas azuis e vermelhas com a inscrição "1–15" ou "16–30" não é permitido estacionar nesses dias.

Estação de ônibus de Granollers, província de Barcelona

ÔNIBUS INTERMUNICIPAIS

A maior empresa de ônibus da Espanha, a **Autocares Julià**, é agente da **Eurolines**, que tem linhas de qualquer ponto da Europa para o terminal de Sants, Barcelona. Ônibus de cidades da Espanha param na Estació del Nord.

A **Julià Tours** e a **Pullmantur** fazem passeios por Barcelona. Outras oferecem viagens de um dia ou mais para locais turísticos da Catalunha. O **Turisme de Catalunya** *(pág. 175)* em Barcelona dá detalhes sobre viagens para a região; em outras cidades, procure o centro de turismo local.

ÔNIBUS EM BARCELONA

Um bom modo de ver a cidade é o *Bus Turístic*. Ele opera em duas rotas, a partir da Plaça de Catalunya. O bilhete, comprado no ônibus, vale para as duas rotas, e você pode descer onde quiser e mudar de rota. Os principais ônibus são pintados de branco e vermelho. Você pode adquirir um bilhete de ida no ônibus, ou bilhetes *T-1* ou *T-2* para dez viagens, nas estações do metrô, válidos para ônibus, metrô e FGC *(pág. 185)*. Veja no *verso da contracapa* outros bilhetes. O *Nitbus* opera das 22h às 5h; o *Tomb-Bus* cobre as principais ruas de compras, da Plaça de Catalunya à Plaça Pius XII; e o *Aerobus* vai da Plaça de Catalunya ao aeroporto El Prat.

Ponto de ônibus em Barcelona

AGENDA

ALUGUEL DE CARROS

National ATESA
Tel *93 298 34 33 (aeroporto de Barcelona).*
Tel *902 100 101*

Avis
Tel *93 298 36 00 (aeroporto de Barcelona).*
Tel *902 18 08 54*

Europcar
Tel *93 298 33 00 (aeroporto de Barcelona).*
Tel *902 10 50 30*

Hertz
Tel *93 298 36 38 (aeroporto de Barcelona).*
Tel *902 402 405*

PASSEIOS DE ÔNIBUS

Autocares Julià
Tel *90 240 00 80.*

Eurolines
Tel *90 240 50 40 em Barcelona.*

Julià Tours
Tel *93 317 64 54.*

Pullmantur
Tel *93 317 12 97.*

ESTAÇÕES DE ÔNIBUS

Estació del Nord
Carrer d'Alí Bei 80.
Tel *90 226 06 06.*
www.barcelonanord.com

Estació de Sants
Plaça del Països Catalans.
Tel *90 226 06 06.*

TÁXIS

Radio Taxis
Tel *93 433 10 20/357 77 55.*
Tel *93 300 11 00.*
Tel *93 420 80 88 (táxis para deficientes físicos).*

GUIA DE RUAS DE BARCELONA

Todas as referências ao Guia de Ruas de Barcelona, encontradas em textos sobre atrações e lojas, remetem às páginas seguintes. Também estão aqui os mapas citados na parte relativa a Barcelona nas seções de hotéis *(págs. 134-41)*, restaurantes *(págs. 146-51)* e cafés e bares *(págs. 152-3)*. O mapa abaixo mostra a área de Barcelona abrangida pelo Guia de Ruas. Os símbolos utilizados para indicar atrações e serviços estão relacionados na legenda no pé da página.

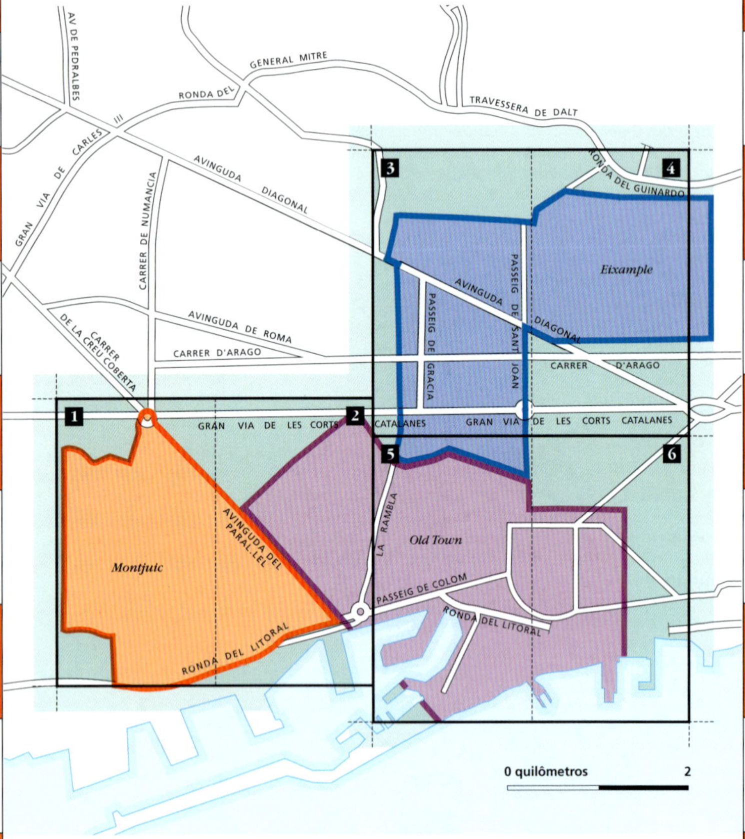

LEGENDA PARA O GUIA

- Atração principal
- Local de interesse
- Outro edifício
- Estação ferroviária principal
- Estação FGC
- Estação de metrô
- Ponto de ônibus principal
- Estação rodoviária
- Embarque de golondrina
- Teleférico
- Funicular
- Tramway stop
- Ponto de táxi
- Estacionamento
- Informação turística
- Hospital com pronto-socorro
- Delegacia
- Igreja
- Correio
- Ferrovia
- Calçadão

ESCALA DOS MAPAS

0 metros 250

Índice do Guia de Ruas

G

H

I

J

L

M

N

O

P

Portaferrissa, Carrer de la 5A2
Portal de l'Angel, Avinguda del 5A1
Portal de la Pau, Plaça del 2F4
Portal de Santa Madrona, Carrer del 2F4
Portal Nou, Carrer del 5C2
Prat, Rambla del 3A1
Princep d'Astúries, Avinguda del 3A1
Princep de Viana, Carrer del 2E2
Princesa, Carrer de la 5B2
Progrés, Carrer del 3B2
Provença, Carrer de 3A3
Providència, Carrer de la 4D1
Prunera, Passatge de 1C2
Puig i Xoriguer, Carrer de 2E4
Puigmartí, Carrer de 3B2
Pujades, Carrer de 6F2
Pujades, Passeig de 6D2
Purissima Concepció, Carrer de la 1C3

Q

Quevedo, Carrer de 3C2

R

Rabí Rubén, Carrer del 1A1
Radas, Carrer de 1C3
Rambla, La 5A1
Ramis, Carrer de 3C2
Ramon Turró, Carrer de 6E3
Ramon y Cajal, Carrer de 3B2
Raspall, Plaça del 3B2
Ratés, Passatge de 6F1
Rauric, Carrer d'En 5A2
Rec, Carrer del 5C3
Rec Comtal, Carrer del 5C2
Rector Oliveras, Passatge del 3B4
Regàs, Carrer de 3A1
Regomir, Carrer del 5A3
Reial, Plaça 5A3
Reig i Bonet, Carrer de 4D1
Reina Amàlia, Carrer de la 2E2
Reina Cristina, Carrer de la 5B3
Reina Maria Cristina, Avinguda de la 1B2
Rellotge, Moll del 5B5
Revolució de Setembre de 1868, Plaça de la 3B1
Ribera, Carrer de la 5C3
Ribes, Carrer de 4E5 & 6D1
Ricart, Carrer de 1C2
Riera Alta, Carrer de la 2E2
Riera Baixa, Carrer de la 2F2
Riera de Sant Miquel, Carrer de la 3A2
Riereta, Carrer de la 2E2
Ripoll, Carrer de 5B2
Rius i Taulet, Avinguda de 1B2
Rius i Taulet, Plaça de 3B2
Robador, Carrer d'En 2F3
Robí, Carrer del 3B1
Roca, Carrer d'En 5A2
Rocafort, Carrer de 2D1
Roger de Flor, Carrer de 4D2–4D5 & 6D1–6D2
Roger de Flor, Passatge de 4D3
Roger de Llúria, Carrer de 3B3
Roig, Carrer d'En 2F2
Romans, Carrer de 4D1
Ros de Olano, Carrer de 3B1
Rosa, Carrer de la 5A3
Rosa Sensat, Carrer de 6F3
Rosalía de Castro, Carrer de 4F2
Roser, Carrer del 2D3
Rosselló, Carrer del 3A3
Rull, Carrer d'En 5A3

S

Sadurní, Carrer de 2F3
Sagrada Família, Plaça de la 4D3
Sagristans, Carrer dels 5B2
Salamanca, Carrer de 5C5
Salvà, Carrer de 2D3
Salvador, Carrer del 2E2
Salvador Espriu, Carrer de 6E4
Sancho de Ávila, Carrer de 6E1
Sant Agustí, Carrer de 3B3
Sant Agustí, Plaça de 2F3
Sant Agustí Vell, Plaça de 5C2
Sant Antoni, Ronda del 2E2
Sant Antoni Abat, Carrer de 2E2
Sant Antoni Maria Claret, Carrer de 4D2
Sant Benet, Passatge de 5C1
Sant Bertran, Carrer de 2E4
Sant Carles, Carrer de 5B4
Sant Climent, Carrer de 2E2
Sant Cristòfol, Carrer de 3A1
Sant Domènec, Carrer de 3B2
Sant Domènec del Call, Carrer de 5A2
Sant Elm, Carrer de 5B5
Sant Erasme, Carrer de 2E2
Sant Ferriol, Carrer de 1A1
Sant Francesc de Paula, Carrer de 5B1
Sant Fructuós, Carrer de 1A1
Sant Gabriel, Carrer de 3A1
Sant Germà, Carrer de 1A1
Sant Gil, Carrer de 2E2
Sant Honorat, Carrer de 5B2
Sant Isidre, Carrer de 1C3
Sant Jaume, Plaça de 5A2
Sant Jeroni, Carrer de 2F3
Sant Joan, Passeig de 3C2–3C5 & 5C1
Sant Joaquim, Carrer de 3B2
Sant Josep Oriol, Carrer de 2F3
Sant Lluís, Carrer de 3C1
Sant Marc, Carrer de 3A1
Sant Martí, Carrer de 2E3
Sant Miquel, Baixada de 5A2
Sant Miquel, Carrer de 5B5
Sant Oleguer, Carrer de 2F3
Sant Pacià, Carrer de 2E3
Sant Pau, Carrer de 2E3
Sant Pau, Ronda de 2E2
Sant Paulí de Nola, Carrer de 1A1
Sant Pere, Passatge de 4E1
Sant Pere, Plaça de 5C1
Sant Pere, Ronda de 5A1
Sant Pere d'Abanto, Carrer de 1A1
Sant Pere Martir, Carrer de 3B2
Sant Pere Mes Alt, Carrer de 5B1
Sant Pere Mes Baix, Carrer de 5B2
Sant Pere Mitja, Carrer de 5B1
Sant Rafael, Carrer de 2F3
Sant Ramon, Carrer de 2F3
Sant Roc, Carrer de 1A1
Sant Sebastià, Platja de 5B5
Sant Sever, Carrer de 5A2
Sant Vicenç, Carrer de 2E2
Santa Anna, Carrer de 5A1
Santa Carolina, Carrer de 4F2
Santa Dorotea, Carrer de 1A1
Santa Elena, Carrer de 2E3
Santa Eugènia, Carrer de 3A1
Santa Eulàlia, Carrer de 3C2
Santa Madrona, Carrer de 2E3
Santa Madrona, Passeig de 1B3
Santa Magdalena, Carrer de 3B1
Santa Mònica, Carrer de 2F4
Santa Rosa, Carrer de 3B1
Santa Tecla, Carrer de 3B3
Santa Teresa, Carrer de 3B3
Saragossa, Carrer de 3A1
Sardana, Plaça de la 2D4
Sardenya, Carrer de 4E2–4E5 & 6E1–6E2
Seca, Carrer de la 5B3
Secretari Coloma, Carrer del 4D1
Sedata, Jardí de la 4D2
Segons Jocs Mediterranis, Carrer dels 1B2
Seneca, Carrer de 3A2
Sepúlveda, Carrer de 1C1
Serra, Carrer d'En 5A3
Sert, Passatge de 5C1
Sevilla, Carrer de 5B5
Sicília, Carrer de 4D2–4D5 & 6D1
Sidé, Carrer de 5B2
Sils, Carrer de 5A3
Simó, Passatge de 4E3
Simó Oller, Carrer de 5A3
Siracusa, Carrer de 3B2
Sitges, Carrer de les 5A1
Sol, Carrer del 3B1
Sol, Plaça del (Gràcia) 3B1
Sol, Plaça del (Montjuïc) 1B3
Sombrerers, Carrer dels 5B3
Sòria, Carrer de 5C5
Sortidor, Plaça del 2D3
Sota Muralla, Pas de 5B3
Sots-tinent Navarro, Carrer del 5B2

T

Tallers, Carrer dels 2F1
Tamarit, Carrer de 1C2
Tànger, Carrer de 6F1
Tantarantana, Carrer d'En 5C2
Tàpies, Carrer de les 2E3
Tapineria, Carrer de la 5B2
Tapioles, Carrer de 2D3
Tarròs, Carrer d'En 5B2
Tasso, Passatge de 4D5
Taxdirt, Carrer de 4E1
Templaris, Carrer dels 5A3
Terol, Carrer de 3B1
Tigre, Carrer del 2E1
Til.lers, Passeig dels 5C2
Topazi, Carrer del 3B1
Tordera, Carrer de 3B2
Torrent de les Flors, Carrer del 3C1
Torrent de l'Olla, Carrer del 3B3
Torrent d'en Vidalet, Carrer del 3C2
Torres, Carrer de 3B2
Torres, Passatge de les 4E3
Torres i Amat, Carrer de 2F1
Torrevella, Carrer de 6D4
Torrijos, Carrer de 3C2
Trafalgar, Carrer de 5C1
Tragí, Carrer de 5B2
Traginers, Plaça dels 5B3
Trelawny, Carrer de 6D4
Tres Pins, Carrer dels 1B4
Tres Senyores, Carrer de les 3C1

U

Unió, Carrer de la 2F3
Univers, Plaça de l' 1B1
Universitat, Plaça de la 2F1
Universitat, Ronda de la 2F1
Utset, Passatge d' 4E4

V

València, Carrer de 3A4
Valldonzella, Carrer de 2F1
Vallfogona, Carrer de 3B1
Vallhonrat, Carrer de 1C2
Ventalló, Carrer de 4D2
Venus, Carrer de 3B2
Verdaguer i Callís, Carrer de 5B1
Verdi, Carrer de 3B1
Vermell, Carrer 5C2
Verntallat, Carrer de 3C1
Viada, Carrer de 3C1
Vicenç Martorell, Plaça de 5A1
Victòria, Carrer de la 5C1
Vigatans, Carrer del 5B2
Vila de Madrid, Plaça de la 5A1
Vila i Vilà, Carrer de 2E3
Viladecols, Baixada de 5B2
Viladomat, Carrer de 2D1
Vilafranca, Carrer de 3C1
Vilamarí, Carrer de 1C1
Vilanova, Avinguda de 6D1
Vilaret, Passatge de 4F3
Villarroel, Carrer de 2E1
Villena, Carrer de 6D3
Vinaròs, Carrer de 5C5
Vinyassa, Passatge de la 6F2
Vinyeta, Passatge de la 2D4
Virtut, Carrer de la 3B1
Vistalegre, Carrer de 2E2
Voluntaris Olímpics, Plaça dels 6E4

W

Wellington, Carrer de 6D3

X

Xaloc, Moll de 6F5
Xiquets de Valls, Carrer dels 3B2
Xuclà, Carrer d'En 5A1

Z

Zamora, Carrer de 6F1

1
A
B
C
1
2
3
4
5
PL. DE JOAN CORRADES
CARRER DE LEIVA
C. DE LA BORDETA
PLAÇA DE BOUS LES ARENES
Espanya
PLAÇA D'ESPANYA
GRAN VIA DE LES
Rocafort
Espanya
ST PERE D'ABANTO
FARELL
SANT ROC
ST PAULI DE NOLA
ST GERMA
ST FERRIOL
CARRER DE SANT FRUCTUOS
CARRER DE LA FONT FLORIDA
CARRER DE LA GUATLLA
CAMI DEL POLVORI
GESSAMI
CARRER DE CHOPIN
CARRER DEL RABI RUBEN
D'AMPOSTA
NORD
FIDEUERS
CARRER DE MORABOS
GIMBERNAT
MEXIC
MONTFAR
DALIA
CARRER DE LLANÇA
CARRER DE VILAMARI
CARRER D'ENTENÇA
CARRER
AVINGUDA DEL PARAL·LEL
AVINGUDA
CARRER DE
CARRER
AVDA DE LA REINA MARIA CRISTINA
Fira de Barcelona
PLAÇA DE L'UNIVERS
AVINGUDA DEL MARQUES DE COMILLAS
Poble Espanyol
PLAÇA DEL PARE EUSEBI MILLAN
Pavelló Mies van der Rohe
AVINGUDA DE RIUS I TAULET
PLAÇA DE CARLES BUIGAS
LLEIDA
CARRER DE LA FONT HONRADA
PRUNERA
VALLHONRAT
D'OLIVERA
CARRER DE GRASES
MARE DE DEU DEL REMEI
CARRER DE RICART
PLAÇA DE LAS NAVAS
JAUME FA
AVINGUDA DELS MONTANYANS
PLAÇA DEL MARQUES DE LA FORONDA
PLAÇA DE LES CASCADES
PASSEIG DE LES CASCADES
JOAQUIM BLUME
CARRER DE LA GUARDIA URBANA
SEGONS JOCS MEDITERRANIS
CARRER DE
CARRER DE BOBILA
CARRER DE PEDRERES
CARRER DE FRANCA XICA
CARRER DE LA CONCOR
AVINGUDA DE L'ESTADI
Palau Nacional (Museu Nacional d'Art de Catalunya)
CARRER DE BAIX
Mercat de les Flors
Museu Arqueològic
PURISSIMA CONCEPCIO
PALMA
ST ISIDRE
PASSEIG DE LA SANTA MADRONA
Piscines Bernat Piconell
PASSEIG MINICI NATAL
PASSEIG DE L'EXPOSICIO
CARRER D'ANNIB
PASSATGE DE MARTRAS
CARRER JULIA
JULIA
PASSATGE
Teatre Grec
JARDI D'ACLIMATACIÓ
JARDINS JOAN MARGALL
Palau Saint Jordi
Fundació Joan Miró
PARC DE MONTJUIC
PLAÇA DEL SOL
AVINGUDA DE MIRAMAR
PLAÇA NEPTU
Estadi Olímpic de Montjuïc
CARRER DELS TRES PINS
Avinguda de Miramar
PASSEIG OLÍMPIC
PLAÇA DANTE
MONTJUÏC
JARDINS MOSSEN JACINT VERDAGUER
PARC DE MONTJUIC
PASSEIG DEL MIGDIA
AVINGUDA DEL CASTELL
CAMI DEL MOLI
Castell de Montjuïc
CAMI DE MONTJUIC
JARDINS MIRA DE L'ALCAL
PLAÇA DE MIRADOR
CAMI DEL FAR

D
E
F
2
1
2
3
4
5
Universitat
PLAÇA DE LA UNIVERSITAT
UNIVERSITAT
PLAÇA DE CASTELLA
CORTS CATALANES
Urgell
CARRER DE SEPULVEDA
PLAÇA DE GOYA
TORRES I AMAT
JARDINS TORRES CLAVE
FLORIDABLANCA
RONDA DE SANT ANTONI
VALLDONZELLA
TALLERS
Casa de la Caritat
Museu d'Art Contemporani
MISTRAL
TAMARIT
Mercat de Sant Antoni
Sant Antoni
PASSATGE SANT ANTONI ABAD
CARRER DE MANSO
FERLANDINA
CARRER D'ELISABETS
CARRER DE PEU DE LA CREU
CARRER DEL CARME
Antic Hospital de la Santa Creu
Mercat de Sant Josep
Poble Sec
CARRER DEL PARLAMENT
CARRER DE LA CERA
VISTALEGRE
MARQUES DE CAMPO SAGRADO
CARRER DE L'AURORA
RAMBLA DEL RAVAL
CARRER DE L'HOSPITAL
CARRER DE SANT RAFAEL
PLAÇA SANT AGUSTI
Liceu
Gran Teatre del Liceu
AVINGUDA DEL PARAL·LEL
RONDA DE SANT PAU
D'ALDANA
LA LLEIALTAT
SANT PACIA
SANTA ELENA
Monestir de Sant Pau del Camp
JARDINS DELS HORTS DE SAN PAU
CARRER DE SANT PAU
CARRER DE LA UNIO
RAMBLA
Palau Güell
CARRER NOU DE LA RAMBLA
Paral·lel
AVINGUDA DE LES DRASSANES
TEATRE
LA RAMBLA
SANTA MONICA
Drassanes
Museu de Cera
SANTA MADRONA
CARRER DEL PORTAL
Reiales Drassanes
Museu Marítim
PLAÇA DEL PORTAL DE LA PAU
Monument a Colom
PASSEIG DE JOSEP CARNER
PLAÇA DE CARLOS IBAÑEZ
JARDINS DE MIRAMAR
PLAÇA DE L'ARMADA
JARDINS MOSSEN COSTA I LLOBERA
RONDA DEL LITORAL
Torre Jaume I
World Trade Center

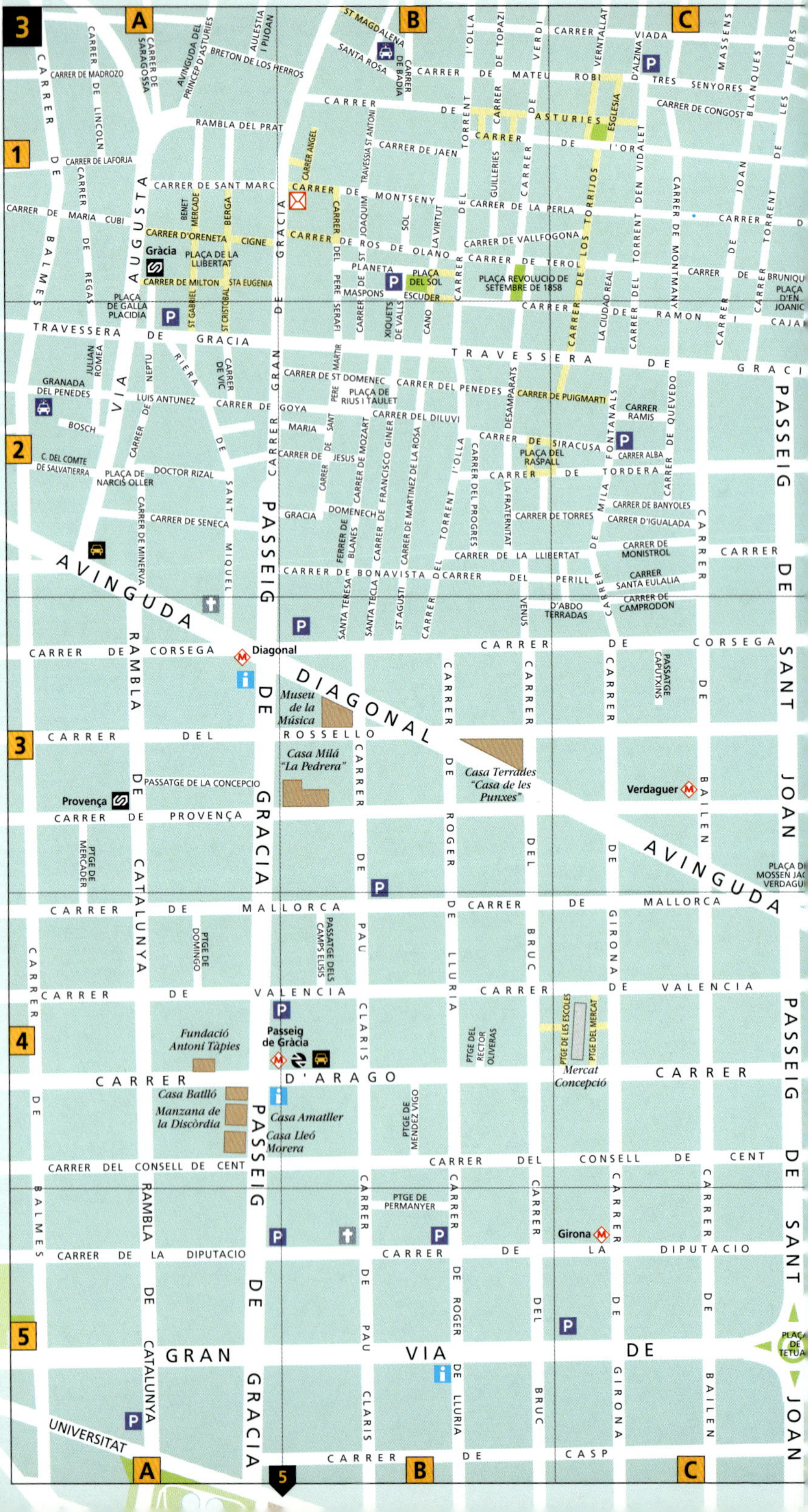
3
A
B
C
1
2
3
4
5
CARRER DE MADROZO
CARRER DE SARAGOSSA
AVINGUDA DEL PRINCEP D'ASTURIES
AULESTIA I PIJOAN
BRETON DE LOS HERROS
ST MAGDALENA
SANTA ROSA
CARRER DE BADIA
CARRER DE MATEU
CARRER VIADA
VERNTALLAT
D'ALZINA
TRES SENYORES
MASSENS
CARRER DE CONGOST
RAMBLA DEL PRAT
CARRER DE ASTURIES
ESGLESIA
CARRER DE JAEN
CARRER DE L'ORADELL
CARRER DE LAFORJA
CARRER DE SANT MARC
CARRER ANGEL
CARRER DE MONTSENY
CARRER DE LA PERLA
CARRER DE MARIA CUBI
CARRER D'ORENETA
CIGNE
CARRER DE ROS DE OLANO
CARRER DE VALLFOGONA
CARRER DE TEROL
Gràcia
PLAÇA DE LA LLIBERTAT
CARRER DE MILTON
STA EUGENIA
PLANETA
PLAÇA DEL SOL
MASPONS
ESCUDER
PLAÇA REVOLUCIO DE SETEMBRE DE 1858
CARRER DE RAMON
PLAÇA DE GALLA PLACIDIA
TRAVESSERA DE GRACIA
GRANADA DEL PENEDES
LUIS ANTUNEZ
CARRER DE GOYA
CARRER DE ST DOMENEC
PLAÇA DE RIUS I TAULET
CARRER DEL PENEDES
CARRER DE PUIGMARTI
CARRER RAMIS
CARRER DEL DILUVI
BOSCH
MARIA
CARRER DE SIRACUSA
PLAÇA DEL RASPALL
CARRER ALBA
C. DEL COMTE DE SALVATIERRA
PLAÇA DE NARCIS OLLER
DOCTOR RIZAL
CARRER DE JESUS
CARRER DE TORDERA
CARRER DE BANYOLES
CARRER D'IGUALADA
CARRER DE TORRES
CARRER DE SENECA
GRACIA
DOMENECH
CARRER DE LA LLIBERTAT
CARRER DE MONISTROL
CARRER DE BONAVISTA
CARRER DEL PERILL
CARRER SANTA EULALIA
CARRER DE CAMPRODON
D'ABDO TERRADAS
AVINGUDA DIAGONAL
CARRER DE CORSEGA
Diagonal
PASSATGE CAPUTXINS
Museu de la Música
CARRER DEL ROSSELLO
Casa Milá "La Pedrera"
Casa Terrades "Casa de les Punxes"
Verdaguer
PASSATGE DE LA CONCEPCIO
Provença
CARRER DE PROVENÇA
PTGE DE MERCADER
PLAÇA DE MOSSEN JACINT VERDAGUER
CARRER DE MALLORCA
PTGE DE DOMINGO
PASSATGE DELS CAMPS ELISIS
CARRER DE VALENCIA
PTGE DEL RECTOR OLIVERAS
PTGE DE LES ESCOLES
PTGE DEL MERCAT
Fundació Antoni Tàpies
Passeig de Gràcia
CARRER D'ARAGO
Mercat Concepció
Casa Batlló
Manzana de la Discòrdia
Casa Amatller
Casa Lleó Morera
PTGE DE MENDEZ VIGO
CARRER DEL CONSELL DE CENT
PTGE DE PERMANYER
Girona
CARRER DE LA DIPUTACIO
GRAN VIA DE
PLAÇA DE TETUAN
UNIVERSITAT
CARRER DE CASP
RAMBLA DE CATALUNYA
PASSEIG DE GRACIA
CARRER DE CLARIS
CARRER DE PAU CLARIS
CARRER DE ROGER DE LLURIA
CARRER DEL BRUC
CARRER DE GIRONA
CARRER DE BAILEN
PASSEIG DE SANT JOAN
CARRER DE BALMES
VIA AUGUSTA
5

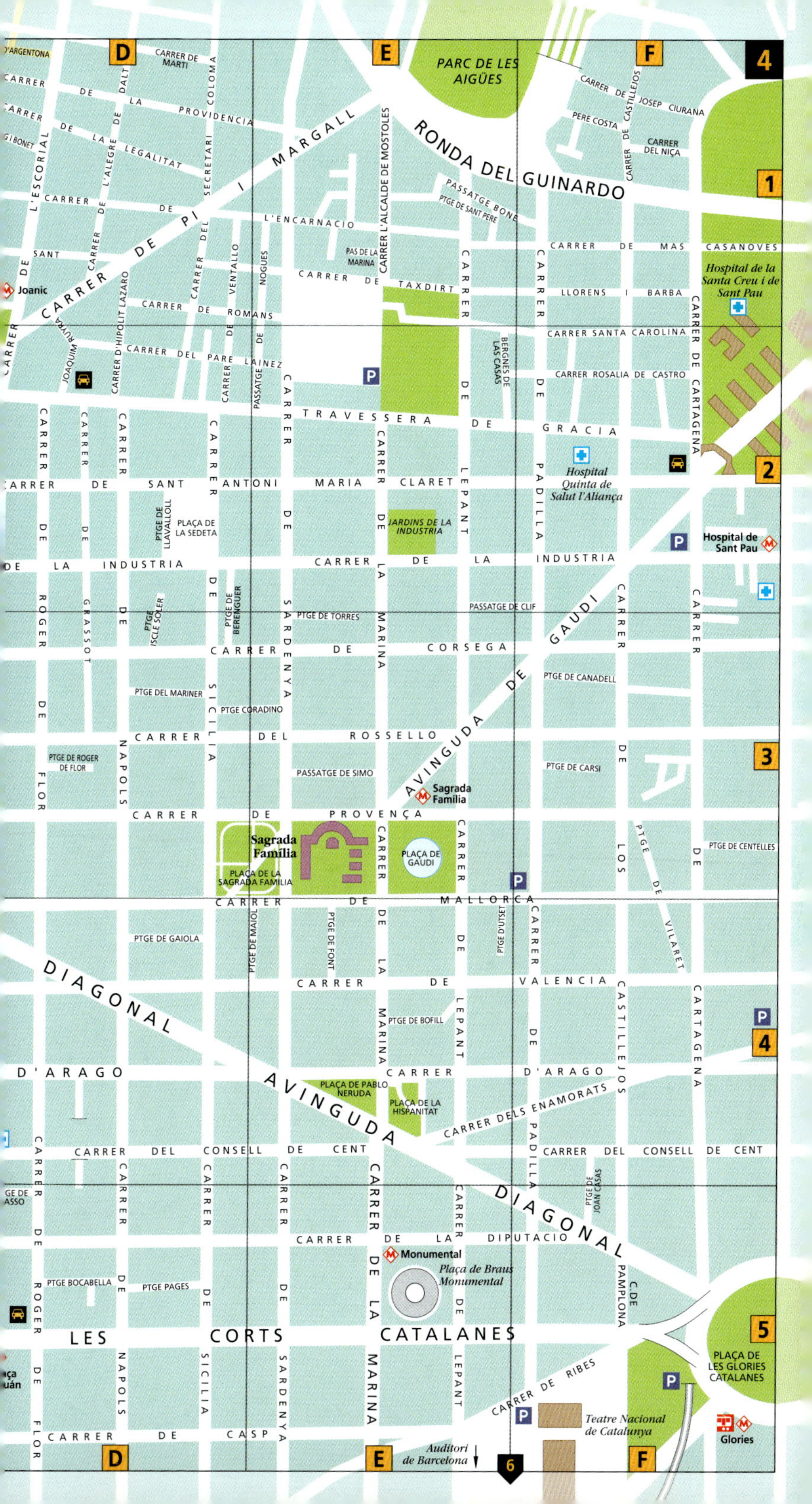

PARC DE LES AIGÜES
RONDA DEL GUINARDO
CARRER DE PI I MARGALL
CARRER DE LA PROVIDENCIA
CARRER DE LA LEGALITAT
CARRER DE L'ENCARNACIO
CARRER DE SANT ANTONI MARIA CLARET
CARRER DE LA INDUSTRIA
CARRER DE CORSEGA
CARRER DEL ROSSELLO
CARRER DE PROVENÇA
CARRER DE MALLORCA
CARRER DE VALENCIA
CARRER D'ARAGO
CARRER DEL CONSELL DE CENT
CARRER DE LA DIPUTACIO
LES CORTS CATALANES
CARRER DE CASP
CARRER DE RIBES
TRAVESSERA DE GRACIA
AVINGUDA DE GAUDI
AVINGUDA DIAGONAL
CARRER DELS ENAMORATS
CARRER DE MAS CASANOVES
CARRER DE CARTAGENA
CARRER DE PADILLA
CARRER DE LEPANT
CARRER DE LA MARINA
CARRER DE SARDENYA
CARRER DE SICILIA
CARRER DE NAPOLS
CARRER DE ROGER DE FLOR
CARRER DE CASTILLEJOS
Hospital de la Santa Creu i de Sant Pau
Hospital Quinta de Salut l'Aliança
Hospital de Sant Pau
JARDINS DE LA INDUSTRIA
Sagrada Família
PLAÇA DE LA SAGRADA FAMILIA
PLAÇA DE GAUDI
PLAÇA DE PABLO NERUDA
PLAÇA DE LA HISPANITAT
Monumental
Plaça de Braus Monumental
PLAÇA DE LES GLORIES CATALANES
Glories
Teatre Nacional de Catalunya
Auditori de Barcelona
Joanic
D
E
F
1
2
3
4
5
6

5
A
B
C
1
2
3
4
5
Plaça de Catalunya
Catalunya
El Corte Ingles
Ronda de Sant Pere
Urquinaona
Carrer de Ausias Marc
Passeig de Sant Joan
Carrer de Bergara
Jovellanos
Carrer de Fontanella
La Rambla
Carrer de Trafalgar
Arc de Triomf
Palau de la Música Catalana
Reial Acadèmia
Bonsuccès
Carrer d'en Xuclà
Pintor Fortuny
Palau Moja
Palau de la Virreina
Carrer de Santa Anna
Carrer Comtal
Plaça de la Vila de Madrid
Canuda
Carrer de Portaferrissa
Via Laietana
Plaça de Lluís Millet
Carrer de Sant Pere Més Alt
Carrer de Sant Pere Mitjà
Carrer de Sant Pere Més Baix
Plaça de Sant Pere
Arc del Triomf
Passeig Lluís Companys
Carrer del Rec Comtal
Carrer Cortines
Carrer del Portal Nou
Plaça Nova
Avda de la Catedral
Casa de l'Ardiaca
Plaça d'Antoni Maura
Avda de Francesc Cambó
Museu Frederic Marès
Catedral
Santa Llúcia
Palau Reial Major
Generalitat
Museu d'Història
Plaça del Pi
Carrer de la Palla
Cardenal Casañas
Plaça de la Boqueria
Carrer de la Boqueria
Carrer de Ferran
Plaça de Sant Jaume
Carrer de Jaume I
Plaça de l'Àngel
Jaume I
Carrer de la Princesa
Casa de la Ciutat
Plaça Reial
Museu Tèxtil
Museu Picasso
Museu de la Xocolata
Museu de Zoologia
Museu de Geologia
Mercat del Born
Passeig de Picasso
Carrer del Comerç
Carrer Montcada
Basílica de Santa Maria del Mar
Plaça de Comercial
Carrer de Ribera
Carrer dels Escudellers
Carrer Nou de Sant Francesc
Carrer d'Avinyó
Carrer Ample
Carrer de la Mercè
La Mercè
Plaça dels Traginers
Plaça de les Olles
Consolat del Mar
Llotja
Plaça d'Antoni López
Passeig de Isabel II
Avda del Marques de l'Argentera
Estació de França
Carrer de Josep Anselm Clavé
Plaça del Duc de Medinaceli
Passeig de Colom
Reina Cristina
Pas de Sota Muralla
Barceloneta
Port Vell
Moll de la Fusta
Palau de Mar
Museu d'Història de Catalunya
Plaça de Pau Vila
Ronda del Litoral
Carrer del Doctor Aiguader
Marina Port Vell
Maremàgnum
Imax
Aquàrium
Moll d'Espanya
Rambla de Mar
Passeig Joan de Borbó
Moll de la Barceloneta
Plaça de la Barceloneta
Plaça de la Font
Plaça del Poeta Bosca
Plaça de Pompeu Gener
Parc de Barcelone
Barceloneta
Carrer de l'Almirall Cervera
Plaça de Bruguera
Moll dels Pescadors
Moll del Rellotge
Moll dels Balears
Carrer del Judici
Drassana
Platja de Sant Sebastià
Torre Sant Sebastià
Mar

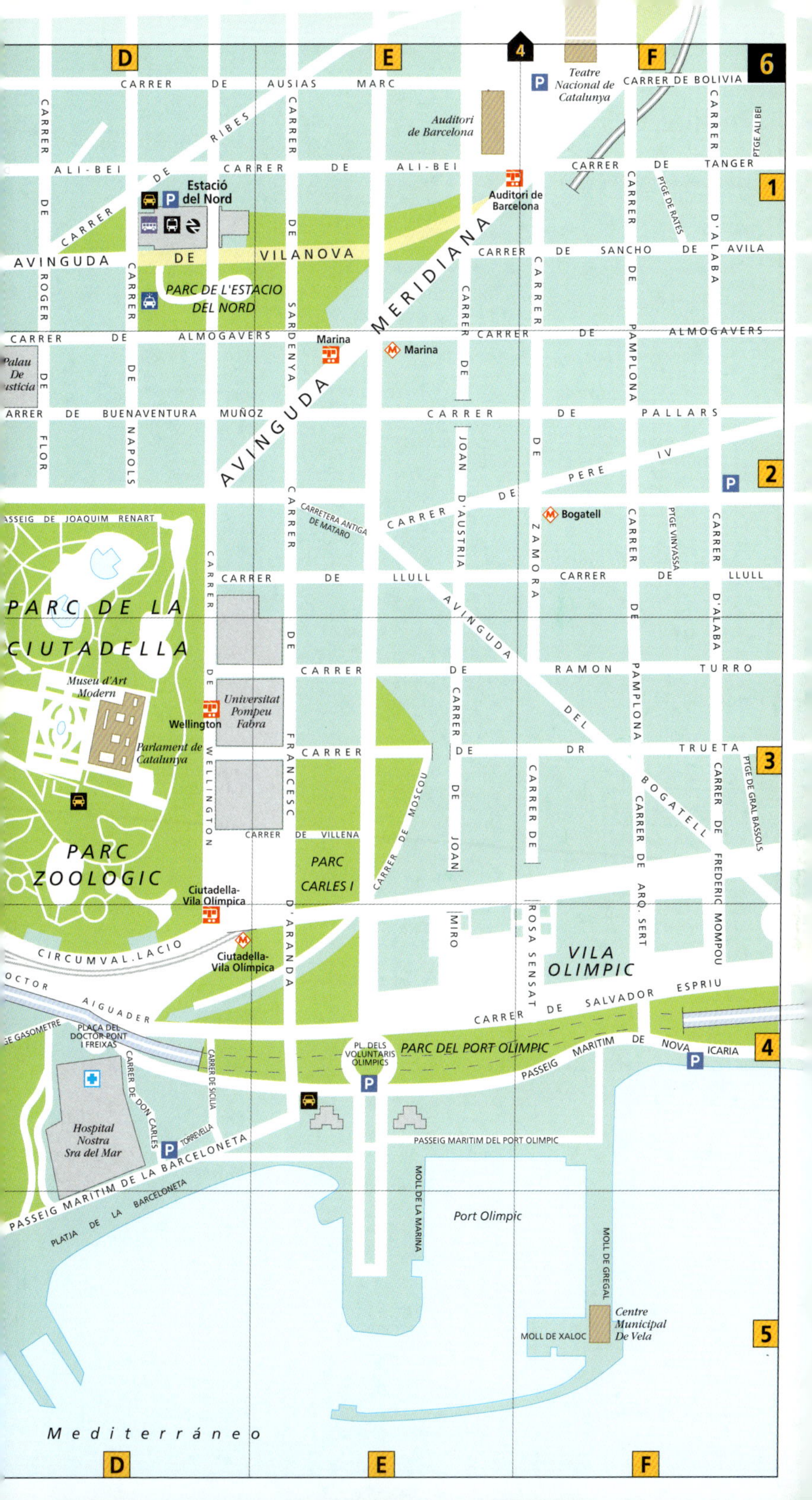

D
E
F
6
4
1
2
3
4
5
CARRER DE AUSIAS MARC
CARRER DE BOLIVIA
Teatre Nacional de Catalunya
Auditori de Barcelona
CARRER DE RIBES
CARRER DE ALI-BEI
CARRER DE TANGER
PTGE ALI BEI
PTGE DE RATES
Estació del Nord
Auditori de Barcelona
AVINGUDA DE VILANOVA
CARRER DE SANCHO DE AVILA
PARC DE L'ESTACIO DEL NORD
AVINGUDA MERIDIANA
CARRER DE ROGER DE FLOR
CARRER DE NAPOLS
CARRER DE SARDENYA
CARRER DE ALMOGAVERS
Palau De Justicia
Marina
Marina
CARRER DE BUENAVENTURA MUÑOZ
CARRER DE PALLARS
CARRER DE PAMPLONA
CARRER D'ALABA
CARRER DE ZAMORA
CARRER DE JOAN D'AUSTRIA
CARRER DE PERE IV
PASSEIG DE JOAQUIM RENART
CARRETERA ANTIGA DE MATARO
Bogatell
PTGE VINYASSA
CARRER DE LLULL
PARC DE LA CIUTADELLA
AVINGUDA DEL BOGATELL
CARRER DE RAMON TURRO
Museu d'Art Modern
Universitat Pompeu Fabra
Wellington
CARRER DE WELLINGTON
Parlament de Catalunya
CARRER DE FRANCESC D'ARANDA
CARRER DE DR TRUETA
PTGE DE GRAL BASSOLS
CARRER DE FREDERIC MOMPOU
CARRER DE MOSCOU
CARRER DE JOAN MIRO
CARRER DE ROSA SENSAT
CARRER DE ARQ. SERT
CARRER DE VILLENA
PARC ZOOLOGIC
PARC CARLES I
Ciutadella-Vila Olímpica
Ciutadella-Vila Olímpica
CIRCUMVAL.LACIO
VILA OLIMPIC
CARRER DE SALVADOR ESPRIU
DOCTOR AIGUADER
GASOMETRE
PLAÇA DEL DOCTOR PONT I FREIXAS
CARRER DE SICILIA
PL. DELS VOLUNTARIS OLIMPICS
PARC DEL PORT OLIMPIC
PASSEIG MARITIM DE NOVA ICARIA
CARRER DE DON CARLES
Hospital Nostra Sra del Mar
TORREVELLA
PASSEIG MARITIM DE LA BARCELONETA
PASSEIG MARITIM DEL PORT OLIMPIC
PLATJA DE LA BARCELONETA
MOLL DE LA MARINA
Port Olimpic
MOLL DE GREGAL
Centre Municipal De Vela
MOLL DE XALOC
Mediterráneo

Índice Geral

Os números em **negrito** referem-se às páginas em que o assunto aparece com mais destaque

Agradecimentos

A PUBLIFOLHA gostaria de agradecer a Luis Reyes Gil pela transcrição fonética adaptada ao português das palavras em catalão na seção Frases deste guia.

Principal Colaborador

ROGER WILLIAMS contribuiu para o *Guia Visual Espanha* e escreveu os títulos Barcelona e Catalunha para a coleção *Insight Guides*. Também foi um dos principais colaboradores de um guia sobre a Provença, e seu último romance, *Lunch with Elizabeth David*, se passa no Mediterrâneo.

Outros Colaboradores

Mary Jane Aladren, Pepita Arias, Emma Dent Coad, Rebecca Doulton, Josefina Fernández, Nick Rider, David Stone, Judy Thomson, Clara Villanueva, Suzanne Wales.

Design e Assistência Editorial

Amaia Allende, Queralt Amella Miró, Gillian Andrews, Imma Espuñes i Amorós, Daniel Campi, Alrica Green, Jessica Hughes, Elly King, Kathryn Lane, Caroline Mead, Sam Merrel, Barbara Minton, Mani Ramaswamy, Collette Sadler, Alícia Ribas Sos, Lola Carbonell Zaragoza.

Revisão

Stewart J Wild.

Organização do Índice

Hilary Bird.

Fotografias Adicionais

Max Alexander, D. Murray/J. Selmes, Dave King, Ian O'Leary, Alessandra Santarelli, Susannah Sayler, Clive Streeter.

Permissões de Fotografia

© Obispado de VIC; © Cabildo de la Catedral de Girona; Teatre Nacional de Catalunya (Barcelona); Institut Mpal. del Paisatge Urba i la Qualitat de Vida, Ajuntament de Barcelona.

A Dorling Kindersley agradece a todos os museus, catedrais, igrejas, restaurantes, hotéis, lojas, galerias e atrações –muito numerosos para serem citadas individualmente– pela contribuição decisiva para a realização deste guia.

Créditos das Fotos

a =alto; ae =alto, à esquerda; cae =centro, alto, à esquerda; ac =alto, centro; cad= centro, alto, à direita; ad =alto, à direita; cea=centro, à esquerda, acima; ca=centro, acima; cda =centro, à direita, acima; ce =centro, à esquerda; c =centro; cd =centro, à direita; ceb =centro, à esquerda, embaixo; cb =centro, embaixo; cdb =centro, à direita, embaixo; be =embaixo, à esquerda; b =embaixo; bc =embaixo, ao centro; bce =embaixo, ao centro, à esquerda; bd =embaixo, à direita; bcd =embaixo, ao centro, à direita; (d) =detalhe.

As obras de arte foram reproduzidas com a permissão dos seguintes detentores de direitos:

Salvador Dalí *Táxi em Dia de Chuva* e ceiling fresco in the Wind Palace Room - Museu Dalí © Kingdom of Spain, Gala - Salvador Dalí Foundation, DACS, Londres 2006; George Kolbe *Manhã* © DACS, Londres 2006; IOC/Olympic Museum Collections; Joan Miró *Mulher e Pássaro* 1983 e Tapeçaria da Fundação Joan Miró 1975 © Succession Miró/ ADAGP, Paris e DACS, Londres 2006.

Os editores agradecem às seguintes pessoas, companhias e bancos de imagem pela permissão para reproduzir suas fotos:

ACE PHOTO LIBRARY: Mauritius 19a; AISA, Barcelona: 14b, 18b, 23be, *São Jorge* Jaume Huguet 28c, 40, 41c, 44cb, 46c, 46be, 176bc; ALAMY IMAGES: Douglas Armand 97cda; Jon Arnold Images 76ad; Andrew Bargery 62be, 76be; Neil Barks 77ae; Peter Barritt 82ad; Oliver Bee 76ceb, 77bd; Dalgleish Images 96be; Iain Davidson Photographic 102cea, 103ae; Chad Ehlers 97ae; Richard Foot 96ad; B J Gadie 62ac; Stephen Saks Photography 68a; Neil Setchfield 60bd. AQUILA PHOTOGRAPHICS: Adrian Hoskins 112bea; 112be; James Pearce 21b; NATIONAL ATESA: 186cd.

JAUME BALANYA: 81cdb; MIKE BUSSELLE: 111b, 112a.

COCEMFE: 154c; CODORNIU: 33a, 33c; BRUCE COLEMAN COLLECTION: Erich Crichton 20ad; José Luis González Grande 21ad; Norbert Schwirtz 21ae; Colin Varwdell 21cda; CORBIS: Peter Aprahamian 62be, 105bd; Carlos Dominguez 11ceb; Owen Franken 124ae, 125c; Dave G. Houser 10cea; Andrea Jemolo 82cea; Jose Fuste Raga 11ae; James Sparshatt 82ae; Mark L.

Stephenson 83ad; Sandro Vannini 82bc; Vanni Archive 83bd. Cover, Madrid: Pepe Franco 154c; Matias Nieto 191b.

European Commission: 179.

Firo Foto: 69ce. Frieixenet: 32c, 33b; Fundacion Collection Thyssen-Bornemisza: Fra Angelico *Madona da Humildade* 95a; Fundacio Joan Miró, Barcelona: Joan Miró *Flama en l'espai i dona nua* 1932 © Sucessores de Miró/Adagp, Paris e Dacs, Londres 2006 88a.

Godo Photo: 129a, José Luis Dorada 125a.

Robert Harding Picture Library: 25ad, 59ca, 72ca, 88b, 89b.

The Illustrated London News Picture Library: 47a; Index, Barcelona: CJJ.19b, 44a, 47c; Image Bank: 24b, 73b; Andrea Pistolesi 92; Images Colour Library: 24c, 183b; AGE Fotostock 76, 113b, 118–119, 155a, 155c, 170cd; Nick Inman: 20b, 96bd.

Life File Photographic: Xabier Catalan 25c; Emma Lee 25cda.

Marka, Milan: Sergio Pitamitz 62ae; Mas Salvanera: Ramón Ruscalleda 133a; Mary Evans Picture Library: 27; John Miller: 108; Museu Nacional D'Art de Catalunya: J. Calveras J. Sagrista 90-91; *A Companhia de Santa Bárbara* 1891 Ramon Marti Alsina 45a; Museu Picasso: Pablo Ruiz Picasso *Auto-Retrato* 1899-1900 © Sucessores de Picasso/Dacs, Londres 2006 64be; Abadia de montserrat (barcelona) 122bd.

Natural Science Photos: C Dani & I Jeske 170c; Naturpress, Madri: 17b; Oriol Alamany 34c, 37b; Walter Kvaternik 37c, 26–27, 177b; Carlos Vegas 178a, 180ad; Jose A Martinez 109b.

Oronoz, Madri: 41b, 42a, 42c, 45be, 46a.

Photographersdirect.com: Michael Dobson/ Echo Imagery 107c, 107bd; Fran Fernandez Photography 102b, 105c, 106ae, 107ae; Jan van der Hoeven 101a, 103b, 104cea, 106bd. Pictures Colour Library: 74–75; Francisco Fernandez Prieto: 104 bc;

Prisma, Barcelona: Barcelona: 4a, 9, 18a, 38-9, 45cb, 46cda, 131, 154b, 163c, 173, 182ca, 187a; Carles Aymerich 22 be, 36c; A. Bofill 19c; Roger Bosch *Paralelo* 1930 8-9; Barbara Call 17a; Jordi Cami 34b; Ramon Cases Carbo *Procissão em Santa María del Mar* c. 1898 28a; Albert Heras 2-3, 36b; Kuwenal 43a, 43c; Mateu 35c; Joaquim Mir Trinxet *Catedral dos Pobres* 29c; Isidro Nunell monturiol *Esperando a Sopa* 1899 29a; Santiago Rusiñol y Prats *Os Jardins de Aranjuez* 1907 28b; Antoni Tàpies *Litografia* 1948 © Fundação Tàpies, Barcelona/ADAGP, Paris e DACS, Londres 2006 29b.

Raimat: 32cb; Red-Head: 52; Rex Features: 117cb; Ellen Rooney:1.

M Angeles SÁnchez: 35b; Science Photo Library: Geospace 12; Spectrum Colour Library: 24ad; Stockphotos, Madri: 170b; Campillo 171a.

Capas
Frontal – Corbis: David G. Houser, imagem principal; DK Picture Library: Heidi Grassley be; Clive Streeter ceb; Museu Arqueologic de Barcelona: cdb. Posterior – DK Picture Library: Heidi Grassley a; Alan Keohane b. Lombada – Corbis: David G. Houser.

Guarda Anterior: em sentido horário, John Miller; Image Bank Andrea Pistolesi; Red-Head; Images Colour Library/ Age Fotostock.

Todas as demais imagens
© Dorling Kindersley

Frases

Emergências

Socorro!	**Auxili!**	au-ssi-li
Pare!	**Pareu!**	pa-ré-u
Chame um médico!	**Telefoneu un metge!**	ta-la-fon-é-u un mê-tcha
Chame uma ambulância!	**Telefoneu una ambulància!**	ta-la-fon-é-u un-na am-bu-lán-ci-a
Chame a polícia!	**Telefoneu la policia!**	ta-la-fon-é-u la pu-li-ci-a
Chame os bombeiros!	**Telefoneu els bombers!**	ta-la-fon-é-u als bum-bês
Onde fica o telefone mais próximo?	**On és el telèfon més proper?**	on-es al ta-lé-fon mês pro-pe
Onde fica o hospital mais próximo?	**On és l'hospital més proper?**	on-es luss-pi-tal mês pro-pe

Comunicação Essencial

Sim	**Si**	si
Não	**No**	no
Por favor	**Si us plau**	sis pla-u
Obrigado	**Gràcies**	gra-ci-as
Desculpe	**Perdoni**	par-do-ni
Olá	**Hola**	o-la
Até logo	**Adéu**	a-de-u
Boa noite	**Bona nit**	bó-na nit
manhã	**El matí**	al ma-ti
tarde	**La tarda**	la tar-da
noite	**El vespre**	al bes-pra
ontem	**Ahir**	a-i
hoje	**Avui**	a-bu-i
amanhã	**Demà**	da-ma
aqui	**Aquí**	a-ki
ali	**Allà**	a-lha
O quê?	**Què?**	ké
Quando?	**Quan?**	kuán
Por quê?	**Per què?**	par ké
Onde?	**On?**	on

Frases Úteis

Como vai?	**Com està?**	kom as-ta
Muito bem, obrigado.	**Molt bé, gràcies.**	mol bê grá-ci-as
Prazer em conhecê-lo.	**Molt de gust.**	mol da gust
Até mais tarde.	**Fins aviat.**	finz ab-iat
Está bem.	**Està bé.**	as-ta bê
Onde está/estão. . .?	**On és/són?**	on es/son
Quantos metros/ quilômetros há daqui a. . .?	**Quants metres/ kilòmetres hi ha d'aquí a . . .?**	kuanz me-tres/ki-lo-ma-tres ya da-ki a
Como eu faço para chegar a . . .?	**Per on es va a . . .?**	par on as bá a
(O sr./sra.) fala português?	**Parla portuguès?**	par-la pur-tu-gués
Eu não entendo	**No l'entenc.**	no lan-teng
Poderia falar mais devagar, por favor?	**Pot parlar més a poc a poc, si us plau?**	pót par-la mês pók a pók sis pla-u
Sinto muito.	**Ho sento.**	u sen-tu

Palavras Úteis

grande	**gran**	grán
pequeno	**petit**	pa-tit
quente	**calent**	ka-len
frio	**fred**	fréd
bom	**bo**	bó
ruim	**dolent**	du-len
suficiente	**bastant**	bas-tán
bem	**bé**	bê
aberto	**obert**	u-bér
fechado	**tancat**	tan-kat
esquerda	**esquerra**	as-kér-ra
direita	**dreta**	dré-ta
sempre reto	**recte**	rék-ta
perto	**a prop**	a prop
longe	**lluny**	lhiun
para cima	**a dalt**	a dal
para baixo	**a baix**	a ba-ich
cedo	**aviat**	ab-iat
tarde	**tard**	tart
entrada	**entrada**	an-tra-da
saída	**sortida**	sur-ti-da
banheiro	**lavabos/ serveis**	la-bá-bus sar-bé-is
mais	**més**	mês
menos	**menys**	ménis

Nas Compras

Quanto custa, por favor?	**Quant costa això?**	kuán kóst as-chó
Eu queria . . .	**M'agradaria . . .**	ma-grad-a-ri-a
Vocês têm?	**Tenen?**	ten-an
Estou só olhando, obrigado	**Només estic mirant, gràcies.**	nu-mês as-tik mi-rán grá-ci-as
Aceitam cartões de crédito?	**Accepten targes de crèdit?**	ak-cêp-tan tar-jas de kré-dit
A que horas abre?	**A quina hora obren?**	a kin-a ó-ra ó-bran
A que horas fecha?	**A quina hora tanquen?**	a kin-a ó-ra tán-kan
este	**Aquest**	a-két
aquele	**Aquell**	a-kélh
caro	**car**	kar
barato	**bé de preu/ barat**	bê da pré-u/ ba-rat
tamanho (roupa)	**talla/mida**	ta-lha/mi-da
úmero (sapatos)	**número**	nu-mer-u
branco	**blanc**	blánc
preto	**negre**	né-gra
vermelho	**vermell**	bar-mélh
amarelo	**groc**	grók
verde	**verd**	bért
azul	**blau**	blá-u
loja de antiguidades	**antiquari/botiga d'antiguitats**	an-ti-kuá-ri/ bu-ti-ga/dan-ti-gui-tats
padaria	**el forn**	al forn
banco	**el banc**	al bánc
livraria	**la llibreria**	la lhi-bra-ri-a
açougue	**la carnisseria**	la kar-ni-ssa-ri-a
doceria	**la pastisseria**	la pas-ti-ssa-ri-a
farmácia	**la farmàcia**	la far-má-ci-a
peixaria	**la peixateria**	la pei-xa-ta-ri-a
frutaria	**la fruiteria**	la fru-i-ta-ri-a
armazém	**la botiga de queviures**	la bu-ti-ga da ka-bi-u-ras
cabeleireiro	**la perruqueria**	la pa-rru-ka-ri-a
mercado	**el mercat**	al mar-kat
agência de anúncios	**el quiosc de premsa**	al ki-ósk da prem-sa
agência do correio	**l'oficina de correus**	lu-fi-ci-na da ku-rré-us
loja de calçados	**la sabateria**	la sa-ba-ta-ri-a
supermercado	**el supermercat**	al su-par-mar-kat
tabacaria	**l'estanc**	las-tánc
agência de viagens	**l'agència de viatges**	la-jén-ci-a da bi-a-tchas

Atrações Turísticas

galeria de arte	**la galeria d' art**	la ga-la ri-a dart
catedral	**la catedral**	la ka-ta-dral
igreja	**l'església**	laz-glê-zi-a
	la basílica	la ba-zi-li-ka
jardim	**el jardí**	al jar-di
biblioteca	**la biblioteca**	la bi-bli-u-té-ka
museu	**el museu**	al mu-zé-u
centro de informações ao turista	**l'oficina de turisme**	lu-fi-ci-na da tu-riz-ma
prefeitura	**l'ajuntament**	la-jun-ta-men
fechado para férias	**tancat per vacances**	tan-kát par ba-kán-ssas
estação de ônibus	**l'estació d'autobusos**	las-ta-ci-ô dau-tu-bu-z
estação de trem	**l'estació de tren**	las-ta-ci-ô da trén

No Hotel

Vocês têm algum quarto vago?	**¿Tenen una habitació lliure?**	te-nan u-na a-bi-ta-ci-ô lhiu-ra
quarto duplo com cama de casal	**habitació doble amb llit de matrimoni**	a-bi-ta-ci-ô dô-bla am lhit da ma-tri-mó-ni

com duas camas de casal	**habitació amb dos llits/ amb llits individuals**	*a-bi-ta-ci-***ô** *am* **dos lhits/** *am* **lhits** *in-di-bi-du-***als**
quarto de solteiro	**habitació individual**	*a-bi-ta-ci-***ô** *in-di-bi-du-***al**
quarto com banheiro	**habitació amb bany**	*a-bi-ta-ci-***ô** *am* **bánh**
chuveiro	**dutxa**	**du**-*tcha*
carregador	**el grum**	*al* **grum**
chave	**la clau**	*la* **klá**-*u*
eu tenho uma reserva	**Tinc una habitació reservada**	**ting u**-*na* *a-bi-ta-ci-***ô** *ra-zar-***bá**-*da*

No Restaurante

Tem uma mesa para...?	**Tenen taula per...?**	**te**-*nan* **tau**-*la par*
Queria reservar uma mesa.	**Voldria reservar una taula.**	*bul-***dri**-*a* *ra-zar-***bá** **u**-*na* **tau**-*la*
A conta, por favor.	**El compte, si us plau.**	*al* **kom**-*ta* **sius plá**-*u*
Sou vegetariano/ vegetariana	**Sóc vegetarià/ vegetariana**	**sôk** *ba-ja-ta-ri-***á** *ba-ja-ta-ri-***á**-*na*
garçonete	**cambrera**	*kam-***brê**-*ra*
garçom	**cambrer**	*kam-***brê**
menu	**la carta**	*la* **kar**-*ta*
cardápio com preço fixo	**menú del dia**	*ma-***nu** *dal* **di**-*a*
carta de vinhos	**la carta de vins**	*la* **kar**-*ta da* **bins**
um copo de água	**un got d'aigua**	*un* **gót da**-*i-gua*
um copo de vinho	**una copa de vi**	*u-na* **kô**-*pa da* **bi**
garrafa	**una ampolla**	**u**-*na am-***polh**-*a*
faca	**un ganivet**	*un gan-i-***bét**
garfo	**una forquilla**	**u**-*na fur-***kilh-a**
colher	**una cullera**	**u**-*na ku-***lhê**-*ra*
café-da-manhã	**l'esmorzar**	*las-mur-***zá**
almoço	**el dinar**	*al di-***ná**
jantar	**el sopar**	*al su-***pá**
primeiro prato	**el primer plat**	*al pri-***mê plát**
entradas	**els entrants**	*als an-***tranz**
prato do dia	**el plat del dia**	*al* **plát** *dal* **di**-*a*
café	**el cafè**	*al ka-***fé**
mal passado	**poc fet**	**pók fêt**
ao ponto	**al punt**	*al* **pun**
bem passado	**molt fet**	*mol* **fêt**

Cardápio *(ver também págs. 30-1 e 144-5)*

l'aigua mineral	la-i-gua - mi-na-**ral**	água mineral
sense gas/amb gas	sen-sa gas/am-gas	sem gás/com gás
al forn	al **forn**	ao forno
l'all	**lalh**	alho
l'arròs	lar-**róz**	arroz
les botifarres	las bu-ti-**fá**-rras	linguiças
la carn	la **kárn**	carne
la ceba	la **sé**-ba	cebola
la cervesa	la-sar-**bé**-sa	cerveja
l'embotit	lam-bu-**tit**	frios
el filet	al fi-**lét**	filé
el formatge	al fur-**ma**-dja	queijo
fregit	fra-**git**	frito
la fruita	la fru-**i**-ta	fruta
els fruits secs	ala fru-**its séks**	frutas secas
les gambes	las **gám**-bas	camarões
el gelat	al ja-**lat**	sorvete
la llagosta	la lha-**gôs**-ta	lagosta
la llet	la **lhêt**	leite
la llimona	la lhi-**mô**-na	limão
la llimonada	la lhi-mo-**na**-da	limonada
la mantega	la man-**té**-ga	manteiga
el marisc	al ma-**risk**	mariscos
la menestra	la ma-**nês**-tra	sopa de legumes
l'oli	**lól**-i	óleo
les olives	las u-**li**-bas	azeitonas
l'ou	**ló**-u	ovo
el pa	al **pá**	pão
el pastís	al pas-**tis**	torta/bolo
les patates	las pa-**tá**-tas	batatas
el pebre	al **pé**-bra	pimentão
el peix	al **peich**	peixe
el pernil salat serrà	al par-**nil** sa-**lat** sar-**rá**	presunto cru
el plàtan	al **plá**-tan	banana
el pollastre	al pu-**lhas**-tra	frango
la poma	la **pô**-ma	maçã
el porc	al **pórc**	porco
les postres	las **pós**-tras	sobremesa
rostit	ros-**tit**	assado
la sal	la **sal**	sal
la salsa	la **sal**-sa	molho
les salsitxes	las sal-**si**-tchas	salsichas
sec	**sék**	seco
la sopa	la **sô**-pa	sopa
el sucre	al-**su**-kra	açúcar
la taronja	la ta-**ron**-dja	laranja
el te	al té	chá
les torrades	las tu-**rra**-das	torradas
la vedella	la ba-**dê**-lha	vitela
el vi blanc	al **bi blanc**	vinho branco
el vi negre	al **bi né**-gra	vinho tinto
el vi rosat	al **bi** ru-**zat**	vinho rosé
el vinagre	al bi-**ná**-gra	vinagre
el xai/el be	al **tchai**/al **bé**	cordeiro
el xerès	al tcha-**rés**	xerez
la xocolata	la tchu-ku-**lá**-ta	chocolate
el xoriç	al tchu-**ris**	chouriço

Números

0	**zero**	**zé**-*ru*
1	**un (masc)** **una (fem)**	**un** **un**-*a*
2	**dos (masc)** **dues (fem)**	**dos** **du**-*as*
3	**tres**	**trés**
4	**quatre**	**kua**-*tra*
5	**cinc**	**cing**
6	**sis**	**sis**
7	**set**	**sét**
8	**vuit**	**bu**-*it*
9	**nou**	**nó**-*u*
10	**deu**	**dé**-*u*
11	**onze**	**on**-*za*
12	**dotze**	**do**-*dza*
13	**tretze**	**tre**-*dza*
14	**catorze**	*ka-***tor**-*za*
15	**quinze**	**kin**-*za*
16	**setze**	**sét**-*dza*
17	**disset**	*di-***ssét**
18	**divuit**	*di-***buit**
19	**dinou**	*di-***nó**-*u*
20	**vint**	**bin**
21	**vint-i-un**	*bin-ti-***un**
22	**vint-i-dos**	*bin-ti-***dôs**
30	**trenta**	**trén**-*ta*
31	**trenta-un**	**trén**-*ta* **un**
40	**quaranta**	*kua-***rán**-*ta*
50	**cinquanta**	*cin-***kuán**-*ta*
60	**seixanta**	*sa-i-***chán**-*ta*
70	**setanta**	*sa-***tán**-*ta*
80	**vuitanta**	*bu-i-***tán**-*ta*
90	**noranta**	*nu-***rán**-*ta*
100	**cent**	**cen**
101	**cent un**	**cent un**
102	**cent dos**	**cen dôs**
200	**dos-cents (masc)** **dues-centes (fem)**	*dôs-***cens** **du**-*as* **cen**-*tas*
300	**tres-cents**	**trés-cenz**
400	**quatre-cents**	**kua**-*tra*-**cens**
500	**cinc-cents**	**cing-cens**
600	**sis-cents**	**sis-cens**
700	**set-cents**	**sét-cens**
800	**vuit-cents**	**bu**-*it*-**cens**
900	**nou-cents**	**nó**-*u*-**cens**
1.000	**mil**	**mil**
1.001	**mil un**	**mil un**

Tempo

um minuto	**un minut**	**un** *mi-***nut**
uma hora	**una hora**	**u**-*na* **ó**-*ra*
meia hora	**mitja hora**	**mi**-*tcha* **ó**-*ra*
segunda-feira	**dilluns**	*di-***lhunz**
terça-feira	**dimarts**	*di-***mars**
quarta-feira	**dimecres**	*di-***mê**-*kras*
quinta-feira	**dijous**	*di-***jó**-*us*
sexta-feira	**divendres**	*di-***bén**-*dras*
sábado	**dissabte**	*di-***ssáb**-*ta*
domingo	**diumenge**	*di-u-***men**-*dja*

GUIA VISUAL FOLHA DE S.PAULO

TÍTULOS PUBLICADOS

Guias Visuais
Os Guias Que Mostram O Que Os Outros Só Contam

África do Sul • Alemanha • Austrália • Barcelona e Catalunha • Brasil • Califórnia • Canadá • China Croácia • Cuba • Egito • Espanha • Estados Unidos Europa • França • Ilhas Gregas e Atenas • Índia Inglaterra, Escócia e País de Gales • Itália • Japão Londres • Madri • México • Nova York • Nova Zelândia Paris • Portugal, Madeira e Açores • Praga Roma • Walt Disney World® Resort & Orlando

Guias Visuais de Bolso
Guia e Mapa – A Cidade na Palma da Mão

Berlim • Londres • Madri • Nova York Paris • Praga • Roma • Sydney

Guias de Conversação para Viagem

Alemão • Árabe • Chinês • Espanhol Europa • Francês • Grego • Inglês • Italiano Japonês • Portuguese • Russo

Acompanhe os próximos lançamentos no site da Publifolha
www.publifolha.com.br

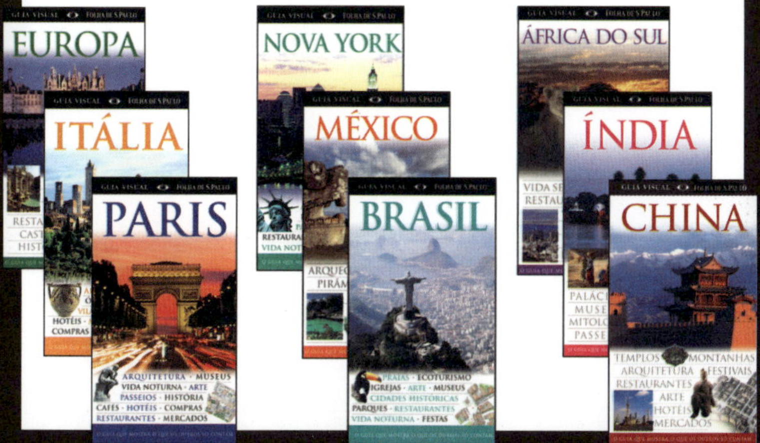

Mapas de Transporte Ferroviário

O mapa principal mostra o sistema de metrô de Barcelona, com seis linhas, e as linhas FF CC de trens de subúrbios, funiculares e bondes *(págs. 184-5)*. O transporte público em Barcelona é moderno e eficiente, e o sistema de integração permite a conexão entre diferentes meios de transporte com um cartão multiviagem (por exemplo, um T-10). O *Barcelona Card* é um cartão especial para turistas, válido para 1 dia ou 5 dias, que permite viagens ilimitadas de metrô e ônibus e dá descontos para os principais passeios e museus. O mapa menor mostra a principal malha ferroviária da Catalunha, administrada pela RENFE, o sistema estatal espanhol. Foram escolhidas para inclusão no mapa as estações que ficam mais próximas dos passeios descritos neste guia.

LEGENDA

- Linha 1 do metrô
- Linha 2 do metrô
- Linha 3 do metrô
- Linha 4 do metrô
- Linha 5 do metrô
- Linha 11 do metrô
- Trens FGC (Ferrocarrils de la Generalitat de Catalunya)
- Linha de bonde
- Linha RENFE para o aeroporto
- Linha de funicular
- Tramvia Blau (Bonde Azul)
- Conexão
- Principal estação de linha (RENFE)

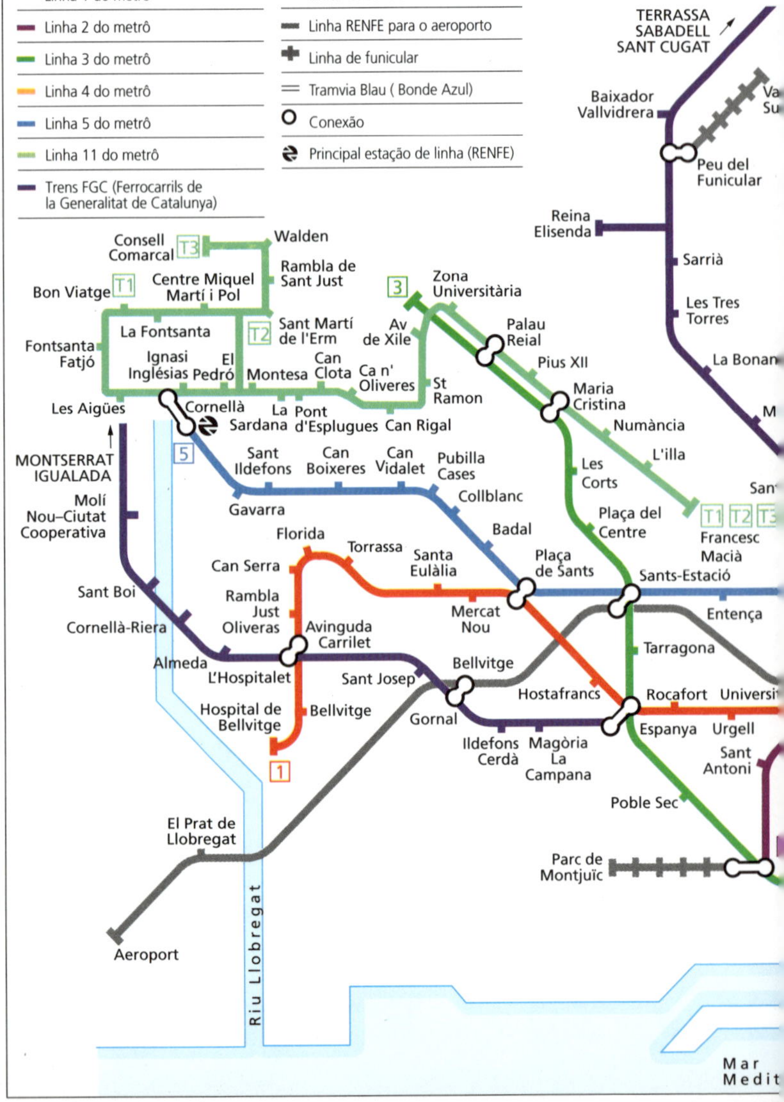